CB021936

A marca FSC® é a garantia de que a madeira utilizada na fabricação do papel deste livro provém de florestas que foram gerenciadas de maneira ambientalmente correta, socialmente justa e economicamente viável, além de outras fontes de origem controlada.

terras do sem-fim

O país do Carnaval, 1931
Cacau, 1933
Suor, 1934
Jubiabá, 1935
Mar morto, 1936
Capitães da Areia, 1937
ABC de Castro Alves, 1941
O Cavaleiro da Esperança, 1942
Terras do sem-fim, 1943
São Jorge dos Ilhéus, 1944
Bahia de Todos-os-Santos, 1945
Seara vermelha, 1946
O amor do soldado, 1947
Os subterrâneos da liberdade
  Os ásperos tempos, 1954
  Agonia da noite, 1954
  A luz no túnel, 1954
Gabriela, cravo e canela, 1958
De como o mulato Porciúncula descarregou seu defunto, 1959
Os velhos marinheiros ou O capitão-de-longo-curso, 1961
A morte e a morte de Quincas Berro Dágua, 1961
O compadre de Ogum, 1964
Os pastores da noite, 1964
As mortes e o triunfo de Rosalinda, 1965
Dona Flor e seus dois maridos, 1966
Tenda dos Milagres, 1969
Tereza Batista cansada de guerra, 1972
O gato malhado e a andorinha Sinhá, 1976
Tieta do Agreste, 1977
Farda, fardão, camisola de dormir, 1979
O milagre dos pássaros, 1979
O menino grapiúna, 1981
A bola e o goleiro, 1984
Tocaia Grande, 1984
O sumiço da santa, 1988
Navegação de cabotagem, 1992
A descoberta da América pelos turcos, 1992
Hora da Guerra, 2008

terras do sem-fim

JORGE AMADO

Posfácio de Miguel Sousa Tavares

9ª reimpressão

1ª edição, Livraria Martins Editora, São Paulo, 1943

Grafia atualizada segundo o Acordo Ortográfico da Língua Portuguesa de 1990, que entrou em vigor no Brasil em 2009.

Consultoria da coleção Ilana Seltzer Goldstein

Projeto gráfico Kiko Farkas e Elisa Cardoso/ Máquina Estúdio

Pesquisa iconográfica do encarte Silvana Jeha

Imagens © Marcel Gautherot/ Acervo do Instituto Moreira Salles (foto da capa); © Luiza Chiodi/ Companhia Fabril Mascarenhas (chita); Acervo Fundação Casa de Jorge Amado (foto da orelha). Outras imagens cedidas pela família Amado e pela Fundação Casa de Jorge Amado. Todos os esforços foram feitos para determinar a origem das imagens deste livro. Nem sempre isso foi possível. Teremos prazer em creditar as fontes, caso se manifestem.

Cronologia Ilana Seltzer Goldstein e Carla Delgado de Souza

Preparação Isabel Jorge Cury

Revisão Arlete Sousa e Carmen S. da Costa

Atualização ortográfica Página Viva

Texto estabelecido a partir dos originais revistos pelo autor. Os personagens e as situações desta obra são reais apenas no universo da ficção; não se referem a pessoas e fatos concretos, e não emitem opinião sobre eles. No posfácio, foi mantida a grafia vigente em Portugal.

Dados Internacionais de Catalogação na Publicação (CIP)
(Câmara Brasileira do Livro, SP, Brasil)

Amado, Jorge, 1912-2001.
Terras do sem-fim / Jorge Amado ; posfácio de Miguel Sousa Tavares. — São Paulo : Companhia das Letras, 2008.

ISBN 978-85-359-1252-4

1. Ficção brasileira I. Tavares, Miguel Sousa. II. Título.

08-04589 CDD-869.93

Índice para catálogo sistemático:
1. Ficção : Literatura brasileira 869.93

Diagramação Spress

Papel Pólen Soft, Suzano S.A.

Impressão e acabamento Lis Gráfica

[2021]

EDITORA SCHWARCZ S.A.
Rua Bandeira Paulista 702 cj. 32
04532-002 — São Paulo — SP
Telefone (11) 3707 3500
www.companhiadasletras.com.br
www.blogdacompanhia.com.br
facebook.com/companhiadasletras
instagram.com/companhiadasletras
twitter.com/cialetras

Para Matilde,
lembrança do inverno.

Homenagem
a D. Shostakovich,
compositor e soldado de Leningrado.

Para Carmen Ghioldi e Teresa Kelman,
para Aparecida e Paulo Mendes de Almeida,
e para Remi Fonseca.

☼

Eu vou contar uma história, uma história de espantar.
(romanceiro popular)

A TERRA ADUBADA COM SANGUE

O NAVIO

1

O APITO DO NAVIO ERA COMO UM LAMENTO E CORTOU O CREPÚSCULO que cobria a cidade. O capitão João Magalhães encostou-se na amurada e viu o casario de construção antiga, as torres das igrejas, os telhados negros, ruas calçadas de pedras enormes. Seu olhar abrangia uma variedade de telhados, porém de rua só via um pequeno trecho onde não passava ninguém. Sem saber por quê, achou aquelas pedras, com que mãos escravas haviam calçado a rua, de uma beleza comovente. E achou belos também os telhados negros e os sinos das igrejas que começaram a tocar chamando a cidade religiosa para a bênção. Novamente o navio apitou rasgando o crepúsculo que envolvia a cidade da Bahia. João estendeu os braços num adeus. Era como se estivesse se despedindo de uma bem-amada, de uma mulher cara ao seu coração.

Dentro do navio homens e mulheres conversavam. Fora, ao pé da escada, um senhor de preto, chapéu de feltro na mão, beijava os lábios de uma rapariga pálida. Ao lado de João um sujeito gordo, encostado ao espaldar de um banco, iniciava uma palestra com um caixeiro-viajante português. Outro consultava o relógio e dizia para quem o quisesse ouvir:

— Faltam cinco minutos...

João pensou que o relógio do viajante estava atrasado, porque o navio apitou uma última vez, os que ficavam saltaram, os que iam se debruçavam na amurada.

O resfolegar das máquinas lhe deu de repente a certeza de que partia e então se voltou com uma estranha comoção para a cidade, fitou novamente os velhos telhados, o trecho de rua calçada com pedras colossais. O sino repicava e João imaginou que aquele chamado era para ele, convite para correr novamente as ruas da cidade, para descer as suas ladeiras, tomar mingau nessa madrugada no Terreiro, beber cachaça com plantas aromáticas, jogar ronda nos cantos do mercado pela manhã, jogar sete e meio à tarde na casa de Violeta onde ia uma turma boa, jogar pôquer à noite no cabaré com aqueles ricaços que o respeitavam. E pela madrugada sair novamente pelas ruas, a cabeleira desabada sobre os olhos, dizendo piadas para as mulheres que passavam de mãos cruzadas sobre o peito por causa do frio, procurando encontrar companheiros para uma farra de violão na Cidade Baixa. Depois eram os suspiros de Violeta, no quarto da rapariga, a lua entrando pela janela aberta, o vento balançando os dois coqueiros do quintal. Os suspiros de amor iam com o vento, até a lua, quem sabe?

Os soluços da moça pálida desviaram seus pensamentos. Ela dizia, numa voz de certeza infalível:

— Nunca mais, Robério, nunca mais...

O homem a beijava numa excitação cheia de dor e respondia com dificuldade:

— Para o mês eu volto, meu amor, trago os meninos. E você vai ficar boa... O médico me disse...

A voz da moça era dorida, João teve pena:

— Eu sei que morro, Robério. Não vejo mais você nem os meninos. — Repetiu baixinho: — Nem os meninos... — e rebentou em soluços.

O homem quis dizer algo, não pôde, balançou a cabeça, olhou a escada, desviou os olhos para João como quem pedia socorro. A voz da mulher era um soluço: "Nunca mais lhe vejo...". O homem de preto continuava a olhar João, estava só com a sua dor. João ficou um momento indeciso, não sabia mesmo como iria acudir ao homem de preto, depois quis descer a escada mas já marinheiros a retiravam, pois o navio iniciava as manobras. O homem só teve tempo de beijar mais uma vez os lábios da moça, um beijo ardente, prolongado e profundo como se ele também quisesse adquirir a moléstia que comia o peito da esposa. Pulou no navio. Mas a sua dor foi mais alta que seu orgulho e os soluços saltaram do seu peito, encheram o navio que partia, e até o coronel gordo parou a conversa com o viajante. De fora, alguém dizia quase aos gritos:

— Me escreva... Me escreva...

Havia outra voz:

— Não vá me esquecer...

2

RAROS LENÇOS DERAM ADEUSES, SÓ DE UMA FACE CORRERAM LÁGRIMAS, face jovem de mulher que soluçava arfando o peito. Não existia ainda o novo cais da Bahia e as águas penetravam quase pela rua. O navio foi se afastando devagar, nas primeiras manobras. A moça que chorava sacudia o lenço mas já não distinguia dentre os que respondiam de bordo aquele a quem dera seu coração. Logo depois o navio tomou velocidade, os que estavam a vê-lo partir se retiraram. Um senhor velho pegou no braço da moça e foi com ela, resmungando palavras de consolação e de esperança. O navio se distanciava.

Grupos se confundiam nos primeiros minutos da viagem. Mulheres começavam a se retirar para os camarotes, homens espiavam as rodas que cortavam o mar, porque naquele tempo os navios que iam da Bahia para Ilhéus tinham rodas como se em vez de irem vencer o grande mar oceano onde campeia o vento sul tivessem apenas que navegar num rio de águas mansas.

O vento soprou mais forte e trouxe para a noite da Bahia fragmentos das conversas de bordo, palavras que foram pronunciadas em tom mais forte: terras, dinheiro, cacau e morte.

3

AS CASAS DESAPARECIAM, JOÃO RODOU O ANEL NO DEDO, QUERENDO desviar a vista do homem de preto que limpava os olhos e que dizia, como que numa explicação de toda a cena:

— Tá tísica, coitadinha. O médico não deu esperanças...

João olhou o mar de um verde escuro e só então se lembrou dos motivos por que fugia assim da cidade. O anel de engenheiro estava perfeito no seu dedo e parecia até feito propositadamente para ele. Murmurou de si para si:

— Nem que fosse de encomenda...

Riu, se recordando do engenheiro. Um pato. Nunca vira pato tão grande. Aquele, de pôquer não entendia nada, deixara mesmo tudo que tinha, até o anel. Também naquela noite, fazia uma semana, João limpara a mesa, só do coronel Juvêncio levara um conto e quinhentos. Que culpa tinha ele? Estava muito bem do seu, estirado seminu na cama da Violeta, que cantava com sua voz delicada e enfiava os dedos nos seus cabelos, quando o menino do Tabaris apareceu dizendo que já tinha corrido a cidade toda atrás dele. Rodolfo sempre lhe arranjava uma banquinha. Quando uma mesa não estava completa, ele perguntava aos parceiros:

— Os senhores conhecem o capitão João Magalhães? Um capitão reformado?

Sempre havia um que conhecia, que já tinha jogado com ele. Os outros perguntavam:

— Não é rato, não?

Rodolfo bancava indignação:

— O capitão joga sério. Joga bem, não se nega a verdade. Mas para um sujeito jogar sério é preciso que jogue como o capitão.

Mentia com a cara mais cínica desse mundo e ainda completava:

— Uma mesa sem o capitão não tem graça...

Para passar essa cantata, Rodolfo tinha a sua comissão e sabia que mesa onde João Magalhães estava era mesa onde a bebida corria e o barato da casa era pesado. Mandava o menino atrás de João, preparava os baralhos.

Fora assim naquela noite. João estava mole mole, os dedos de Violeta nos seus cabelos, quase adormecendo ao som da sua voz, quando o garoto apareceu. Só houve mesmo tempo de botar a roupa e num instante estava aboletado na sala dos fundos do cassino. Do coronel Juvêncio levou um conto e quinhentos e do engenheiro levou tudo que ele tinha no bolso, levou até o anel de formatura que o rapaz apostou na hora que se viu com um *four* de damas na mão, mesmo numa hora em que João Magalhães dera as cartas. Perdeu, porque o *four* do capitão João Magalhães era de reis. Só o outro parceiro, um comerciante da Cidade Baixa, tivera lucro também: duzentos e poucos mil-réis. Em mesa em que João jogasse, outro parceiro ganhava sempre, era da sua técnica. E como o capitão tinha um gênio esquisito (diziam os íntimos), escolhia o ganhador pela cor dos olhos, olhos que mais se aproximassem de uns que haviam ficado no Rio, olhando a figura do profissional com desprezo e nojo. Era de manhã quando todos se levantaram e Rodolfo avaliou o anel em mais de um conto. O engenheiro jogara por trezentos e vinte no *four* de damas. João ri no tombadilho do navio. "Só gente besta acredita nas damas..."

Tinha ido para a casa de Violeta bem descansado, pensando na satisfação que a rapariga teria no dia seguinte quando ele lhe levasse aquele vestido de seda azul que ela vira numa vitrine. Pois não é que o engenheiro, em vez de perder calado, no outro dia se botou para a polícia, contou uma história atrapalhada, disse cobras e lagartos de João, perguntou de que exército era a sua patente de capitão, e a polícia só não o chamou para uma conversa porque não o encontrou? Rodolfo o escondera bem escondido, Agripino Doca dissera-lhe maravilhas de Ilhéus e do cacau, e agora ele estava naquele navio, depois de ter passado oito meses na Bahia, a caminho de Ilhéus, onde surgira o cacau e com ele fortunas rápidas, o anel de engenheiro no dedo, um baralho num bolso, um cento de cartões no outro:

CAPITÃO DR. JOÃO MAGALHÃES
engenheiro militar

Aos poucos a tristeza de abandonar a cidade, que tanto amara naqueles oito meses, foi desaparecendo. João começou a se interessar pela paisagem, árvores vistas ao longe, casas que ficavam pequeninas. O navio apitou e a água respingou o chapéu de João. Ele o tirou, passou o lenço perfumado pela palhinha da copa e o colocou sob o braço.

Depois alisou o cabelo revolto, propositadamente descuidado, fazendo ondas. E relanceou um olhar por todo o tombadilho, indo desde o homem de preto que tinha a vista presa ao cais que já não se via, até o gordo coronel que narrava ao caixeiro-viajante atos de bravura nas terras semibárbaras de São Jorge dos Ilhéus. João rodava o anel no dedo, estudava a fisionomia dos outros viajantes. Será que encontraria parceiros para uma mesinha? É verdade que levava uma bolada regular no bolso, mas dinheiro nunca fez mal a ninguém. Assoviou devagarinho.

No navio a conversa começava a se generalizar. João Magalhães sentia que não tardaria a ser envolvido pela conversa e pensava em como conseguir parceiros a bordo. Tirou um cigarro, bateu com ele na amurada, riscou um fósforo. Depois se interessou novamente pela paisagem, porque agora o navio ia bem próximo à terra na saída da barra. Na frente de uma casa triste de barro, dois garotos nus, de enormes barrigas, gritavam para o navio que passava. Do claro de outra casa, meio escondida pela janela, uma moça de rosto bonito acenou um adeus. João calculou que aquele adeus devia ser ou para o foguista ou para toda a gente que ia no navio. Mas assim mesmo respondeu, estendendo sua mão magra num gesto cordial.

O coronel gordo espantava o caixeiro-viajante narrando um barulho que tivera numa pensão de mulheres na Bahia. Uns malandros fizeram-se de besta, tinham querido correr em cima dele por causa de uma mulatinha. Ele puxou o parabélum e bastou gritar: "Vem com coragem que eu sou é de Ilhéus...", para que os malandros recuassem acovardados.

O viajante se assombrava com a coragem do coronel:

— O senhor foi macho pra burro!

O capitão João Magalhães foi se aproximando vagarosamente.

4

MARGOT SAIU DE UM CAMAROTE E ATRAVESSOU O NAVIO DE PONTA A PONTA, rodando a sombrinha de muito pano, arrastando a cauda do vestido de muita roda, se deixando admirar pelos caixeiros-viajantes, que diziam piadas; pelos fazendeiros, que arregalavam os olhos; até pelo pessoal que ia na terceira, em busca de trabalho nas terras do sul da Bahia. Margot atravessou os grupos, pedindo licença com sua voz quase sussurrada, e em cada grupo se fazia silêncio para melhor a verem e a desejarem. Porém, mal ela passava, as conversas recaíam no tema de sempre: cacau. Os caixeiros-viajantes olhavam Margot passando entre os fazendeiros e riam. Bem sabiam que ela ia em busca de dinheiro, ganhar facilmente o que muito custara àqueles homens rudes. Só não riram quando Juca Badaró saiu da escuridão, tomou Margot por um braço e a conduziu para a amurada de onde viam Itaparica que desaparecia, o casario longínquo da cidade da Bahia, a noite que chegava rapidamente, a roda do navio levantando água.

— Vosmicê de onde vem? — Juca Badaró corria o corpo da mulher com os olhos miúdos, se demorando nas pernas, nos seios. Levou a mão às nádegas de Margot e as beliscou para sentir a dureza da carne.

Margot tomou uma atitude de ofensa:

— Não lhe conheço... Que liberdade é essa?

Juca Badaró a segurou por debaixo do queixo, levantou sua cabeça de cachos loiros e disse com voz pausada, os olhos penetrando nos dela:

— Se nunca ouviu, vosmicê vai ouvir falar muito em Juca Badaró... E fique sabendo que tá desde agora por minha conta. Veja como se comporta porque eu não sou homem de duas conversas.

Largou bruscamente o queixo de Margot, voltou-lhe as costas e partiu para a popa do navio, onde os passageiros de terceira se aglomeravam e de onde vinham sons melodiosos de harmônica e violão.

5

A LUA AGORA COMEÇAVA A SUBIR PARA O ALTO DO CÉU, UMA LUA ENORME e vermelha que deixava na negrura do mar um rastro sanguinolento. Antônio Vítor encolheu mais as pernas compridas, descansou o queixo sobre os joelhos. A toada da canção que o sertanejo cantava perto dele se perdia na imensidão do mar, enchia de saudade o coração de Antônio Vítor. Recordava as noites de lua de sua cidadezinha, noites em que os candeeiros não eram acesos, nas quais ele ia com tantos outros rapazes, e com tantas moças também, pescar do alto da ponte banhada de luar. Eram noites de histórias e risadas, a pescaria era apenas pretexto para aquelas conversas, aqueles apertos de mão quando a lua se escondia sob uma nuvem. Ivone estava sempre perto dele, era uma menina de quinze anos mas já estava na fábrica, na fiação. E era o homem da família, sustentando a mãe doente, os quatro irmãos pequenos, desde que o pai abalara uma noite, ninguém sabia para onde. Nunca mais dera notícia, Ivone caiu na fábrica, fazia para todas aquelas bocas. E as conversas na ponte eram sua única diversão. Descansava a cabeça de cabelos mulatos no ombro de Antônio e dava-lhe os lábios grossos todas as vezes que a lua se escondia. Ele plantava uma roça de milho com mais dois irmãos, nas imediações da cidade. Mas deixava tão pouco e tantas eram as notícias de farto trabalho e farto pagamento nas terras do sul, onde o cacau dava um dinheirão, que ele um dia, igual ao pai de Ivone, igual a seu irmão mais velho, igual a milhares de outros, deixou a pequena cidade sergipana, embarcou em Aracaju, dormiu duas noites numa pensão barata da beira do cais da Bahia e agora estava na terceira classe de um naviozinho com destino a Ilhéus. É um caboclo alto e magro, de músculos salientes e grandes mãos calosas. Tem vinte anos e seu coração está cheio de saudade. Uma sensação que antes ele não conhecera invade seu peito. Virá da grande lua cor de sangue? Virá da melodia triste que o sertanejo canta? Os homens e mulheres espalhados no tombadilho conversam sobre as esperanças dessas terras do sul.

— Eu me boto para Tabocas... — diz um homem que já não é muito moço, de barba rala e cabelo encrespado. — Diz-que é um lugar de futuro.

— Mas diz-que também que é uma brabeza. Que é um tal de matar gente que Deus me perdoe... — falou um pequenininho de voz rouca.

— Já ouvi contar essa conversa... Mas não acredito nem um tiquinho. Se fala muito no mundo...

— Será o que Deus quiser... — agora era a voz de uma mulher que trazia a cabeça coberta com um xale.

— Eu vou é pra Ferradas... — anunciou um jovem. — Tenho um irmão por lá, tá bem. Tá com o coronel Horácio, um homem de dinheiro. Vou ficar com ele. Já tem lugar pra mim trabalhar. Depois volto pra buscar a Zilda...

— Tua noiva? — perguntou a mulher.

— Minha mulher, tá com uma filhinha de dois anos, outro no bucho. Uma lindeza de menina.

— Tu não volta é nunca... — falou um velho envolto numa capa. — Tu não volta é nunca, que Ferradas é o cu do mundo. Tu sabe mesmo o que é que tu vai ser nas roças do coronel Horácio? Tu vai ser trabalhador ou tu vai ser jagunço? Homem que não mata não tem valia pro coronel. Tu não volta é nunca... — E o velho cuspiu com raiva.

Antônio Vítor ouve as conversas mas a música que vem de outro grupo, harmônica e violão, o arrasta novamente para a ponte de Estância onde é belo o luar e a vida é tranquila. Ivone sempre lhe pedia que não viesse. A roça de milho bastaria para eles dois, para que essa ânsia de vir buscar dinheiro num lugar do qual contavam tanta coisa ruim? Nas noites de lua, quando as estrelas enchiam o céu, tantas e tão belas que ofuscavam a vista, os pés dentro da água do rio, ele planejava a vinda para estas terras de Ilhéus. Homens escreviam, homens que haviam ido antes, e contavam que o dinheiro era fácil, que era fácil também conseguir um pedaço grande de terra e plantá-la com uma árvore que se chamava cacaueiro e que dava frutos cor de ouro que valiam mais que o próprio ouro. A terra estava na frente dos que chegavam e não era ainda de ninguém. Seria de todo aquele que tivesse coragem de entrar mata adentro, fazer queimadas, plantar cacau, milho e mandioca, comer alguns anos farinha e caça, até que o cacau começasse a frutificar. Então era a riqueza, dinheiro que um homem não podia gastar, casa na cidade, charutos, botinas rangedeiras. De quando em vez também chegava a notícia de que um morrera de um tiro ou da mordida de uma cobra, apunhalado no povoado ou baleado na tocaia. Mas que era a vida diante de tanta fartura? Na cidade de Antônio Vítor a vida era pobre e sem possibilidades. Os homens viajavam quase todos, raros voltavam. Mas esses que voltavam — e voltavam sempre numa rápida visita — vinham irreconhecíveis após os anos de ausência. Porque vinham ricos, de anelões nos dedos, relógios de ouro, pérolas nas gravatas. E jogavam o dinheiro fora, em presentes caros para os parentes, dádivas para as igrejas e para os santos padroeiros, em apadrinhamento das festas de fim de ano. “Voltou rico”, era só o que se ouvia dizer na cidade. Cada homem daqueles que chegava e logo partia, porque não mais se acostumava com a pacatez daquela vida, era mais um convite para Antônio Vítor. Só Ivone é que ainda o prendia ali. Os lábios dela, o calor dos seus seios, os rogos que ela fazia com a voz e com os olhos. Mas um dia rompeu com tudo aquilo e partiu. Ivone soluçara na ponte onde se haviam despedido. Ele prometera:

— Enrico num ano, venho lhe buscar.

Agora a lua de Estância está sobre o navio mas não tem aquela cor amarela com a qual cobria os namorados na ponte. Ela está vermelha, tinta de sangue, e um velho diz que ninguém volta destas terras do cacau.

Antônio Vítor sente uma sensação desconhecida. Será medo? Será saudade? Ele mesmo não sabe o que seja. Aquela lua recorda-lhe Ivone de lábios suplicando que ele não parta, de olhos cheios de lágrimas na noite da despedida. Não havia lua naquela noite, não havia ninguém sobre a ponte, pescando. Estava escuro e o rio murmurava embaixo, ela se encostou nele, seu corpo quente, seu rosto molhado de lágrimas.

— Tu vai mesmo?

Ficou em silêncio um longo minuto, triste.

— Tu vai e não volta mais.

— Juro que volto.

Ela fez que não com a cabeça, se deitou depois na margem do rio e o chamou. Abriu o corpo para ele como uma flor se abre para o sol. E deixou que ele a possuísse, sem dizer uma palavra, sem soltar um lamento. Quando ele terminou, os olhos ainda esbugalhados pelo imprevisto da oferta, ela baixou o vestido de chita onde agora o sangue coloria novamente as flores já desbotadas, cobriu o rosto com a mão e disse com a voz entrecortada:

— Você não vai voltar mais, outro ia me pegar um dia qualquer. É melhor ser mesmo com tu. Assim tu fica sabendo quanto eu gosto de você.

— Juro que volto...

— Tu não volta mais...

E ele veio apesar do gosto do corpo de Ivone o prender ali, de saber que deixara nela um filho. Dizia para si mesmo que ia fazer dinheiro para ela e para o filho, voltaria com um ano. A terra era fácil em Ilhéus, plantaria uma roça de cacau, colheria os frutos, voltaria por Ivone e pela criança. O pai dela não voltou, ninguém sabia mesmo onde ele estava. Um velho está dizendo que ninguém volta destas terras, nem mesmo os que têm mulher e dois filhos. Por que essa harmônica não para de tocar, por que essa música é tão triste? Por que é vermelha como sangue essa lua sobre o mar?

6

A CANÇÃO É TRISTE COMO UM PRESSÁGIO DE DESGRAÇA. O VENTO QUE corre sobre o mar a arrasta consigo e a espalha em sons musicais que parecem não terminar. Uma tristeza vem com a música, envolve os homens da terceira, toma conta da mulher grávida que aperta o braço de Filomeno. Os sons da harmônica acompanham a melodia que o jovem canta com uma voz firme. Antônio Vítor se aperta mais contra si mesmo, dentro dele as imagens de Estância quieta, de Ivone se entregando sem um gemido, se confundem com novas imagens de uma terra ainda inconquistada, de barulhos com tiros e mortes, dinheiro, maços de notas. Um homem, que vai sozinho e não fala com ninguém, atravessa os grupos, vem se debruçar na amurada. A lua deixa um rastro vermelho sobre o mar, a canção rasga corações:

Meu amor, eu vou-me embora
Nunca mais eu vou voltar.

Outras terras ficaram distantes, visões de outros mares e de outras praias ou de um agreste sertão batido pela seca, outros homens ficaram, muitos dos que vão no pequeno navio deixaram um amor. Alguns vieram por esse mesmo amor buscar com que conquistar a bem-amada, buscar o ouro que compra a felicidade. Esse ouro que nasce nas terras de Ilhéus, da árvore do cacau. Uma canção diz que jamais voltarão, que nessas terras a morte os espera atrás de cada árvore. E a lua é vermelha como sangue, o navio balança sobre as águas intranquilas.

O velhote veste uma capa e traz as pernas nuas, os pés descalços. Tem os olhos duros, pita uma ponta de cigarro de palha. Alguém lhe pede o fogo, o velho puxa uma baforada para avivar a brasa do cigarro.

— Obrigado, meu tio.

— Não por isso...

— Parece que vai cair temporal...

— É tempo de vento sul... Tem vez que é uma disgrama, não tem embarcação que arresista...

A mulher se envolveu:

— Temporal tem é no Ceará... Parece um fim de mundo...

— Já ouvi falar — disse o velho. — Diz-que é mesmo.

Se juntaram a um grupo que conversa em torno de homens que jogam baralho. A mulher quer saber:

— Vosmicê é de Ilhéus?

— Tou em Tabocas vai fazer cinco anos. Sou do sertão...

— E que veio fazer pra essas bandas com essa idade?

— Não vê que primeiro veio meu filho Joaquim... Se deu bem, fez uma rocinha, a velha morreu, ele mandou me buscar...

Ficou calado, agora parecia prestar muita atenção à música que o vento levava para os lados da cidade escondida na noite. Os outros estavam esperando. Mas só o rumor das conversas na primeira classe e a toada que o negro cantava quebravam o silêncio.

Nunca mais eu vou voltar,
Nessas terras vou morrer.

A voz cantava e os homens se encolhiam com frio. O vento passava rápido, vinha do sul e era violento. O navio jogava sobre as ondas, muitos daqueles homens nunca tinham entrado num navio. Tinham atravessado as ásperas caatingas do sertão num trem que arrastava vagões e vagões de imigrantes. O velho olhava-os com seus olhos duros.

— Tão vendo essa modinha? “Nessas terras vou morrer.” Tá aí uma coisa verdadeira... Quem vai pra essas terras nunca mais volta... Tem uma coisa que parece feitiço, é feito visgo de jaca. Segura a gente...

— Tem dinheiro fácil, não é? — O jovem se atirou para a frente de olhos acesos.

— Dinheiro... Tá aí o que prende a gente. A gente chega, faz algum dinheiro, que dinheiro há mesmo, Deus seja servido. Mas é dinheiro desgraçado, um dinheiro que parece que tem maldição. Não dura na mão de ninguém, a gente faz uma roça...

A música vinha em surdina, os jogadores haviam parado a ronda. O velho fitou o jovem bem dentro dos olhos, depois relanceou a vista pelos demais homens e mulheres que estavam presos às suas palavras:

— Já ouviram falar em caxixe?

— Diz-que é um negócio de doutor que toma a terra dos outros...

— Vem um advogado com um coronel, faz caxixe, a gente nem sabe onde vai parar os pés de cacau que a gente plantou...

Espiou em volta novamente, mostrou as grandes mãos calosas:

— Tão vendo? Plantei muito cacaueiro com essas mãos que tão aqui... Eu e Joaquim enchemos mata e mata de cacau, plantamos mais que mesmo um bando de jupará que é bicho que planta cacau... Que adiantou? — perguntava a todos, aos jogadores, à mulher grávida, ao jovem.

Ficou novamente ouvindo a música, fitou longamente a lua:

— Diz-que a lua quando tá assim cor de sangue é desgraça na estrada nessa noite. Tava assim quando mataram Joaquim. Não tinham por quê, mataram só de malvadez.

— Por que mataram ele? — perguntou a mulher.

— O coronel Horácio fez um caxixe mais doutor Rui, tomaram a roça que nós havia plantado... Que a terra era dele, que Joaquim não era dono. Veio com os jagunços mais uma certidão do cartório. Botou a gente pra fora, ficaram até com o cacau que já tava secando, prontinho pra vender. Joaquim era bom no trabalho, não tinha mesmo medo do pesado. Ficou acabado com a tomada da roça, deu de beber. E uma vez, já bebido, disse que ia se vingar, ia liquidar com o coronel. Tava um cabra do coronel por perto, ouviu, foi contar. Mandaram tocaiar Joaquim, mataram ele na outra noite, quando vinha pra Ferradas...

O velho silenciou, os homens não perguntaram mais nada. Os jogadores voltaram ao seu jogo, o que estava com o baralho botou duas cartas no chão, os outros apostaram. A música morria aos poucos na noite. O vento aumentava de minuto a minuto. O velho voltou a falar:

— Joaquim era um homem de paz, ele não ia matar ninguém. O coronel Horácio bem sabia, os cabras também sabia. Ele disse aquilo porque tava bêbedo, não ia matar ninguém. Era um homem do trabalho, queria era ganhar com que viver... Sentiu que tomassem a roça, isso sentiu. Mas só falou porque tinha bebido... Não era homem para matar... Liquidaram ele pelas costas...

— Foram presos?

O velho olhou com raiva:

— Na mesma noite que mataram ele, tavam bebendo numa venda, contando como o caso tinha se dado...

Fez-se silêncio no grupo, só um jogador falou:

— Sete...

Mas o outro nem recolheu o dinheiro, absorto na figura do velho que agora estava dobrado e parecia esquecido do mundo, sozinho na sua desgraça. A mulher grávida perguntou baixinho:

— E vosmicê?

— Me tocaram pra Bahia, que eu não podia ficar mais lá... Mas agora tou voltando...

O velho se alteou de súbito, seus olhos adquiriram novamente aquele brilho duro que haviam perdido no fim da sua narração, falou com voz decidida:

— Agora vou pra não voltar mais... ninguém agora vai me botar pra fora... É o destino que faz a gente, dona... Ninguém nasce ruim ou bom, o destino é que entorta a gente...

— Mas... — e a mulher calou.

— Pode falar sem susto.

— Como é que vosmicê vai viver?... Já não tá em idade de pegar no pesado...

— Quando a gente tem uma tenção, dona, a gente sempre se arranja... E eu tenho uma tenção... Meu filho era um homem bom, ele não ia matar o coronel. Eu também nunca sujei essas mãos — mostrava as mãos calosas do trabalho na terra — com sangue. Mas mataram meu filho...

— Vosmicê? — fez a mulher com espanto.

O velho virou as costas e saiu devagar.

— Mata mesmo... — comentou um homem magro.

A música cresceu mais uma vez dentro da noite, a lua subia rapidamente para o céu. O que estava com o baralho balançou a cabeça apoiando o comentário do homem magro, voltou a dar cartas. A mulher grávida apertou o braço de Filomeno, falou baixinho:

— Tou com medo...

A harmônica cessou sua música. O luar se derramava em sangue.

7

JOSÉ DA RIBEIRA DOMINAVA OUTRO GRUPO. CONTAVA CASOS DA TERRA DO CACAU, histórias e mais histórias. Cuspia a todo momento, estava feliz em poder falar, dizer para aquela gente o que sabia. Ouviam-no atentamente, como se ouve a uma pessoa que tem o que ensinar.

— Quase que eu não vinha — diz uma mulher baixa que amamenta uma criança — porque me contaram que dava uma febre por essas bandas que mata até macaco.

José riu, os outros se voltaram para ele. Ele tomou uma voz de conhecedor:

— Não contaram mentira, não, siá-dona. Já vi tanto homem cair com essa febre, homem forte que nem um cavalo. Com três noite de febre, força do homem era um dia.

— Não é a tal da bexiga?

— Bexiga tem muito também, mas não é dela que tou falando. Tem bexiga de toda espécie, mas a que tem mais é a negra que é a pior de todas. Nunca vi macho escapar da bexiga negra. Mas não é dela que tou falando. Tou falando é da febre, ninguém sabe que febre é, que nome a desgraçada tem. Vem sem o cujo esperar, liquida ele num fechar de olhos.

— T'esconjuro... — fez outra mulher.

José cuspiu, relembrou:

— Apareceu um doutor, tinha tirado diploma de médico, era mocinho, nem barba possuía ainda, uma lindeza de rapaz. Diz-que ia acabar com a febre lá em Ferradas. A febre acabou antes com ele, acabou toda a lindeza, foi o defunto mais feio que eu já vi. Mais feio mesmo que o finado Garangau que mataram nos Macacos à faca e cortaram todo e arrancaram os olho, a língua e a pele do peito.

— Pra que fizeram isso com o pobrezinho? — perguntou a mulher que amamentava.

— Pobrezinho? — José da Ribeira riu e sua risada era para dentro, parecia que ele estava se divertindo enormemente. — Pobrezinho? Se já apareceu jagunço ruim pelas bandas do sul foi Vicente Garangau. Num dia só ele liquidou sete homens da Juparana... Cabra malvado como Deus não fez dois...

O grupo estava impressionado mas um cearense troçou:

— Sete é a conta do mentiroso, seu José.

José riu de novo, pitou seu cigarro, não se aborreceu:

— Tu é criança, que é que tu já viu nessa vida? Tu me vê aqui, tou com mais de cinquenta no costado, já andei muita terra, tenho dez anos dentro dessas matas. Já fui soldado do exército, já vi muita desgraça. Mas não tem nada no mundo que chegue perto das desgraceiras de lá. Tu já viu falar em tocaia?

— Já, sim — gritou outro homem. — Diz-que um fica esperando o outro atrás de um pau para atirar no desinfeliz.

— Pois olhe. Tem homem de alma tão danada que se posta na tocaia e aposta dez mil-réis mais o amigo pra ver de que lado o finado vai cair. E o primeiro que vem na estrada recebe chumbo que é pra aposta se decidir. Tu já ouviu falar disso?

O cearense estremece, uma das mulheres não quer acreditar:

— Só pra ganhar uma aposta?

José da Ribeira cospe, explica:

— Tou aqui, já corri muito mundo, fui soldado, vi coisa de arrepiar. Como por essas bandas nunca vi nada... É terra de homem macho, mas também dinheiro é cama de gato. Se o cujo é bom no gatilho passa vida regalada...

— E vosmicê o que é que faz por lá?

— Fui pra lá de sargento da polícia, pus uma rocinha que é bem melhor que as dragonas, tou vivendo dela. Vim na Bahia agora arejar, comprar umas coisas que tava precisando.

— E tá voltando de terceira, tio? — chasqueou o cearense.

Ele riu novamente seu riso para dentro, confessou:

— As brancas comeram o dinheiro todo, meu filho. Dentro daquela mata, onça é que é mulher da gente... De modo que quando o cujo vê um rabo branco, na capital, fica de miolo virado... Fiquei mais limpo que pedra de rio...

Mas ninguém comentou porque agora um homem baixo, de rebenque na mão e chapéu-chile, estava parado diante deles. José se voltou, cumprimentou humildemente:

— Como vai vosmicê, seu Juca?

— Como vai, Zé da Ribeira? Como vai tua roça?

— Tou fora vai fazer trinta dias... Esse ano vou derrubar mais mata, assim Deus me ajude...

Juca Badaró assentiu com a cabeça, olhou o grupo:

— Você conhece essa gente, Zé da Ribeira?

— Tou conhecendo agora, seu Juca. Por quê, se mal lhe pergunto?

Juca em vez de responder andou mais para o meio dos homens, perguntou a um deles:

— Você de onde vem?

— Do Ceará, patrão. Do Crato...

— Era tropeiro?

— Não sinhô... Tinha uma plantaçãozinha... — E sem esperar a pergunta: — A seca acabou com ela.

— Tem família ou é sozinho?

— Tenho mulher e um filho pra nascer...

— Quer trabalhar pra mim?

— Inhô, sim.

E assim Juca Badaró foi contratando gente, o jogador que dava cartas, um dos seus parceiros, o cearense, o jovem e Antônio Vítor que olhava o céu de mil estrelas. Muitos homens se ofereceram e Juca Badaró os recusou. Ele tinha uma grande experiência dos homens e sabia conhecer facilmente aqueles que serviriam para as suas fazendas, para a conquista da mata, para o trabalho da terra e para garantir a terra cultivada.

8

O CAPITÃO JOÃO MAGALHÃES MANDOU DESCER VINHO PORTUGUÊS. O caixeiro-viajante aceitou, o coronel disse que não, o jogo do navio atacava seu estômago:

— Tá um vento brabo... Se eu tomar vinho boto os burrinhos n'água...

— Cerveja, então? Um conhaque?

O coronel não queria nada. João Magalhães contava grandezas, sua vida no Rio, capitão do exército mas também homem de negócios e rico.

— Sou proprietário de muitas casas... De apólices também...

Rapidamente estava inventando a história de uma herança recebida de uma tia milionária e sem filhos. Falava em políticos eminentes da época, seus amigos — dizia —, gente que ele tuteava, com quem bebia e jogava. Deixara o exército, se reformara, agora andava viajando o seu país. Estava vindo desde o Rio Grande do Sul, pretendia ir até o Amazonas. Antes de viajar no estrangeiro queria conhecer bem o Brasil, não era como essa gente que pega num dinheirinho vai logo gastar com as francesas em Paris... O coronel aprovava, achava muito patriótico e quis saber se era verdade que as "tais francesas" que existiam no Rio, se elas faziam mesmo "tudo" ou se isso era conversa de gente descarada. Porque já tinham dito a ele que no Rio havia uma espécie de mulher assim... João Magalhães confirmou e se alongou em detalhes escabrosos, apoiado pelo caixeiro-viajante que também queria mostrar conhecimentos (já estivera no Rio uma vez e essa viagem era o fato mais importante da sua vida). O coronel se deliciava com os detalhes:

— O que é que me conta, capitão? Mas isso é uma porcaria...

O capitão João Magalhães então carregava nas tintas. Mas não se demorou muito nessas descrições, voltou a falar na sua fortuna, nas suas boas relações. O coronel não precisava de nada no Rio? De algum empenho junto a algum político importante? Se precisasse era só dizer. Ele estava ali para servir aos amigos e, se bem tivesse conhecido o coronel fazia pouco, tinha simpatizado imensamente com ele, seria feliz de servi-lo. O coronel não precisava de nada no Rio mas ficou muito agradecido e como Maneca Dantas ia passando, pesadão e gorducho, a camisa suada e as mãos pegajosas, ele o chamou e fez as apresentações:

— Aqui é o coronel Maneca Dantas, fazendeiro forte lá da zona... Dinheiro em casa dele é mesmo que mato...

João Magalhães se levantava, muito gentil:

— Capitão João Magalhães, engenheiro militar, para o servir.

Dobrava o canto de um dos cartões, entregava ao coronel Maneca. Depois ofereceu uma cadeira, fez que não ouviu o comentário do caixeiro-viajante para o coronel Ferreirinha:

— Moço distinto...

— De educação...

O coronel Maneca aceitava vinho. Enjoo não ia com ele.

— Tou aqui é como se tivesse em minha cama lá na Auricídia. Auricídia é o nome lá da minha rocinha, capitão. Se quiser passar uns dias lá comendo carne-seca...

Ferreirinha riu escandalosamente:

— Carne-seca... Capitão, na Auricídia almoço é banquete, jantar é festa de batizado. Dona Auricídia tem umas negras na cozinha que têm mão de anjo... — e o coronel Ferreirinha passava a língua nos lábios gulosamente, como se estivesse vendo os pratos. — Fazem um sarapatel que é de deixar um cristão vendo o paraíso.

Maneca Dantas sorria, inchado com os elogios à sua cozinha. E explicava:

— É o que se leva do mundo, capitão. A gente vive numas brenhas danadas, derrubando mata pra plantar cacau, labutando com cada jagunço desgraçado, escapando de mordida de cobra e de tiro de tocaia, se a gente não comer bem o que é que vai fazer? Lá não tem esses luxos da cidade, teatro, pensão de mulher, cabaré, nada disso. É trabalho dia e noite, derrubar mata e plantar roça...

Ferreirinha apoiava:

— O trabalho é duro, sim.

— Mas também o dinheiro é de fartura... — atalhou o caixeiro-viajante limpando os lábios sujos de vinho.

Maneca Dantas sorriu de novo:

— Que isso é verdade, é mesmo. A terra é boa, capitão, paga a pena. Dá muito cacau e a lavoura é boa, deixa bom lucro. Disso a gente não pode se queixar. Dá sempre para se poder oferecer um almoço aos amigos...

— Vou almoçar lá no dia 16 — avisou o viajante. — Quando eu passar para o Sequeiro Grande vou pernoitar lá.

— Às ordens... — fez Maneca. — E o senhor também aparece, capitão?

João Magalhães disse que sim, era bem possível. Pensava se demorar na zona algum tempo, ia mesmo ver se valia a pena empregar algum dinheiro em terras, em roças de cacau. Desde o Rio que vinham lhe falando desta zona, da dinheirama que havia por lá. Estava tentado em empregar uma parte do seu capital em fazendas de cacau. É verdade que ele também não podia se queixar, tinha a maior parte do seu dinheiro em prédios no Rio e davam boa renda. Mas restava-lhe algum no banco, umas dezenas de contos e muita apólice da dívida pública. Se valesse a pena...

Maneca Dantas falou sério, aconselhando:

— Pois vale, seu capitão. Vale a pena... Cacau é uma lavoura nova mas a terra daqui é a melhor do mundo para cacau. Já veio muito doutor por aqui estudar e isso é coisa assentada. Não há terra melhor pro cacau. E a lavoura é o que há de bom, eu não troco por café nem por cana-de-açúcar. Só que a gente ainda é um bocado braba mas isso não há-de meter medo a um homem como o senhor. Seu capitão, eu lhe digo: dentro de vinte anos Ilhéus é uma grande cidade, uma capital, e todos esses povoados de hoje vão ser cidades enormes. Cacau é ouro, seu capitão.

A conversa foi assim se prolongando, falaram da viagem, João Magalhães falou de outras paisagens, viagens de trem, de navios enormes, seu prestígio crescia de momento para momento. A roda foi aumentando também, contavam histórias, o vinho corria. João Magalhães foi conduzindo a conversa sutilmente para o terreno dos jogos, acabaram por fazer uma mesinha de pôquer. O coronel Totonho, dono do Riacho Seco, aderiu, e o caixeiro-viajante desistiu porque o cacife era muito alto e o *hand* também. Ficaram os três coronéis e mais João, os outros peruando. Maneca Dantas tirou o paletó:

— Não sei jogar isso...

Ferreirinha estrugiu de novo na sua gargalhada:

— Não vá atrás disso, capitão... O Maneca é um mestre no pôquer... Não há parceiro que se aguente com ele.

Agora Maneca botava o revólver no bolso de dentro do paletó para que não ficasse à vista no cinto, e João Magalhães cogitava se valia a pena perder nesse primeiro jogo, não mostrar de vez as suas qualidades.

O rapaz do bar trouxe um baralho, Maneca perguntou:

— Curingado?

— Como queiram — respondeu João Magalhães.

— Pôquer curingado não é pôquer — falou Totonho e era a primeira vez que ele falava. — Não bote o curinga, por favor.

— Tá feita a sua vontade, compadre — e Maneca jogou o curinga no meio das cartas inúteis.

Ferreirinha foi o cacifeiro, cada um comprou quinhentos mil-réis de ficha. João Magalhães estudava Totonho do Riacho Seco que tinha um olho vazado e numa das mãos apenas três dedos. Era sombrio e calado. Coube a ele dar cartas. João tinha resolvido não fazer patota no jogo, jogar lealmente, até fazer besteira se fosse possível, perder alguma coisa. Assim ganhava os parceiros para outras partidas que pudessem render bastante mais.

Tinha um par de rei na mão, foi ao jogo, Maneca Dantas chamou com mais dezesseis, Ferreirinha fugiu. Totonho pagou, João completou. Ferreirinha deu cartas, Maneca pediu duas, Totonho pediu uma.

— Todas as três... — pediu João.

Totonho deu mesa, Maneca apostou, ninguém foi ver. Maneca arrastou a mesa, não se conteve, mostrou o blefe:

— Trinca Pirangi...

Estava com um valete, um rei e uma dama, tinha pedido duas cartas para sequência. João Magalhães riu, bateu palmadinhas nas costas de Maneca:

— Muito bem, coronel, bem passado esse...

Totonho olhou com um olhar torvo, não comentou. João Magalhães perdeu todo o respeito pelos parceiros. Decididamente ia enriquecer nessas terras do cacau.

9

O CAIXEIRO-VIAJANTE SE CANSOU DE PERUAR O JOGO, SUBIU PARA O TOMBADILHO. O luar cobria Margot que cismava debruçada na amurada. O mar era de um verde escuro, há muito que as últimas luzes da cidade haviam desaparecido. O navio jogava muito, quase todos os passageiros se haviam recolhido aos camarotes ou estavam estirados em cadeiras de lona, o corpo coberto com grossos cobertores. Na terceira a harmônica voltara a tocar uma lânguida música e a lua, agora, estava no meio do céu. Um frio cortante vinha do mar, trazido pelo vento sul que fazia voar os cabelos longos de Margot. Ela arrancara os grampos e a loira cabeleira ao vento flutuava no ar. O caixeiro-viajante assoviou baixinho quando a viu só e foi se aproximando de manso. Não levava nenhum plano traçado, uma vaga esperança no coração apenas:

— Boa noite...

Margot se voltou, segurou os cabelos com a mão:

— Boa noite...

— Tomando fresco?

— É...

Novamente olhava o mar onde as estrelas se refletiam. Cobriu a cabeça com um lenço, amarrando os cabelos, afastou o corpo para que o viajante pudesse se encostar também na amurada. Ficaram em silêncio um longo minuto. Margot parecia não vê-lo, distante na contemplação do mistério do mar e do mistério do céu. Foi ele quem falou por fim:

— Vai para Ilhéus?

— Vou, sim.

— Vai para ficar?

— Sei lá... Se me der bem...

— Tu estavas na pensão da Lísia, não estavas?

— Hum... Hum... — e balançou a cabeça.

— Eu te vi lá, no sábado. Por sinal que estavas com o doutor...

— Já sei... — atalhou ela e voltou a espiar o mar como se não quisesse continuar a conversa.

— Ilhéus é terra de muito dinheiro... Uma bichinha assim tão linda como você é capaz de botar roça por lá... Não há-de faltar coronel que entre com as massas.

Ela desviou os olhos do mar, fitou o viajante. Parecia pensar, como se estivesse em dúvidas se devia falar ou não. Mas voltou a olhar o mar sem dizer nada. O viajante continuou:

— Juca Badaró te segurou indagora... Toma cuidado...

— Quem é ele?

— É um dos homens ricos da terra... E valente também... Falam por lá que os trabalhadores dele têm pintado o diabo. Invadem terra dos outros, matam, fazem e acontecem. É o dono do Sequeiro Grande.

Margot estava interessada, ele continuou:

— Dizem que toda a família é valente, homens e mulheres. Que até as mulheres têm mortes feitas. Quer um conselho? Não se meta com ele.

Margot estirou o beiço num gesto de desprezo:

— E quem lhe disse que eu tenho interesse nele? Ele é quem tá me cercando que nem galo velho com franga nova... Não quero nada com ele, não vou atrás de dinheiro...

O caixeiro-viajante sorriu como quem não acreditava, ela deu de ombros como se pouco lhe importasse a opinião dele.

— Contam por lá que a mulher de Juca já mandou raspar a cabeça de uma rapariga que estava amigada com ele...

— Mas quem meteu na sua cabeça que eu estou com interesse nele? Ele pode ter as mulheres que quiser, não tem é essa aqui... — batia a mão no peito.

Mais uma vez ficou como que duvidando de falar ou não, se resolveu:

— Tu não me viu no sábado dançando com Virgílio? Pois ele está em Ilhéus, eu vou ver é ele.

— É verdade... Estava me esquecendo... Ele está por lá, sim. Advogando... Rapaz de futuro, hein? Dizem que foi o coronel Horácio quem mandou buscar para ele dirigir o partido... — Balançou a cabeça convencido. — Se é assim não digo nada. Só que aconselho: cuidado com Juca Badaró...

Se afastou, não valia a pena a conversa, rapariga apaixonada é pior que moça donzela. Como Juca Badaró iria se arranjar? Margot desamarrava o lenço, deixava que o vento fizesse voar os seus cabelos.

10

UMA SOMBRA DESLIZA PELA ESCADA, ANTES DE PÔR O PÉ NA PRIMEIRA CLASSE espia se não há movimento. Ajeita o cabelo, o lenço amarrado no pescoço. As mãos ainda estão inchadas dos bolos que tomou na polícia. No dedo ainda não entra o anelão falso. O subdelegado dissera que nem que tivesse de quebrar aquelas mãos, elas não voltariam a se meter nos bolsos alheios. Fernando escala o último degrau, toma o lado contrário daquele onde Margot se encontra. Como vem um marinheiro, se encosta na amurada, parece um passageiro de primeira vendo a noite. Sai devagar, deita-se junto à cadeira de lona onde o homem ronca. Suas mãos sutis deslizam sob o cobertor, sob o paletó, tocam no revólver de aço frio, tiram do bolso da calça a carteira recheada. O homem nem se moveu.

Retorna para a terceira. Atira a carteira ao mar, guarda o dinheiro no bolso. Agora anda de cócoras entre os grupos da terceira que dormem, procura alguém. Num canto, deitado de bruços como se dormisse sobre a terra, ressona o velho que volta para vingar a morte do filho. Fernando tira de entre as notas umas quantas, coloca-as, com toda a sutileza de que são capazes as suas mãos, no bolso do velho. Depois esconde as notas que lhe restaram no forro do paletó, suspende a gola e vai se deitar no canto mais distante, onde Antônio Vítor se imagina em Estância tendo junto a si o calor de Ivone.

11

A MADRUGADA É FRIA, OS PASSAGEIROS SE ENCOLHEM SOB OS COBERTORES. Margot ouve a conversa que vem de longe:

— Se o cacau der catorze mil-réis esse ano levo a família ao Rio...

— Tou com vontade de fazer uma casa em Ilhéus...

Os homens se aproximavam conversando:

— Foi um caso feio. Mandaram matar Zequinha pelas costas...

— Mas desta vez vai haver processo, eu lhe garanto.

— Vá esperando...

Pararam diante de Margot, ficaram a espiá-la sem a menor cerimônia. O baixinho sorria sob um bigode enorme que alisava a cada momento:

— Assim você se resfria, menina...

Margot não respondeu. O outro perguntou:

— Onde é que você vai pousar em Ilhéus? Em casa de Machadão?

— Que lhe importa?

— Não seja orgulhosa, menina. Não é da gente mesmo que você vai viver? Olhe aqui, o compadre Moura bem que pode te montar uma casa.

O baixo riu repuxando os bigodes:

— E monto mesmo, belezinha. É só dizer sim...

Juca Badaró veio chegando:

— Com licença...

Os dois se afastaram ligeiramente.

— Boa noite, Juca.

Juca cumprimentou com a cabeça, se dirigiu a Margot:

— Tá na hora de ir dormir, dona. É melhor dormir que estar aqui dando prosa a todo mundo...

Olhou acintosamente para os dois, eles foram se afastando. Margot ficou só com ele:

— Quem lhe deu direito a se meter na minha vida?

— Espie, dona. Eu vou descer, vou ver se minha mulher tá bem no camarote. Mas volto já e se encontrar vosmicê ainda aqui vai haver barulho. Mulher minha me obedece... — e saiu.

Margot repetiu com asco: "Mulher minha", e foi andando devagar para o camarote. Ainda ouviu o baixinho, de bigodes, dizer quando ela passava:

— Esse Juca Badaró está merecendo uma lição bem dada.

Então se sentiu como se fosse mulher de Juca e perguntou:

— E por que você não dá?

12

SOBRE O NAVIO QUE CORTA A NOITE DO MAR SE ESTENDIA UM SILÊNCIO cada vez maior. Já não soavam as harmônicas e os violões na terceira classe. Nenhuma voz cantava já tristezas de amor, lamentos de saudade. Margot se havia recolhido, ninguém mais cismava na amurada do navio. As palavras dos jogadores de pôquer não chegavam até o mar. Banhado pela luz vermelha de uma lua de presságios o navio cortava as águas, coberto agora pelo silêncio. Um sono povoado de sonhos de esperanças enchia a noite de bordo.

O comandante desceu da sua torre de comando, vinha com o imediato. Atravessaram toda a primeira classe, os grupos que dormiam nas espreguiçadeiras, cobertos com cobertores de lã. Por vezes um murmurava uma palavra no sonho e estava sonhando com as roças de cacau carregadas de frutos. O comandante e o imediato desceram pela estreita escada e atravessaram por entre os homens e mulheres que dormiam na terceira, uns sobre os outros, apertados pelo frio. O comandante ia calado, o imediato assoviava uma música popular. Antônio Vítor dormia com um sorriso nos lábios, sonhava talvez com uma fortuna conquistada sem esforço nas terras de Ilhéus, com sua volta a Estância, em busca de Ivone. Sorria feliz.

O comandante parou, olhou o mulato que sonhava. Virou-se para o imediato:

— Tá rindo, vê? Vai rir menos quando estiver na mata...

Empurrou com o pé a cabeça de Antônio Vítor, murmurou:

— Me dão pena...

Chegaram junto à amurada, na popa do navio. As ondas subiam revoltas, o luar era vermelho de sangue. Ficaram calados, o imediato acendendo seu cachimbo. Por fim o comandante falou:

— Por vezes me sinto como o comandante de um daqueles navios negreiros do tempo da escravidão...

Como o imediato não respondesse, ele explicou:

— Daqueles que em vez de mercadorias traziam negros pra serem escravos...

Apontou os homens dormindo na terceira, Antônio Vítor que ainda sorria:

— Que diferença há?

O imediato levantou os ombros, puxou uma baforada do cachimbo, não respondeu. Olhava o mar, a noite imensa, o céu de estrelas.

A MATA

1

A MATA DORMIA O SEU SONO JAMAIS INTERROMPIDO. SOBRE ELA PASSAVAM os dias e as noites, brilhava o sol do verão, caíam as chuvas do inverno. Os troncos eram centenários, um eterno verde se sucedia pelo monte afora, invadindo a planície, se perdendo no infinito. Era como um mar nunca explorado, cerrado no seu mistério. A mata era como uma virgem cuja carne nunca tivesse sentido a chama do desejo. E como uma virgem era linda, radiosa e moça, apesar das árvores centenárias. Misteriosa como a carne de mulher ainda não possuída. E agora era desejada também.

Da mata vinham trinados de pássaros nas madrugadas de sol. Voavam sobre as árvores as andorinhas de verão. E os bandos de macacos corriam numa doida corrida de galho em galho, morro abaixo, morro acima. Piavam os corujões para a lua amarelada nas noites calmas. E seus gritos não eram ainda anunciadores de desgraças já que os homens ainda não haviam chegado na mata. Cobras de inúmeras espécies deslizavam entre as folhas secas, sem fazer ruído, onças miavam seu espantoso miado nas noites de cio.

A mata dormia. As grandes árvores seculares, os cipós que se emaranhavam, a lama e os espinhos defendiam o seu sono.

Da mata, do seu mistério, vinha o medo para o coração dos homens. Quando eles chegaram, numa tarde, através dos atoleiros e dos rios, abrindo picadas, e se defrontaram com a floresta virgem, ficaram paralisados pelo medo. A noite vinha chegando e trazia nuvens negras com ela, chuvas pesadas de junho. Pela primeira vez o grito dos corujões foi, nesta noite, um grito agoureiro de desgraça. Ressoou com voz estranha pela mata, acordou os animais, silvaram as cobras, miaram as onças nos seus ninhos escondidos, morreram andorinhas nos galhos, os macacos fugiram. E, com a tempestade que desabou, as assombrações despertaram na mata. Em verdade teriam elas chegado com os homens, na rabada da sua comitiva, junto com os machados e as foices, ou já estariam elas habitando na mata desde o início dos tempos? Naquela noite despertaram e eram o lobisomem e a caapora, a mula de padre e o boitatá.

Os homens se encolheram com medo, a mata lhes infundia um respeito religioso. Não havia nenhuma picada, ali habitavam somente os animais e as assombrações. Os homens pararam, o medo no coração.

A tempestade caiu, raios que cortavam o céu, trovões que ressoavam como o rilhar dos dentes dos deuses da floresta ameaçada. Os raios iluminavam por um minuto a mata, mas os homens não viam nada mais que o verde-escuro das árvores, os sentidos todos presos aos ouvidos que ouviam, juntamente com o silvo das cobras em fuga e com o miado das onças aterrorizadas, as vozes terríveis das assombrações soltas na mata. Aquele fogo que corria sobre os mais altos galhos saía sem dúvida das narinas do boitatá. E o tropel que se ouvia que era senão a corrida através da floresta da mula de padre, antes linda donzela que se entregou, numa ânsia de amor, aos braços sacrílegos de um sacerdote? Não ouviam mais o miado das onças. Agora era o grito desgraçado do lobisomem, meio homem, meio lobo, de unhas imensas, desvairado pela maldição da mãe. Sinistro bailado da caapora na sua única perna, com seu único braço, rindo com sua face pela metade. O medo no coração dos homens.

E a chuva caía pesada como se fora o começo de outro dilúvio. Ali tudo lembrava o princípio do mundo. Impenetrável e misteriosa, antiga como o tempo e jovem como a primavera, a mata aparecia diante dos homens como a mais temível das assombrações. Lar e refúgio dos lobisomens e das caaporas. Imensa diante dos homens. Ficavam pequenos aos pés da mata, pequenos animais amedrontados. Do fundo da selva vinham as vozes estranhas. E mais terrível era o espetáculo, já que a tempestade irrompia com fúria, do céu negro, onde nem a luz de uma estrela brilhava para os homens recém-chegados.

Vinham de outras terras, de outros mares, de próximo de outras matas. Mas de matas já conquistadas, rasgadas por estradas, diminuídas pelas queimadas. Matas de onde já haviam desaparecido as onças e onde começavam a rarear as cobras. E agora se defrontavam com a mata virgem, jamais pisada por pés de homens, sem caminhos no chão, sem estrelas no céu de tempestade. Nas suas terras distantes, nas noites de luar, as velhas narravam tétricas histórias de assombrações. Em alguma parte do mundo, em algum lugar que ninguém sabia onde estava, nem mesmo os andarilhos mais viajados, aqueles que cortam os caminhos dos sertões recitando profecias, nesse distante lugar têm a sua morada as assombrações. Assim diziam as velhas que possuíam a experiência do mundo.

E, de súbito, na noite de temporal, diante da mata, os homens descobriam esse recanto trágico do universo, onde habitavam as assombrações. Ali, na mata, em meio da floresta, sobre os cipós, em companhia das cobras venenosas, das onças ferozes, dos agoirentos corujões, estavam pagando pelos crimes cometidos aqueles que as maldições haviam transformado em animais fantásticos. Era dali que nas noites sem lua partiam para as estradas a esperar os viandantes que buscavam seus lares. Dali partiam para amedrontar o mundo. Agora, em meio ao ruído do temporal, os homens parados, pequeninos, ouvem, vindo da mata, o rumor das assombrações despertadas. E veem, quando cessam os raios, o fogo que elas lançam pela boca, e veem, por vezes, o vulto inimaginável da caapora bailando seu bailado espantoso. A mata! Não é um mistério, não é um perigo nem uma ameaça. É um deus!

Não há vento frio que venha do mar. Distante está o mar de verdes ondas. Não há vento frio nessa noite de chuva e relâmpagos. Mas, ainda assim, os homens estão arrepiados e tremem, se apertam os seus corações. A mata-deus na sua frente. O medo de dentro deles.

Deixaram cair os machados, os serrotes e as foices. Estão de mãos inertes diante do espetáculo terrível da mata. Seus olhos abertos, desmesuradamente abertos, veem o deus em fúria ante eles. Ali estão os animais inimigos do homem, os animais agoureiros, ali estão as assombrações. Não é possível prosseguir, nenhuma mão de homem pode se levantar contra o deus. Recuam devagar, o medo nos corações. Explodem os raios sobre a mata, a chuva cai. Miam as onças, silvam as cobras, e, sobre todo o temporal, as lamentações dos lobisomens, das caaporas e das mulas de padre defendem o mistério e a virgindade da mata. Diante dos homens está a mata, é o passado do mundo, o princípio do mundo. Largam os facões, os machados, as foices, os serrotes, só há um caminho, é o caminho da volta.

2

OS HOMENS VÃO RECUANDO. LEVARAM HORAS, DIAS E NOITES, PARA CHEGAR até ali. Atravessaram rios, picadas quase intransitáveis, fizeram caminhos, calçaram atoleiros, um foi mordido de cobra e ficou enterrado ao lado da estrada recém-aberta. Uma cruz tosca, o barro mais alto, era tudo que lembrava o cearense que havia caído. Não puseram o seu nome, não havia com que escrever. Naquele caminho da terra do cacau aquela foi a primeira cruz das muitas que depois iriam ladear as estradas, lembrando homens caídos na conquista da terra. Outro se arrastou com febre, mordido por aquela febre que matava até macacos. Se arrastando chegou e agora ele também recua, a febre o faz ver visões alucinantes. Grita para os demais:

— É o lobisomem...

Vão recuando. A princípio devagar. Passo a passo até alcançar o caminho mais largo, onde são menos numerosos os espinhos e os atoleiros. A chuva de junho cai sobre eles, encharcando as roupas, fazendo-os tremer. Diante deles a mata, a tempestade, os fantasmas. Recuam.

Agora chegam à picada, é uma corrida só, atingirão as margens do rio onde uma canoa os espera. Quase respiram aliviados. O que vai com febre já não sente a febre. O medo dá-lhe uma nova força ao corpo alquebrado.

Mas diante deles, parabélum na mão, o rosto contraído de raiva, está Juca Badaró. Também ele estava ante a mata, também ele viu os raios e ouviu os trovões, escutou o miado das onças e o silvo das cobras, também seu coração se apertou com o grito agourento do corujão. Também ele sabia que ali moravam as assombrações. Mas Juca Badaró não via na sua frente a mata, o princípio do mundo. Seus olhos estavam cheios de outra visão. Via aquela terra negra, a melhor terra do mundo para o plantio do cacau. Via na sua frente não mais a mata iluminada pelos raios, cheia de estranhas vozes, enredada de cipós, fechada nas árvores centenárias, habitada de animais ferozes e assombrações. Via o campo cultivado de cacaueiros, as árvores dos frutos de ouro regularmente plantadas, os cocos maduros, amarelos. Via as roças de cacau se estendendo na terra onde antes fora a mata. Era belo. Nada mais belo no mundo que as roças de cacau. Juca Badaró, diante da mata misteriosa, sorria. Em breve ali seriam os cacaueiros, carregados de frutos, uma doce sombra sobre o solo. Nem via os homens com medo, recuando.

Quando os viu, só teve tempo de correr na sua frente, se postar na entrada do caminho de parabélum na mão, uma decisão no olhar:

— Meto bala no primeiro que der um passo...

Os homens pararam. Ficaram um instante assim, sem saber o que fazer. Atrás estava a floresta, na frente Juca Badaró disposto a atirar. Mas o que tinha febre gritou:

— É o lobisomem... — e avançou num pulo.

Juca Badaró atirou, novo raio atravessou a noite. A mata repetiu num eco o som do tiro. Os outros homens ficaram em torno do que caíra, as cabeças baixas. Juca Badaró se aproximou vagarosamente, o parabélum ainda na mão. Antônio Vítor tinha se baixado, segurava a cabeça do ferido. A bala atravessara o ombro. Juca Badaró falou com a voz muito calma:

— Não atirei para matar, só para mostrar que vocês têm que obedecer... — Apontou para um: — Vá buscar água para lavar a ferida.

Assistiu todo o tratamento, ele mesmo amarrou um pedaço de pano no ombro do homem ferido e ajudou a levá-lo para o acampamento junto da mata. Os homens iam tremendo, mas iam. Deitaram o ferido que delirava. Na mata as assombrações estavam soltas.

— Adiante — disse Juca Badaró.

Os homens se espiavam uns aos outros. Juca suspendeu o parabélum:

— Adiante...

Os machados e os facões começaram a cair num ruído monótono sobre a mata, perturbando seu sono. Juca Badaró olhou na sua frente. Via novamente toda aquela terra negra plantada de cacau, roças e roças carregadas de frutos amarelos. A chuva de junho rolava sobre os homens, o ferido pedia água numa voz entrecortada. Juca Badaró guardou o parabélum.

3

A MANHÃ DE SOL DOURAVA OS COCOS AINDA VERDES DOS CACAUEIROS. O coronel Horácio ia andando devagar entre as árvores plantadas dentro das medidas estabelecidas. Aquela roça dava seus primeiros frutos, cacaueiros jovens de cinco anos. Antes ali também fora a mata, igualmente misteriosa e amedrontadora. Ele a varara com seus homens e com o fogo, com os facões, os machados e as foices, derrubara as grandes árvores, jogara para longe as onças e as assombrações. Depois fora o plantio das roças, cuidadosamente feito, para que maiores fossem as colheitas. E, após cinco anos, os cacaueiros enfloraram e nessa manhã pequenos cocos pendiam dos troncos e dos galhos. Os primeiros frutos. O sol os doirava, o coronel Horácio passeava entre eles. Tinha cerca de cinquenta anos e seu rosto, picado de bexiga, era fechado e soturno. As grandes mãos calosas seguravam o fumo de corda e o canivete com que faziam o cigarro de palha. Aquelas mãos, que muito tempo manejaram o chicote quando o coronel era apenas um tropeiro de burros, empregado de uma roça no Rio do Braço, aquelas mãos manejaram depois a repetição quando o coronel se fez conquistador da terra. Corriam lendas sobre ele, nem mesmo o coronel Horácio sabia de tudo que em Ilhéus e em Tabocas, em Palestina e em Ferradas, em Água Branca e em Água Preta, se contava sobre ele e sua vida. As velhas beatas que rezavam a são Jorge na igreja de Ilhéus costumavam dizer que o coronel Horácio, de Ferradas, tinha, debaixo da sua cama, o diabo preso numa garrafa. Como o prendera era uma história longa, que envolvia a venda da alma do coronel num dia de temporal. E o diabo, feito servo obediente, atendia a todos os desejos de Horácio, aumentava-lhe a fortuna, ajudava-o contra os seus inimigos. Mas um dia — e as velhas se persignavam ao dizê-lo — Horácio morreria sem confissão e o diabo saindo da garrafa levaria a sua alma para as profundas dos infernos. Dessa história o coronel Horácio sabia e ria dela, uma daquelas suas risadas curtas e secas, que amedrontavam mais que mesmo os seus gritos nas manhãs de raiva.

Outras histórias se contavam e essas estavam mais próximas da realidade. O dr. Rui, quando bebia demasiado, gostava de lembrar a defesa que certa vez fizera do coronel num processo de há muitos anos passados. Acusavam Horácio de três mortes e de três mortes bárbaras. Dizia o processo que não contente de ter matado um dos homens, cortara-lhe as orelhas, a língua, o nariz, e os ovos. O promotor estava comprado, estava ali para impronunciar o coronel. Ainda assim o dr. Rui pudera brilhar, escrever uma defesa linda onde falara em "clamorosa injustiça", em "calúnias forjadas por inimigos anônimos sem honra e sem dignidade". Um triunfo, uma daquelas defesas que o consagraram como um grande advogado. Fizera o elogio do coronel, um dos fazendeiros mais prósperos da zona, homem que fizera levantar não só a capela de Ferradas, como ainda agora começava a levantar a igreja de Tabocas, respeitador das leis, por duas vezes já vereador em Ilhéus, grão-mestre de maçonaria. Um homem destes poderia por acaso praticar tão hediondo crime?

Todos sabiam que ele o havia praticado. Fora uma questão de contrato de cacau. Nuns terrenos de Horácio o preto Altino, mais seu cunhado Orlando e um compadre chamado Zacarias, haviam botado uma roça, em contrato com o coronel. Derrubaram a mata, queimaram-na, plantaram cacau e, entre o cacau, a mandioca, o milho de que iam viver os três anos de espera até que os cacaueiros crescessem. Passaram-se os três anos, eles foram ao coronel para entregar a roça e receber o dinheiro. Quinhentos réis por pé plantado e vingado de cacau. Com aquele dinheiro poderiam adquirir um terreno, um pedaço de mata qualquer, e desbravá-la e plantar então uma roça para eles mesmos. Iam alegres e cantavam pela estrada. Oito dias antes tinha vindo Zacarias trazer milho e farinha de mandioca e levar carne-seca, cachaça e feijão do armazém da fazenda. Encontrara então o coronel e tinham ficado os dois conversando, ele dando conta do estado dos cacaueiros, o coronel lembrando que faltava pouco tempo para findar os três anos. Depois Horácio lhe oferecera uma pinga na varanda da casa-grande e lhe perguntara sobre o que pensavam fazer depois. Zacarias lhe contara do projeto de comprar um pedaço de mata, derrubá-la e plantar uma roça. O coronel não só o aprovou como, amavelmente, se dispôs a ajudá-los. Não vê ele que tinha ótimas matas em terrenos excelentes para o plantio de cacau? Em toda a zona de Ferradas, aquela imensa zona que lhe pertencia, eles podiam escolher um pedaço de mata. Assim era melhor para ele também, já que não teria de puxar do dinheiro. Zacarias voltou radiante para o rancho.

Foram ao coronel quando o prazo findou. Fizeram as contas dos pés de cacau que haviam vingado, já antes tinham escolhido o pedaço de mata que queriam comprar. Chegaram a um acerto com o coronel, beberam umas cachaças, Horácio disse:

— Vocês podem se botar pra mata que um dia desse quando eu descer a Ilhéus mando avisar a vocês pra ir um também e a gente botar o preto no branco no cartório...

Assim diziam de passar a escritura. O coronel mandou que eles fossem em paz, com um mês mais ou menos iriam a Ilhéus. Os três foram, depois de cumprimentos e reverências ao coronel. No outro dia partiram para a mata, começaram a derrubá-la, armaram um rancho. Passou-se o tempo, o coronel foi a Ilhéus duas e três vezes, eles já haviam iniciado a plantação e nada de escritura. Um dia Altino tomou coragem e falou ao coronel:

— Vosmicê me adisculpe, seu coronel, mas nós queria saber quando é que a gente passa escritura da terra?

Horácio primeiro se indignou com a falta de confiança. Mas diante das desculpas de Altino explicou que já dera ordens ao dr. Rui, seu advogado, para tratar do assunto. Não ia demorar, um dia destes eles seriam chamados para darem um pulo a Ilhéus, e liquidariam o assunto. Mais tempo se passou, da terra plantada começaram a surgir as mudas de cacau, ainda simples gravetos que em breve seriam árvores. Altino, Orlando e Zacarias olhavam as plantas com amor. Eram cacaueiros deles, plantados com as suas mãos, em terras que eles haviam desbravado. Cresceriam e dariam frutos amarelos como ouro, dinheiro. Nem se recordavam da escritura. Só o negro Altino, por vezes, parava pensando. Há muito que conhecia o coronel Horácio e desconfiava. Ainda assim ficaram surpresos no dia que souberam que a Fazenda Beija-Flor fora vendida ao coronel Ramiro e que a roça deles estava compreendida na venda. Foram falar ao coronel Horácio. Orlando ficou, foram os outros dois. Não encontraram o coronel, estava em Tabocas. Voltaram no outro dia, o coronel estava em Ferradas. Então Orlando resolveu ir ele mesmo. Para ele aquela terra era tudo, não a perderia. Disseram-lhe que o coronel estava em Ilhéus. Ele fez que sim mas entrou pela casa-grande adentro e encontrou o coronel na sala de jantar, comendo. Horácio olhou o lavrador, falou com sua voz seca:

— Quer comer, Orlando? Se quer se abanque...

— Não, sinhô, obrigado.

— Que lhe traz por aqui? Alguma novidade?

— Uma novidade bem feia, inhô, sim. O coronel Ramiro apareceu lá pela roça, diz que a roça é dele, diz-que comprou ao sinhô, coronel.

— Se o coronel Ramiro é que diz deve de ser verdade. Ele não é homem pra mentira...

Orlando ficou mirando o coronel Horácio que voltava a comer. Olhava as grandes mãos calosas do coronel, a sua face fechada. Por fim, falou:

— Vosmicê vendeu?

— Isso é negócio meu...

— Mas vosmicê não se arrecorda que nos vendeu esse pedaço de mata? Pelo dinheiro do contrato de cacau?

— Vocês têm a escritura? — e Horácio voltou a comer.

Orlando rodou na mão o chapéu enorme de palha. Tinha consciência de toda a desgraça que lhe havia acontecido, a ele e aos dois companheiros. Sabia também que legalmente não havia como lutar contra o coronel. Sabia que não tinham mais terra, nem roça plantada, não tinham mais nada. Um véu de sangue turvou-lhe o olhar, não media mais suas palavras:

— Desgraça pouca é bobagem, coronel. Vosmicê fique avisado que no dia que o coronel Ramiro entrar na roça, nesse dia vosmicê paga por tudo... Pense bem.

Disse e saiu afastando com o braço a negra Felícia que estava servindo o coronel. Horácio continuou a comer, como se nada houvesse passado.

De noite Horácio chegou com seus cabras na roça dos três amigos. Cercou o rancho, dizem que ele mesmo liquidou os homens. E que depois, com sua faca de descascar frutas, cortou a língua de Orlando, suas orelhas, seu nariz, arrancou-lhe as calças e o capou. Tinha voltado para a fazenda com seus homens e quando um deles foi pegado, bêbedo, pela polícia e o denunciou, ele apenas riu sua risada. Foi impronunciado.

Seus jagunços diziam que ele era um macho de verdade e que valia a pena trabalhar para um homem assim. Nunca deixava que jagunço seu parasse na cadeia e certa vez saíra especialmente da fazenda para libertar um que estava na prisão de Ferradas. Depois de tirá-lo de entre as grades, rasgara o processo na cara do escrivão.

Muitas histórias contavam do coronel Horácio. Diziam que antes de ser chefe do partido político oposicionista, e para conquistar esse lugar, mandara que seus jagunços esperassem na tocaia o antigo chefe político, um comerciante de Tabocas, e o liquidassem. Depois lançou a culpa contra os inimigos políticos. Agora o coronel era chefe indiscutido da zona, o maior fazendeiro dali, e imaginava estender suas terras por muito longe. Que importavam as histórias que contavam sobre ele? Os homens, fazendeiros e trabalhadores, contratistas e lavradores de pequenas roças, o respeitavam, o número dos seus afilhados era incontável.

Nessa manhã ele ia entre os cacaueiros novos que davam seus primeiros frutos. Acabara de preparar o cigarro com as grandes mãos calosas. Pitava vagarosamente e não pensava em nada, nem nas histórias que contavam dele, nem mesmo na chegada recente do dr. Virgílio, o novo advogado que o partido enviara da Bahia para os trabalhos de Tabocas, não pensava nem mesmo em Ester, sua esposa, tão linda e tão jovem, educada pelas freiras na Bahia, filha do velho Salustiano, comerciante de Ilhéus que a dera encantado de esposa ao coronel. Era a sua segunda mulher, a primeira morrera quando ele ainda era tropeiro. Era triste e linda, magra e pálida, e era a única coisa que fazia o coronel Horácio sorrir de uma maneira diferente. Neste momento nem em Ester pensava. Não pensava em nada, via apenas os frutos dos cacaueiros, verdes ainda, pequeninos, os primeiros daquela roça. Com a mão tomou de um deles, doce e voluptuosamente o acariciou. Doce e voluptuosamente como se acariciasse a carne jovem de Ester. Com amor. Com infinito amor.

4

ESTER ANDOU PARA O PIANO, PIANO DE CAUDA, NUM CANTO DA SALA ENORME. Descansou as mãos sobre as teclas, os dedos iniciaram maquinalmente uma melodia. Velha valsa, farrapo de música que lhe lembrava as festas do colégio. Recordou-se de Lúcia. Onde andaria ela? Fazia tempo que não lhe escrevia, que não mandava uma das suas cartas loucas e divertidas. Também a culpa era sua, não respondera às duas últimas cartas de Lúcia... Nem agradecera as revistas francesas e os figurinos que ela mandara... Ainda estavam em cima do piano, junto com antigas músicas esquecidas. Ester riu tristemente, arrancou outro acorde do piano. Para que figurinos naquele fim do mundo, naquelas brenhas? Nas festas de São José, em Tabocas, nas festas de São Jorge, em Ilhéus, as modas andavam atrasadas de anos e ela não poderia exibir os vestidos que a amiga vestia em Paris... Ah! se Lúcia pudesse imaginar sequer o que era a fazenda, a casa perdida entre as roças de cacau, o silvo das cobras nos charcos onde comiam rãs! E a mata... Por detrás da casa ela se estendia trancada nos troncos e nos cipós. Ester a temia como a um inimigo. Nunca se acostumaria, tinha certeza. E se desesperava porque sabia que toda a sua vida seria passada ali, na fazenda, naquele mundo estranho que a aterrorizava.

Nascera na Bahia, em casa dos avós, onde a mãe fora ter criança e morrera do parto. O pai negociava em Ilhéus, naquele tempo iniciava a vida, e Ester ficou com os avós que lhe faziam todas as vontades, que a mimavam e viviam exclusivamente para ela. O pai prosperou em Ilhéus com um armazém de secos e molhados, aparecia de quando em vez, duas viagens por ano à capital, a negócios. Ester cursara o melhor colégio para moças da Bahia, colégio de freiras, primeiro externa, interna depois quando os avós morreram, no último ano do curso. Morreram um após o outro no mesmo mês, Ester vestiu luto e naquele momento não chegou a se sentir sozinha porque tinha as colegas. No colégio sonhavam sonhos lindos, liam romances franceses, histórias de princesas, de uma vida formosa. Todas tinham planos de futuro, ingênuos e ambiciosos: casamentos ricos e de amor, vestidos elegantes, viagens, o Rio de Janeiro e a Europa. Todas menos Geni que desejava ser freira e passava o dia rezando. Ester e Lúcia, consideradas as mais elegantes e belas do colégio, sonhavam de imaginação solta. Conversavam nos pátios, durante os recreios, no silêncio do dormitório também.

Ester deixa o piano, o último acorde vai morrer na mata. Ah! os tempos felizes de colégio! Ester se recordava de uma frase de soror Angélica, a freira mais simpática de todas, quando elas desejavam que o tempo de colégio passasse quanto antes e chegasse o momento de viver a vida intensamente. Então soror Angélica pousara nos seus ombros as delicadas mãos, tão magras, e lhe dissera:

— Nenhum tempo é melhor que esse, Ester, em que o sonho é possível.

Naquele dia ela não entendera, fora preciso que passassem os anos, até que a frase lhe viesse à memória de novo para ser recordada desde então quase diariamente. Ah! os felizes tempos de colégio... Ester anda até a rede que a espera na varanda. Daí ela vê a estrada real onde de raro em raro um trabalhador passa em busca do caminho de Tabocas ou de Ferradas. Vê, também, o grupo de barcaças onde o cacau seca ao sol, pisado pelos pés negros dos trabalhadores. Terminado o curso, ela viera para Ilhéus, nem assistira ao casamento de Lúcia com o dr. Alfredo, o médico de tanto sucesso. A amiga viajara logo. Rio de Janeiro e Europa, onde o marido ia se demorar em hospitais célebres, especializando-se. Lúcia fora realizar seus sonhos, os vestidos caros, os perfumes, os bailes de grande orquestra. Ester pensa nas diferenças do destino. Ela viera para Ilhéus, outro mundo. Uma cidade pequena, que apenas começava a crescer, de aventureiros e lavradores, onde só se falava em cacau e mortes.

O pai morava num primeiro andar, por cima do armazém, da sua janela Ester via a monótona paisagem da cidade. Um morro de cada lado. Não encontrava beleza no rio, nem no mar. Para ela a beleza estava com a vida de Lúcia, os bailes em Paris. Nem mesmo nos dias de chegada dos navios, quando toda a cidade se animava, quando havia jornais da capital, quando os botequins se enchiam de homens que discutiam política, nem nesses dias quase de festa Ester saía da sua tristeza. Os homens a admiravam e a cortejavam de longe. No tempo das férias um estudante de medicina escreveu-lhe uma carta e mandou-lhe versos. Mas para Ester o tempo era pouco para chorar, para lastimar a morte dos avós que a obrigava a viver naquele desterro. As notícias de brigas e de mortes a assustavam, deixavam-na numa agonia. Aos poucos foi se deixando vencer pela vida da cidade, se despreocupando da elegância que tanto sucesso (e certo escândalo) fizera quando da sua chegada, e quando um dia seu pai, muito alegre, lhe comunicou que o coronel Horácio, um dos homens mais ricos da zona, pedia a sua mão ela se contentou em chorar.

Agora era uma festa quando ia a Ilhéus. O sonho das grandes cidades, da Europa, dos bailes imperiais e dos vestidos parisienses, ficara para trás. Parecia tudo muito longe, perdido no tempo, naquele tempo "em que era possível sonhar". Poucos anos se haviam passado. Mas era como se toda uma vida tivesse sido vivida numa rapidez de alucinação. Seu melhor sonho desses dias é uma viagem a Ilhéus, assistir às festas da igreja, uma procissão, uma quermesse com leilão de prendas.

Balança-se na rede mansamente. Na sua frente, até onde seus olhos alcançam, estendem-se, subindo e baixando os morros, as roças de cacau, carregadas de frutos. No terreiro ciscam as galinhas e os perus. Os negros trabalham nas barcaças, revolvendo o cacau mole. O sol irrompe sobre a paisagem, saindo de entre nuvens. Ester se recorda do dia do casamento. No dia que casara, nesse mesmo dia, havia vindo para a fazenda. Ester estremece na rede ao lembrar. Fora a sua maior sensação de horror. Se lembrava que antes, ao ser anunciado o noivado, a cidade se encheu de cochichos, de disse não disse. Uma senhora, que nunca a visitara, apareceu um dia para lhe contar histórias. Antes haviam vindo velhas beatas, conhecidas da igreja, que lhe diziam das lendas sobre o coronel. Mas aquela mulher trouxe uma notícia que era mais concreta e mais terrível. Dissera que Horácio matara a primeira mulher a rebenque porque a encontrara com outro na cama. Isso no tempo em que ainda era tropeiro e atravessava as picadas recém-abertas no mistério da mata. Só muito tempo depois, quando já ele enricara, essa história começara a circular nas ruas de Ilhéus, nas estradas da terra do cacau. Talvez porque toda a cidade falasse dele em voz baixa, Ester, com certo orgulho e muito despeito, levou o noivado adiante, um noivado feito de silêncios longos nos raros domingos em que ele baixava à cidade e ia jantar em sua casa. Um noivado sem beijos, sem carícias sutis, sem palavras de romance, tão diferente do noivado que Ester imaginara um dia, na quietude do colégio de freiras.

Quisera um casamento simples, se bem Horácio tentasse fazer as coisas à grande: banquete e baile, foguetes e missa cantada. Mas fora tudo muito íntimo, realizados em casa os dois casamentos, o do padre e o do juiz. O padre fez um sermão, o juiz desejou felicidades com sua cara cansada de bêbedo, o dr. Rui botou discurso bonito. Casaram pela manhã e, à noitinha, no lombo dos burros, através dos atoleiros, chegavam à casa-grande da fazenda. Os trabalhadores que se haviam reunido no terreiro em frente dispararam suas repetições quando os burros se aproximaram. Estavam desejando boas-vindas ao casal, porém Ester sentiu seu coração apertar com o estampido dos tiros na noite. Horácio mandara distribuir cachaça pelo pessoal mas, minutos depois, já a deixava sozinha e saía para se informar do estado das roças, para saber como se haviam perdido as arrobas de cacau, que estavam secando na estufa, devido às chuvas. Só quando ele voltou as negras acenderam as lâmpadas de querosene. Ester se assustou com o grito das rãs. Horácio quase não falava, esperava impaciente que o tempo passasse. Quando outra rã gritou no charco, ela perguntou:

— Que é?

A voz dele veio indiferente:

— Uma rã na boca de uma cobra...

E chegou o jantar servido pelas negras que olhavam desconfiadas para Ester. E de repente, mal terminado o jantar, foi aquele rasgar de vestidos e do seu corpo na posse brutal e inesperada.

Se acostumou com tudo, agora se dava bem com as negras, a Felícia até estimava, era uma mulatinha dedicada. Se acostumou até com o marido, com o seu silêncio pesado, com os seus repentes de sensualidade, com as suas fúrias que deixavam os mais ferozes jagunços encolhidos de medo, acostumou com os tiros à noite na estrada, com os cadáveres que por vezes passavam estirados em redes, um triste acompanhamento de mulheres chorando, só não se acostumou com a mata no fundo da casa, onde pelas noites, no charco que o riacho fazia, as rãs gritavam seu grito desesperado na boca das cobras assassinas. No fim de dez meses nascera um filho, agora tinha ano e meio e Ester via horrorizada que Horácio nascera novamente na criança. Era tudo dele e Ester pensava consigo mesma que ela era culpada, pois não colaborara no gestar daquele ser, nunca se entregara, fora sempre tomada como um objeto ou um animal. Mas ainda assim o queria, o amava ardentemente e sofria por ele. Se acostumara com tudo, não sonhava mais. Só não se acostumara com a mata e com a noite da mata.

Nas noites de temporal era espantoso: os raios iluminando os altos troncos, derrubando as árvores, os trovões roncando. Nessas noites Ester se encolhia com medo e chorava sobre o seu destino. Eram noites de pavor, de medo irreprimível, um medo que era como uma coisa concreta e palpável. Começava na hora dilacerante do crepúsculo. Ah! aqueles crepúsculos da mata, anunciadores de tempestade!... Quando a tarde caía, cheia de nuvens negras, as sombras eram como fatalidades definitivas, não havia luz de querosene que tivesse força de espantá-las, de evitar que elas cercassem a casa e fizessem dela, das roças de cacau e da mata, uma coisa só, ligadas pelo crepúsculo igual a uma noite. As árvores se agigantavam, cresciam com o estrume misterioso das sombras, os ruídos se faziam dolorosos, pios de aves desconhecidas, gritos de animais que Ester nunca sabia onde estavam. E o silvar dos répteis, o bulir das folhas secas onde se arrastavam... Ester tem sempre a impressão que as cobras terminarão um dia por subirem na varanda, penetrarem na casa e chegarem, numa noite de temporal, ao seu pescoço e ao da criança, nos quais se enroscarão como um colar. Ela mesma não poderia contar o horror daqueles momentos que duravam desde a chegada do crepúsculo até o cair do temporal. Então, quando ele desabava, a natureza desejando destruir tudo, ela procurava os lugares onde a luz das lâmpadas de querosene mais brilhava. Ainda assim as sombras que a luz projetava lhe davam medo, faziam sua imaginação trabalhar, acreditar nas mais supersticiosas histórias dos capangas. Havia uma coisa que sempre voltava à sua memória nessas noites. Eram as cantigas de ninar que sua avó cantava para acalentar-lhe na sua infância distante. E Ester, junto à cama da criança, as repetia baixinho, uma a uma, por entre lágrimas, acreditando mais uma vez no seu sortilégio. Cantava para a criança que a olhava com seus olhos baços e duros, os olhos de Horácio, mas cantava para si também, também ela uma criança amedrontada. Cantava baixinho, se embalava na melodia, as lágrimas rolavam pela sua face. Esquecia a escuridão da varanda, as terríveis sombras no campo, o gemer aziago das corujas nas árvores, a tristeza da noite, o mistério da mata. Cantava distantes cantigas, melodias simples contra os malefícios. Era como se a sombra protetora da avó se estendesse ainda sobre ela, carinhosa e compreensiva.

Mas, de súbito, o grito de uma rã assassinada num charco por uma cobra atravessava a mata, as roças, entrava pela casa adentro, era mais alto do que o pio das corujas e o rumor das folhas, era mais alto que o vento que assoviava, vinha morrer na sala que a lâmpada de querosene iluminava, estremecia o corpo de Ester. Silenciava a cantiga. Fechava os olhos e via — via nos mínimos detalhes — o réptil que chegava devagar, oleoso e repelente, se arrastando em curvas sobre a terra e as folhas caídas, de súbito se jogava em cima de uma rã inocente. E o grito de desespero, de despedida da vida, abalava as águas calmas do riacho, enchia de medo, de maldade e de dor o cenário da noite amedrontadora.

Nessas noites ela via as cobras em cada canto da casa, saindo entre as gretas do tabuado, de entre as telhas, de cada vão de porta. Via de olhos fechados quando cada uma delas ia se arrastando, se aproximando cautelosamente até o pulo fatal sobre as rãs. Tremia sempre que pensava que sobre o telhado podia estar uma delas, sutil e silenciosa, vindo de manso para o leito de jacarandá, talvez para se enroscar no seu pescoço durante o sono. Ou então para penetrar no berço da criança e se enrodilhar sobre ela. Quantas noites passara sem dormir porque repentinamente pensara que uma cobra descia pela parede? Bastava um rumor ouvido no princípio do sono. Era o bastante para enchê-la de terror. Levantava-se, arrancava as cobertas, atirava-se para a cama do filho. Quando se convencia que ele estava dormindo sem perigo, realizava uma busca por todo o quarto, o candeeiro numa mão, os olhos abertos de medo. Horácio por vezes acordava e resmungava na cama, mas Ester continuava sua busca infrutífera. Não dormia mais. Esperava e esperava com terror que ela chegasse. Apareceria de súbito, movendo-se pela cama, e Ester já não poderia tentar nenhuma reação. Chegava a sentir o estrangulamento na sua garganta onde a cobra se enroscaria. Chegava a ver o filho morto, vestido de anjo no caixão azul. No rosto a marca dos dentes venenosos.

Certa vez foi um pedaço de corda entrevisto na escuridão que a fez soltar um grito que, igual ao das rãs, atravessou o campo e o charco, foi morrer na mata.

Ester se recorda de outra noite. Horácio viajara para Tabocas, ela estava só com a criança e as empregadas. Dormiam, quando pancadas na porta a despertaram. Felícia foi ver o que era e chamou Ester aos gritos. Ela chegou e deparou com uns trabalhadores que traziam Amaro mordido por uma cobra. Ester espiava da porta, sem querer se aproximar. Ouvia os homens que pediam medicamentos e ouvia a explicação que um dava em voz rouca: “Foi uma surucucu apaga-fogo, venenosa como quê”. Amarraram a perna de Amaro com um cordão, acima do lugar da mordida, Felícia trouxe uma brasa da cozinha, Ester viu quando a puseram sobre a picada. A carne queimada chiou, Amaro gemeu, um cheiro estranho se espalhou pela casa. Um trabalhador havia montado para ir a Ferradas em busca de um soro antiofídico. Mas o veneno teve uma ação muito rápida. Amaro morreu entre Ester, as negras e os trabalhadores, o rosto esverdeado, os olhos demasiadamente abertos. Ester não podia se desprender do cadáver e ouvia sair daquela boca para sempre calada gritos dolorosos como os das rãs assassinadas nos charcos. Quando Horácio chegou, pelo meio da noite, de Tabocas, e deu ordem para que levassem o cadáver para uma das casas de trabalhadores, Ester teve uma crise de choro e pediu ao marido, soluçando, que fossem embora dali, que partissem para a cidade ou ela morria, as cobras viriam, seriam muitas, a picariam toda, matariam a criança, terminariam por estrangulá-la com seus anéis viscosos. Sentia no pescoço o frio do corpo mole da cobra, um arrepio a percorria e chorava mais alto. Horácio riu do medo dela. E quando ele se tocou para a sentinela de Amaro ela não quis ficar só em casa e também foi.

Os homens em torno ao cadáver bebiam cachaça e contavam histórias. Histórias de cobras, a história de José da Tararanga que vivia bêbedo e uma noite voltava para casa caindo de cachaça, na mão direita o fifó aceso, na esquerda um litro de parati. Na curva da estrada a surucucu pulou no fifó, com o baque José da Tararanga caiu. Quando sentiu a primeira picada da cobra abriu o litro e o bebeu todo. No outro dia, quando os homens passaram para o trabalho nas roças, encontraram José da Tararanga que dormia, a surucucu dormindo também enroscada no seu peito. Mataram a cobra, José da Tararanga tinha dezessete picadas, mas nada lhe aconteceu por causa da cachaça. O álcool diluiu o veneno, só que José inchou durante quinze dias, ficou do tamanho de um cavalo, depois foi ficando são.

Contaram também de homens curados de cobra que as pegavam pelas estradas sem que elas nada fizessem. Bem próximo da fazenda, morava Agostinho que era curado, cobra não lhe fazia mal, ele, só para se divertir, entregava o braço pra elas morderem.

Joana, mulher do tropeiro, que bebia como qualquer dos homens, contou que, numa fazenda do sertão, onde ela vivera antes de vir para essas terras do sul, sucedera uma história triste.

Certa cobra penetrara na casa-grande onde os senhores estavam a passeio. Vinham sempre no fim do ano e desta vez vinham felizes pois havia nascido uma criança. Mas a cobra entrara e fora se aninhar no berço da criança, que era a primeira dos senhores casados há pouco mais de um ano. A criança chorava pelo seio materno e tomou do rabo da cobra na sua inocência. No outro dia tinha na boca o rabo da jararaca que dormia mas já não mamava porque o veneno agira logo. A senhora saíra pelos campos, os cabelos de oiro soltos ao vento, os pés nus e alvos, como Joana nunca vira iguais, pisando os espinhos, e dizem que nunca mais voltara a ser perfeita da cabeça, que ficara idiota e enfeara, perdera toda aquela lindeza de rosto e de corpo. Antes parecia uma destas bonecas estrangeiras, depois do acontecido ficara que nem uma bruxa de pano. A casa-grande se fechou para sempre, nunca mais os senhores voltaram, a hera cresceu pelas varandas, o capim invadiu a cozinha e os que passam perto ouvem hoje os pios das cobras que fazem ninho lá dentro. Joana terminou sua narração, bebeu outro trago de cachaça, cuspiu, procurou com os olhos a Ester. Mas ela já não estava, correra para casa, para junto do filho, como se fora enlouquecer também.

Agora, na varanda, onde o sol brinca descuidado, Ester recorda essa e outras noites de terror. De Paris Lúcia lhe escrevia, cartas que levavam três meses a chegar e que traziam notícias de outra vida, de outra gente, de civilizações e de festas. Aqui eram as noites da mata, do temporal e das cobras. Noites para chorar sobre o destino desgraçado. Crepúsculos que apertavam o coração, tiravam toda a esperança. Esperança de quê? Tudo era tão definitivo na sua vida...

Chorava outras noites também. Quando via Horácio sair à frente de um grupo de homens para uma expedição qualquer. Sabia que nessa noite, em alguma parte, soariam os tiros. Que homens morreriam por um pedaço de terra, que a fazenda de Horácio, que era também a sua, aumentaria de mais um pedaço de mata. De Paris, Lúcia escrevia, contava bailes na embaixada, óperas e concertos. Na casa-grande da fazenda, o piano de cauda esperava um afinador que nunca viera.

Noites em que Horácio saía na frente dos homens para expedições armadas! Certa vez, depois dele partir, Ester se encontrou imaginando a morte de Horácio. Se ele morresse... Então as fazendas seriam somente dela, entregaria ao pai para administrá-las e partiria... Iria encontrar Lúcia... Foi porém um sonho curto. Para Ester, Horácio era imortal, era o dono, o patrão, o coronel... Tinha certeza que morreria antes dele... Ele dispunha da terra, do dinheiro e dos homens. Era feito de ferro, nunca adoecera, parecia que as balas o conheciam e temiam... Por isso ela nem se embalou naquele sonho tão ruim e tão maravilhoso... Para ela não tinha mesmo jeito, nem esperança. Sua vida era aquela, aquele era seu destino. E em Ilhéus quanta moça não a invejava! Ela era a dona Ester, a mulher do homem mais rico de Tabocas, do chefe político, dono de tantas terras plantadas de cacau e de tanta mata virgem...

Horácio chegou junto da rede. Ester mal teve tempo de enxugar as lágrimas. Ele trazia na mão um pequeno coco de cacau, primícia da roça nova. Vinha quase sorridente:

— A roça já está botando...

Ficou parado, não compreendia por que ela estava chorando. Primeiro lhe deu raiva:

— Por que diabo está chorando? Sua vida é chorar? Não tem tudo o que quer? Que é que lhe falta?

Ester prendeu o soluço:

— Não é nada... Besteira minha...

Tomou do fruto do cacaueiro, sabia que aquilo agradaria ao marido. Horácio sorriu já alegre, já feliz da esposa, os olhos descendo pelo corpo dela. Ali estavam as únicas coisas que ele amava no mundo: Ester e cacau. Sentou-se junto a ela na rede, perguntou:

— Por que chora, tola?

— Não estou mais chorando...

Horácio ficou pensando, logo falou, os olhos estirados para o lado das roças, o pequeno coco de cacau na mão calosa:

— Quando o menino crescer — sempre chamava o filho de "menino" — ele há-de encontrar tudo isso aqui cheio de roça. Todo cultivado...

Ficou mais algum tempo calado, por fim concluiu:

— Meu filho não vai precisar viver socado nas brenhas como a gente. Vou meter ele na política, vai ser deputado e governador. Pra isso é que faço dinheiro...

Sorriu para Ester, desceu a mão pelo corpo dela. Depois avisou:

— Enxugue esses olhos, mande fazer um jantar direito que hoje vem comer aqui o doutor Virgílio, esse advogado novo que tá em Tabocas e é protegido do doutor Seabra. E você se vista direito também. É preciso mostrar ao moço que a gente não é bicho do mato...

Riu sua risada curta, deixou com Ester o coco de cacau, saiu para dar ordens aos trabalhadores. Ester ficou pensando nesse jantar da noite, com esse tal de advogado, igual naturalmente ao dr. Rui, que se embriagava e ficava, na hora da sobremesa, a cuspir para todos os lados e a contar histórias porcas... E, de Paris, Lúcia escrevia cartas, falava de festas e de teatros, de vestidos e de banquetes...

5

OS DOIS HOMENS TRANSPUSERAM A PORTA, O NEGRO FALOU:

— Mandou chamar, coronel?

Juca Badaró ia dizer que eles entrassem, mas o irmão fez um gesto com a mão que eles esperassem lá fora. Os homens obedeceram e sentaram num dos bancos de madeira que estavam na varanda larga da casa-grande. Juca andou de um lado para outro da sala, pitou o cigarro. Esperava que o irmão falasse. Sinhô Badaró, o chefe da família, descansava numa alta cadeira de braços, cadeira austríaca que contrastava não só com o resto do mobiliário, bancos de madeira, cadeiras de palhinha, redes nos cantos, como também com a rústica simplicidade das paredes caiadas. O relógio na sala de jantar deu as cinco horas da tarde. Sinhô Badaró pensava, os olhos semicerrados, a longa barba negra se estendendo sobre o peito. Levantou os olhos, espiou Juca que andava nervosamente pela sala, o rebenque numa mão, o cigarro fumegando na boca. Mas logo desviou os olhos e fitou o único quadro da parede, uma reprodução oleográfica de uma paisagem de campo europeu. Ovelhas pastavam numa suavidade azul. Pastores tocavam uma espécie de flauta e uma camponesa, loira e linda, bailava entre as ovelhas. Descia uma imensa paz na oleogravura. Sinhô Badaró se lembrou de como a comprara. Entrara casualmente numa casa de sírios na Bahia para avaliar um relógio de ouro. Vira o quadro e se lembrara que Don'Ana há muito dizia que as paredes da sala necessitavam de algo que as alegrasse. Por isso o comprara e só agora reparava nele atentamente. Era um campo tranquilo, de ovelhas, pastores, flautas e baile. Azul, quase cor do céu. Bem diferente era esse campo deles. Essa terra do cacau. Por que não haveria de ser assim também como esse campo europeu? Mas Juca Badaró andava impaciente de um lado para outro, esperava a decisão do irmão mais velho. A Sinhô Badaró repugnava ver correr sangue de gente. No entanto muitas vezes tivera que tomar uma decisão como a que Juca esperava naquela tarde. Não era a primeira vez em que ordenava que um ou dois de seus homens fossem se postar na tocaia para esperar alguém que passaria na estrada.

Olhou o quadro. Bonita mulher... De faces rosadas, os olhos celestes. Mais bonita talvez que Don'Ana... E os pastores eram sem dúvida bem diversos dos tropeiros da fazenda... Sinhô Badaró gostava da terra e de plantar a terra... Gostava de criar animais, os grandes bois mansos, os nervosos cavalos, as ovelhas de terno balar. Mas lhe repugnava ter que ordenar a morte de homens. Por isso demorava sua decisão, só a pronunciava quando via que era o único caminho. Ele era o chefe da família, estava construindo a fortuna dos Badarós, tinha que passar por cima daquilo que Juca chamava as "suas fraquezas". Nunca havia reparado antes, detidamente, naquele quadro. O colorido azul era uma beleza... Bem mais bonito que qualquer folhinha de fim de ano, e havia folhinhas lindas...

Juca Badaró parou em frente ao irmão:

— Eu já lhe disse, Sinhô, que não há outro jeito... O homem empacou que nem jumento... Que não vende a roça, que não há dinheiro, que ele não precisa... E você bem sabe que Firmo sempre teve fama de cabeçudo... Não tem jeito mesmo.

Sinhô Badaró arrancou com tristeza os olhos da oleografia:

— É pena que é um homem que nunca fez mal à gente... Se não fosse porque esse é o único jeito de estender a fazenda pros lados de Sequeiro Grande... Senão vai cair nas mãos de Horácio...

Sua voz se alterou ligeiramente quando pronunciou o nome odiado. Juca aproveitou:

— Se a gente não manda fazer o serviço, Horácio manda na certa. E quem tiver a roça de Firmo tem a chave das matas de Sequeiro Grande...

Sinhô Badaró estava perdido novamente na contemplação do quadro. Juca continuou:

— Tu sabe, Sinhô, que ninguém conhece terra para cacau como eu conheço. Tu veio de fora mas eu já nasci aqui e desde menino que aprendi a conhecer terra que é boa pro plantio. Posso te dizer que basta eu pisar numa terra e sei logo se ela presta ou não pro cacaueiro. É uma coisa que tenho na sola dos pés. Pois eu te digo que não há terra melhor pra lavoura de cacau que as de Sequeiro Grande. Tu sabe que eu já passei muita noite dentro daquele mundo de mata espiando a terra. E se a gente não chega lá depressa, Horácio chega antes. Ele também tem faro...

Sinhô Badaró passou a mão pela barba negra:

— É engraçado, Juca, tu é meu irmão, tua mãe foi a mesma velha Filomena que me pariu e Deus tenha em sua guarda. Teu pai era o finado Marcelino que era o meu pai também. E nós dois é tão diferente um do outro como pode ser duas pessoas no mundo. Tu gosta de resolver logo tudo com tiros e mortes. Eu queria que tu me dissesse: tu acha bom matar gente? Tu não sente nada? Nada por dentro? Aqui? — e Sinhô Badaró mostrava o lugar do coração.

Juca pitou o cigarro, bateu com o rebenque na bota enlameada, andou pela casa. Depois falou:

— Se eu não te conhecesse, Sinhô, como eu te conheço, e se não te respeitasse como meu irmão mais velho, eu era até capaz de pensar que tu era um cagão.

— Tu não respondeu o que eu te perguntei.

— Se gosto de ver gente morrer? Nem sei mesmo. Quando tenho raiva de um, sou capaz de cortar ele devagarinho. Tu sabe...

— E quando não tem raiva?

— Toda vez que um se mete na minha frente tem que sair pra eu passar. Tu é meu irmão mais velho e é tu quem resolve das coisas da família. Tu é que pai deixou tomando conta de tudo: das roças, das meninas, de mim mesmo. Tu é que tá fazendo a riqueza dos Badarós. Mas eu te digo, Sinhô, que se eu tivesse no teu lugar a gente tinha duas vezes mais terra.

Sinhô Badaró levantou-se. Era alto de quase dois metros, a barba rolava-lhe pelo peito, negra retinta. Os olhos se acenderam, sua voz encheu a sala:

— E quando tu já me viu, Juca, deixar de fazer uma coisa quando era necessário? Tu bem sabe que eu não tenho esse gosto de sangue que tu tem. Mas quando tu já viu eu deixar de mandar liquidar um quando houve necessidade?

Juca não respondeu. Respeitava o irmão e talvez a única pessoa do mundo que ele temesse fosse Sinhô Badaró. Este baixou a voz:

— Só que não sou como tu, um assassino. Sou um homem que só faz as coisas por necessidade. Tenho mandado liquidar gente, mas Deus é testemunha que só faço quando não tem jeito. Sei que isso não vale nada quando chegar o dia de prestar contas lá em cima — apontava o céu. — Mas para mim mesmo tem o seu valor.

Juca esperou que o irmão se acalmasse:

— Tudo isso por causa de Firmo, um idiota cabeçudo... Tu pode me chamar do que quiser, eu não me importo. Agora só te digo uma coisa: não há terra pra cacau como as de Sequeiro Grande e se tu quer elas pros Badarós não há jeito mesmo... Firmo não vende a roça.

Sinhô Badaró fez um gesto com a mão, Juca compreendeu, chamou os homens que estavam na varanda. Mas, antes que eles entrassem, disse:

— Se tu não quer, eu explico tudo aos cabras.

Sinhô semicerrou os olhos, sentou-se na alta cadeira:

— Quando decido uma coisa, tomo a responsabilidade. Eu mesmo falo.

Olhou o quadro, tão tranquilo na sua paz azul. Se aquela terra retratada na oleogravura fosse boa para o cultivo do cacau, ele, Sinhô Badaró, teria que mandar jagunços para detrás de uma árvore, para a tocaia, jagunços que liquidassem os pastores que tocavam flauta, a moça rosada que dançava tão alegre... Os homens estavam esperando, ele fez um esforço, esqueceu toda a cena do quadro, a mulher parando seu baile com o tiro que ele mandara dar, começou a impartir ordens com sua voz pausada de sempre, firme e calma.

6

PELA ESTRADA ONDE O VENTO DA TARDE LEVANTA UMA POEIRA VERMELHA de barro vão os dois homens, cada um com sua repetição a tiracolo. Viriato, mulato sarará que viera do sertão, propõe uma aposta:

— Tou apostando cinco mil-réis que o homem vem é do meu lado...

Acontecia que a estrada real se bifurcava nas proximidades da fazenda de Firmo. Por isso sinhô Badaró mandara dois homens. Um para cada caminho. O negro Damião, que era seu homem de confiança, certeiro na pontaria, devotado como um cão de caça, ficaria no atalho por onde era mais provável que Firmo passasse, economizando caminho e tempo. Viriato esperaria na estrada real, por detrás de uma goiabeira onde já outros haviam caído antes. Viriato está propondo uma aposta e apesar de que é quase certo que Firmo venha pelo atalho, Damião não aceita. Viriato se admira:

— Tou te desconhecendo, irmão. Tá curto de arame?...

Mas não era porque lhe faltassem cinco mil-réis, salário de dois dias, que Damião não aceitava. Muitas vezes havia apostado mais que isso, em outras tocaias, noutras tardes como esta. Mas hoje há alguma coisa que o impede de aceitar.

A noite vai caindo sobre os dois homens na estrada deserta de viandantes. Só encontraram até agora um homem montado num burro que os olhou muito e logo esporeou o burro pedindo distância. Quem não conhece nessas redondezas ao negro Damião, o jagunço de confiança de Sinhô Badaró? Sua fama corre terra, há muito que está além de Palestina, de Ferradas e de Tabocas. Dos botequins de Ilhéus, onde comentavam seus feitos, ela viajara nos pequenos navios até a capital e um jornal da Bahia já publicara seu nome em letra redonda. Como era um jornal da oposição falava muito mal dele, chamava-o de nomes feios. Damião se lembra perfeitamente desse dia: Sinhô Badaró o mandara chamar na casa-grande na hora do almoço. Estava muita gente na mesa, onde as garrafas de vinho destampadas revelavam a presença do juiz. Estava também o dr. Genaro, o advogado dos Badarós, e fora ele quem trouxera o jornal. Dr. Genaro não era brilhante como o dr. Rui, não sabia fazer aqueles discursos cheios de palavras bonitas, mas conhecia meticulosamente todos os intrincados detalhes da lei e de como passar por cima da lei, e Sinhô Badaró o preferia a qualquer dos vários advogados do foro de Ilhéus. Sinhô Badaró sorriu para Damião, mostrou-o aos outros:

— Tá aqui a fera...

Como ele riu, Damião riu também, seu largo riso inocente, os dentes brancos e perfeitos brilhando na enorme boca negra. O juiz bêbedo riu alegremente mas o dr. Genaro apenas sorriu e dava a impressão que o fazia por pura cortesia. Sinhô Badaró continuou, agora falava para Damião:

— Tu sabe, negro, que os jornais da capital tão se ocupando de ti? Diz que não há melhor matador nessa zona que Damião, o cabra de Sinhô Badaró.

Dizia com orgulho e com orgulho Damião respondeu:

— É verdade, inhô, sim. Não sei de cabra mais certeiro na pontaria que esse negro que tá aqui — e riu novamente com satisfação.

Dr. Genaro engoliu em seco, encheu seu copo. O juiz acompanhou a gargalhada de Sinhô Badaró. Esse leu a notícia para Damião que só a compreendeu pela metade, havia muitos termos demasiado difíceis para ele. Mas se foi satisfeito porque Sinhô Badaró gritara para dentro:

— Don'Ana! Don'Ana!

A filha chegou da cozinha onde dirigia o andamento do almoço, era morena e forte, silvestre flor da mata:

— Que é, pai?

O juiz a olhava de olhos interessados. Sinhô Badaró ordenou:

— Tira cinquenta mil-réis do cofre e dá a Damião. O nome dele anda pelos jornais...

Depois despedira o negro e a conversa continuara na sala de almoço. Damião fora a Palestina gastar o dinheiro com as rameiras. Bebera a noite toda e a toda a gente contava que um jornal da Bahia tinha escrito que não havia pontaria como a dele.

Por isso o homem montado esporeara o burro. Sabia que tiro do negro Damião era caixão de enterro encomendado e sabia também que cabra de Sinhô Badaró era cabra garantido, não havia polícia para eles. Toda a gente sabia que o juiz era homem dos Badarós, até roça tinham botado para ele, os Badarós estavam por cima na política, contavam com a justiça. Quando o homem esporeou o burro, Viriato riu se divertindo. Mas o negro Damião ficou sério e Viriato repetiu:

— Tou te desconhecendo, irmão...

Damião também estava se desconhecendo. Muitas vezes já fora para outras tocaias, esperar homens a quem matar. E hoje era como se fosse pela primeira vez.

Aqui a estrada se bifurcava. Viriato insistiu:

— Não quer apostar, negro?

— Já disse que não.

Se separaram, Viriato foi assoviando. A noite descera completamente, a lua iniciava sua subida para o céu. Noite boa para uma tocaia. Se via a estrada como se fosse de dia. O negro Damião tomou pelo atalho, sabia de uma árvore magnífica para a espera. Era uma jaqueira frondosa na beira da estrada, parecia de propósito para um homem se esconder atrás dela e atirar no que passasse. "Nunca atirei em nenhum dessa jaqueira", pensou Damião. O negro vai triste, desde a varanda ele ouvira a conversa dos irmãos Badarós. Ouvira o que Sinhô dissera a Juca e é isso que o perturba nessa noite. Seu coração inocente está apertado numa agonia. Nunca Damião se sentiu assim. Não compreende, nada lhe dói no corpo, não está doente, no entanto era como se o estivesse.

Se antes alguém lhe dissesse que era terrível esperar homens na tocaia para matá-los, ele não acreditaria, pois seu coração era inocente e livre de toda a maldade. As crianças da fazenda adoravam o negro Damião que servia de cavalo para as mais pequenas, que ia buscar jaca mole nas grandes jaqueiras, cachos de banana-ouro nos bananais onde viviam as cobras, que selava cavalos mansos para os maiorezinhos passearem, que levava todos para o banho no rio e lhes ensinava a nadar. As crianças o adoravam, para elas ninguém era melhor que o negro Damião.

Sua profissão era matar, Damião nem sabe mesmo como começou. O coronel manda, ele mata. Não sabe quantos já matou, Damião não sabe contar além de cinco, e ainda assim pelos dedos. Tampouco lhe interessa saber. Não tem ódio de ninguém, nunca fez mal a pessoa alguma. Pelo menos assim pensou até hoje. Por que hoje tem o coração pesado como se estivesse doente? É delicado na sua rudeza, se há um trabalhador enfermo na fazenda, logo aparece Damião para fazer companhia, para ensinar remédios de ervas, para chamar Jeremias, o feiticeiro. Por vezes os caixeiros-viajantes que param na casa-grande obrigam-no a contar algumas das mortes que ele praticou. Damião narra com voz calma, inocente de todo o mal. Para ele uma ordem de Sinhô Badaró é indiscutível. Se ele manda matar há que matar. Da mesma maneira que quando ele manda selar a sua mula preta para uma viagem há que selar a mula preta rapidamente. E demais, não há o perigo da cadeia porque cabra de Sinhô Badaró nunca foi preso. Sinhô sabe garantir os seus homens, trabalhar para ele é um prazer. Não é como o coronel Clementino que mandava fazer o trabalho e depois entregava os homens. Damião despreza o coronel. Um patrão assim não é patrão para um homem de coragem servir. Ele o servira muito antes quando era um rapazola. Lá aprendera a atirar, para Clementino matara o primeiro homem. E um dia teve que fugir da fazenda porque a polícia fora procurá-lo e o coronel nem o avisara sequer... Se acoitara em terra dos Badarós e agora era o homem de confiança de Sinhô. Se no seu coração há algum mau sentimento é o desprezo profundo que ele sente pelo coronel Clementino. Por vezes, quando falam no seu nome nas casas dos trabalhadores, o negro Damião cospe e diz:

— Aquilo não é homem. É mais covarde que uma mulher... Devia vestir saia...

Diz e depois ri com seus dentes brancos, com seus olhos grandes, com o rosto todo. Risada feliz e sã, inocente como a gargalhada de uma criança. Rolava pela fazenda, ninguém a distinguia da risada das crianças quando Damião estava brincando com elas no terreiro, ao lado da casa-grande.

O negro Damião chega à jaqueira. Tira a repetição, coloca-a sobre o tronco da árvore. De um bolso da calça de bulgariana saca o pedaço de fumo de corda. Começa com o facão a cortar fumo para um cigarro. A lua agora é enorme e redonda, tão grande assim Damião nunca a viu. Sente que dentro dele alguma coisa se aperta como se tivesse u'a mão enorme, uma das suas enormes mãos negras, a apertá-lo por dentro. Nos seus ouvidos ainda soam as palavras de Sinhô Badaró: "Tu acha bom matar gente? Tu não sente nada? Nada por dentro?". Damião nunca pensou que se pudesse sentir nada. E hoje ele sente, as palavras do coronel estão sobre seu peito como um peso impossível de arrancar, mesmo por um negro forte como Damião. Ele sempre odiou a dor física. Suportava-a bem, uma vez deu um profundo talho no braço esquerdo com o facão, quando cortava os cocos de cacau nas roças. Atingira quase o osso e ele odiou a dor, se bem continuasse assoviando enquanto Don'Ana Badaró botava iodo na ferida. Outra vez Jacundino o cortara também a facão, três talhos numa perna. Aquilo, aquela dor ele compreendia, era uma coisa que estava, por assim dizer, diante dos seus olhos. Mas o que ele sente agora é diferente. Coisas em que ele nunca pensou enchem sua cabeça quase tão grande como a de um boi. Tinha as palavras de Sinhô Badaró metidas na cabeça e atrás delas vinham imagens e sensações, velhas imagens já esquecidas e novas sensações antes desconhecidas.

Acabou de fazer seu cigarro. A luz do fósforo brilhou na mata. Pitou. Ele nunca pudera imaginar o coronel com remorso. Era remorso a palavra. Uma vez um caixeiro-viajante lhe perguntara se ele, Damião, não tinha remorsos. Ele pedira que lhe explicasse o que era. O viajante explicou e Damião apenas disse na maior inocência:

— Por quê?

O caixeiro-viajante saíra assombrado e até hoje narrava o caso nos cafés da Bahia quando, com outros, discutia sobre a humanidade, a vida, os homens, e outras filosofias. Depois, num Natal, Sinhô Badaró trouxera um frade para celebrar missa na fazenda. Haviam armado um altar na varanda — uma beleza de altar, ao se lembrar Damião sorri seu único sorriso dessa noite de tocaia —, Damião ajudara muito a Don'Ana, à finada Lídia, esposa de Sinhô, a Olga, mulher de Juca, que tratavam da festa. O frade chegou de noite, houve um jantar com uma infinidade de pratos, galinhas, perus, carne de porco e de carneiro, caça e até peixe que haviam mandado buscar em Água Branca. Havia aquela pedra fria que chamavam gelo e Don'Ana, que era uma menina ficando moça, dera um pedaço a Damião, pedaço que lhe queimara a boca. Don'Ana rira muito com a cara desconsolada do negro. No outro dia foi a missa, quem era amigado se casou, os meninos se batizaram, os padrinhos eram sempre da família dos Badarós. Por fim o frade fez um sermão, um discurso que nem o dr. Rui era capaz de fazer tão bonito nos júris de Ilhéus. É verdade que ele tinha a língua meio embolada porque era estrangeiro, mas talvez por isso mesmo quando falava do inferno, das chamas que queimavam os condenados para todo o sempre, fazia estremecer os homens. Até Damião ficara com medo. Antes nunca pensara no inferno, depois tampouco voltou a pensar. Só hoje se lembra do frade, da sua voz gritando com ódio contra os que matavam seus semelhantes. O frade falara muito em remorso, o inferno em vida. Damião já sabia o que era remorso, mas naquela ocasião tampouco a palavra o impressionou. Ficara impressionado, sim, com a descrição do inferno, um fogo que não acabava, um queimar sem fim das carnes. No pulso Damião tem a marca de uma queimadura, uma brasa que lhe caíra em cima, um dia em que ajudava as negras na cozinha. Doera de fazer medo. Imagine então o corpo todo queimando e queimando sempre, sempre, sempre. E o frade disse que bastava matar um para ir com certeza pro inferno. Damião nem sabe quantos matou. Sabe que foram mais que cinco porque até cinco ele sabe contar e contou. Depois perdera a conta sem achar que aquilo tivesse muita importância. No entanto hoje, enquanto fuma seu cigarro na tocaia, ele se esforça inutilmente para se recordar de todos. Primeiro fora aquele tropeiro que desfeiteara o coronel Clementino. Fora uma coisa inesperada, ele ia com o coronel, montados os dois, quando cruzaram com a tropa que viajava para o Banco da Vitória. O tropeiro quando viu Clementino lançara o longo chicote de tocar os burros na cara do coronel. Clementino ficara branco, gritara para Damião:

— Abaixa ele...

Foi com um revólver que levava no cinto. Atirou e o tropeiro caiu, os burros passaram por cima do cadáver. Clementino tocou para a fazenda, no rosto levava a marca vermelha do chicote. Damião nem tivera tempo de pensar no caso porque a polícia apareceu dias depois e ele tivera que fugir. Depois começara a matar para Sinhô Badaró: Zequinha Fontes, o coronel Eduardo, aqueles dois jagunços de Horácio no encontro de Tabocas faziam cinco, mas já Sílvio da Toca o negro Damião não sabia que número era. Muito menos o homem que quisera atirar em Juca Badaró numa casa de mulheres em Ferradas e que só não atirou porque Damião puxara antes o revólver. Muito menos os que seguiram. Que número seria Firmo? "Vou pedir a Don'Ana que me ensine a contar na outra mão." Havia trabalhadores que sabiam contar nos dedos das mãos e nos dedos dos pés, mas estes eram uns inteligentes, não eram um negro burro como Damião. Mas agora era necessário saber contar pelo menos os dedos da outra mão. Quantos homens já havia matado? A lua sobe sobre a jaqueira, ilumina a estrada por onde virá Firmo. Sim, porque com certeza ele virá por aqui e não pela estrada real onde está Viriato. É um atalho de quase uma légua, Firmo deve estar com pressa de chegar em casa, de arrancar as botas e deitar com dona Teresa, sua mulher. Damião a conhecia, algumas vezes parara em frente da casa, quando ia de viagem, para pedir um caneco de água. E dona Teresa, um certo dia, até lhe dera uma pinga e trocara duas palavras com ele. Era bonita, branca que nem papel de escrever. Mais branca que Don'Ana. Don'Ana era morena, queimada do sol. Dona Teresa parecia que nunca tinha estado ao sol, que o sol não queimava suas faces, sua carne branca. Tinha vindo da cidade, era filha de um italiano e possuía uma voz bonita, parecia que estava cantando quando falava. Firmo, com certeza, vem com pressa de chegar em casa, deitar com a mulher, se enfiar naquelas carnes brancas. Mulher naquelas bandas era coisa rara. Tirando as rameiras dos povoados, quatro ou cinco em cada um, cada qual mais acabada de doença, apenas uns poucos homens tinham mulher. É claro que isso se passava com os trabalhadores e Firmo não era um trabalhador, tinha uma rocinha, ia andando para a frente, se deixassem ia acabar um coronel com muitas terras. Botara a rocinha, foi logo para Ilhéus arranjar uma mulher. Casara com a filha de um italiano que era padeiro. Mulher branca e bonita, até haviam dito que Juca Badaró, que era doido por mulher, andara de olho nela. Damião não sabia ao certo. Mas, mesmo que fosse verdade, com certeza ela não tinha querido nada porque Juca arrepiara carreira e os comentários haviam cessado. Sim, não tinha dúvida, Firmo viria pelo atalho, não ia encompridar caminho quando tinha uma mulher branca e moça esperando por ele. E a verdade é que o negro Damião está preferindo que Firmo venha pela estrada real... É a primeira vez que lhe acontece isso. Na confusão que vai pela sua cabeça e pelo seu peito ele sente também uma certa humilhação.

Parecia até que ele não estava acostumado. Parecia até Antônio Vítor, aquele trabalhador que viera de Sergipe e que, quando matara um homem no encontro de Tabocas com a gente de Horácio, ficara tremendo a noite toda, chegara mesmo a chorar que nem uma fêmea. Depois acostumara e agora era o capanga de Juca Badaró, andava sempre a seu lado nas suas viagens. Quem estava igual a Antônio Vítor naquele dia era o negro Damião, como se não estivesse acostumado a ficar uma noite toda na tocaia esperando um homem. Se os outros soubessem iam se rir dele como se haviam rido de Antônio Vítor naquela noite do barulho de Tabocas. O negro Damião fecha os olhos para ver se consegue esquecer todas aquelas imagens. O cigarro já acabou e ele pensa se vale a pena fazer outro. Tem pouco fumo e a espera pode demorar. Quem sabe a que horas virá Firmo? Fica indeciso, está quase contente porque agora só pensa nesse problema do fumo. Fumo bom... Esse é sertanejo do bom, o que é feito em Ilhéus não vale nada, é uma desgraça, seco, não dura... Mas que faz ali Teresa? É branca, Damião está pensando é no fumo negro, que é que vem fazer ali o rosto branco de dona Teresa? Quem a chamou? O negro Damião tem raiva. Mulher é sempre metida, aparece sempre onde ninguém a chama. Mas também, por que Sinhô Badaró, naquela tarde, dera de falar naquelas coisas para o irmão? Por que pelo menos não mandara que ele e Viriato fossem para longe? Da varanda ouvia a conversa toda:

— Tu acha bom matar gente? Tu não sente nada? Nada por dentro?

O negro Damião está sentindo. Antes nunca sentia nada. Talvez que se não fosse Sinhô Badaró quem houvesse falado, se fosse o próprio Juca, talvez ele nem ligasse. Mas Sinhô Badaró era como um deus para Damião. Respeitava-o mais que a Jeremias, o feiticeiro que o tinha curado de bala e de mordida de cobra. E as palavras tinham ficado dentro dele, pesavam sobre seu coração, andavam pela sua cabeça. E traziam para a sua frente o rosto branco de dona Teresa esperando o marido, repetindo as palavras de Sinhô Badaró, as palavras do frade também. Ela era meio estrangeira como o frade. Só que a voz do frade era cheia de raiva, anunciava coisas terríveis, e a voz de dona Teresa era doce como uma música.

Já não pensava em fazer um cigarro e pitar. Pensava era em dona Teresa esperando Firmo para o amor na cama de casal. Carnes brancas que esperavam o marido. Tinha cara de ser uma criatura boa. Uma vez dera uma pinga ao negro Damião... E trocara com ele umas palavras sobre o sol que batia a estrada naquela tarde. Sim, era uma mulher boa, sem besteiras. Bem que podia nem ter falado a um negro assassino como Damião. Ela tinha sua roça de cacau, podia ser uma orgulhosa como tantas outras. Mas tinha lhe dado uma pinga e falara sobre o sol escaldante. Não tivera medo dele como muitas outras... Muitas outras que, mal enxergavam o negro Damião que vinha vindo, se escondiam pela casa adentro, eram os maridos que atendiam. Damião sempre se rira desse medo que algumas senhoras lhe tinham, até se orgulhava dele: era a sua fama que corria mundo. Mas hoje, Damião, pela primeira vez, imagina que não fugiam de um negro valente. Que fugiam de um negro assassino... Um negro assassino... Repetiu as palavras baixinho, devagarinho, e elas soaram tragicamente aos seus ouvidos. O frade disse que ninguém deve matar os outros, que é um pecado mortal que se paga com o inferno. Damião não ligara. Mas hoje fora Sinhô Badaró que dissera aquelas coisas sobre matar. Um negro assassino... E dona Teresa era boa, bonita como quê, branca como não havia outra nas fazendas próximas... Gostava do marido, bem se via, tanto que nem aceitara o arrastar de asa de Juca Badaró, homem rico por quem as mulheres viviam se babando... As mulheres tinham medo dele, do negro Damião, o assassino... Agora se recordava de uma série longa de detalhes, mulheres que desapareciam dos terreiros quando ele surgia, outras que o espiavam a medo pelas frestas das janelas, aquela prostituta de Ferradas que não quis dormir com ele de jeito nenhum, apesar dele mostrar a nota de dez mil-réis na mão... Não quisera dormir com ele. Não dissera por quê, inventara que estava doente, mas na sua cara Damião vira outra coisa: o medo. Não ligara, rira sua gargalhada ampla, foi em busca de outra mulher. Mas agora a recusa da rameira lhe dói no peito já tão ferido nesse dia. Só Don'Ana Badaró era boa com ele, não tinha medo do negro. Mas Don'Ana era uma mulher valente, era da família dos Badarós. As crianças é que não tinham medo dele, as crianças não entendiam nada ainda, não sabiam que ele era um assassino que ia para as tocaias esperar homens para derribar com sua pontaria certeira. Gostava das crianças. Se entendia melhor com elas que com os grandes. Gostava de brincar com os ingênuos brinquedos dos meninos das casas-grandes, gostava de fazer as vontades dos filhos miseráveis dos trabalhadores. Se dava bem com as crianças... E, de súbito, a ideia aterradora cortou sua cabeça: e se dona Teresa estivesse prenhe, um filho na barriga? Ia nascer sem pai, o pai teria ficado debaixo da pontaria do negro Damião... Faz uma força imensa, sua enorme cabeça está pesada como nos dias de grande bebedeira: não, dona Teresa não está grávida, ele reparara bem nela no dia em que haviam trocado duas palavras na porta da casa de Firmo. Ela não tinha barriga nenhuma, não, não estava prenhe... Mas isso já fazia seis meses, quem sabe se agora? Bem que pode estar pra parir, um filho na barriga... Ia nascer sem pai, ia saber que o pai caíra na estrada numa noite de lua, derrubado pelo negro Damião. E teria ódio do negro, não seria como as outras crianças que vinham brincar com Damião, que subiam nas suas costas quando ainda não podiam montar os burros mais mansos... Não comeria jaca colhida pelo negro Damião, nem banana-ouro que o negro ia buscar nos bananais. Olharia o negro com ódio, para ele Damião seria sempre o assassino de seu pai...

Damião sente uma tristeza infinita. A lua cai sobre ele, a jaqueira o esconde da estrada, a repetição descansa no tronco. Outros marcavam no cabo da arma, com um traço, cada morto derrubado. Ele nunca o fizera porque não queria estragar sua repetição. Gostava dela, a tinha sempre dependurada sobre sua cama de tábuas, sem colchão. Por vezes, à noite, Sinhô Badaró tinha que sair de viagem e mandava chamar o negro para acompanhá-lo. Era só pegar da repetição e andar para a casa-

-grande. Os burros já estavam selados, quando Sinhô montava ele montava também, ia atrás do patrão, a repetição na frente da sela. Podia um homem de Horácio estar escondido na estrada. Acontecia que Sinhô Badaró o chamava para frente e ia conversando com ele sobre as roças, sobre as safras, sobre o estado do cacau mole, sobre uma série de coisas que se relacionavam com a vida da fazenda. Esses eram dias felizes para o negro Damião. Felizes também porque, quando chegavam no termo da viagem: Rio do Braço, Tabocas, Ferradas ou Palestina, o coronel lhe dava uma nota de cinco mil-réis e ele ia passar o resto da noite na cama com uma mulher. Aí deixava a repetição nos pés da cama porque Sinhô poderia querer voltar a qualquer momento e um moleque do povoado corria as casas de mulheres à procura do negro. Ele saltava da cama — certa noite saltou mesmo do corpo da mulher —, pegava da repetição e ia de novo. Se encarinhara com a arma, a trazia limpa, dava gosto ver. Hoje, no entanto, nem a quer mirar, seus olhos procuram outra visão. A lua está no alto dos céus. Por que se pode fitar a lua e não há olhos que aguentem fitar o sol? Esse problema nunca ocorrera ao negro Damião. Agora se tranca nele, sua cabeça toda empregada em resolvê-lo. Assim não vê dona Teresa, nem o filho que ela vai ter, nem a voz de Sinhô Badaró perguntando a Juca:

— Tu acha bom matar gente? Tu não sente nada? Nada por dentro?

Por que ninguém pode olhar o sol de cara para cima? Não há quem aguente... Também aos homens que matara, Damião nunca havia olhado depois. Não tinha tempo, tinha que arribar logo depois de feito o trabalho. Também nunca tivera o desgosto de saber que um ficara com vida, como o finado Vicente Garangau que tinha tanta fama e foi acabar nas mãos de um em quem atirara. Não foi se certificar se o homem estava morto mesmo e depois terminou daquela maneira horrorosa, cortado aos pedacinhos... Damião também nunca foi ver nenhum dos que derrubou. Como ficariam? Ele já viu muito homem morto, mas como será que haviam ficado os que ele matou? Como ficaria Firmo nessa noite de hoje? Cairia de bruços sobre o burro que o arrastaria na corrida ou cairia logo no chão, o sangue correndo do peito? Assim de peito furado o levariam para casa quando o encontrassem no outro dia. Dona Teresa já estaria aflita com a demora. E que faria quando o visse chegar já frio, morto pelo negro Damião? As lágrimas desceriam pelo seu rosto branco de cal. Talvez até fizesse mal à prenhez dela. Talvez, com o choque, tivesse o filho antes de tempo. Talvez até morresse, que era fraca, tão magra na sua brancura... Assim, em vez de matar um, o negro teria matado dois... Teria matado uma mulher e isso um negro valente não faz... E o menino? Não estava contando com o menino. Com o menino — Damião contou nos dedos — eram três... Agora já não discutia que Teresa estivesse grávida. Era uma coisa certa para ele. Ia matar três nessa noite... Um homem, uma mulher e um menino. Os meninos são tão lindos, bons para o negro Damião, gostam dele. Com aquele tiro ele ia matar um... E também a dona Teresa, a carne branca morta no caixão de defuntos, o enterro saindo para o cemitério de Ferradas que era o mais perto. Ia ser preciso muita gente para levar os três caixões. Iriam buscar gente pela redondeza, possivelmente acudiriam à fazenda dos Badarós. E Damião viria e levaria o caixãozinho azul da criança que estaria vestida de anjo... Era quase sempre ele quem levava os caixões de "anjos" quando uma criança morria na fazenda. Damião arranjava flores silvestres, enfeitava o caixão, levava-o no ombro. Mas o do filho de Firmo ele não poderia levar... Pois se foi ele quem o matou... O negro Damião faz força novamente. Sua cabeça não lhe obedece, por quê? A verdade é que ele não matou nenhuma criança, não matou dona Teresa, não matou nem mesmo a Firmo ainda. Nesse momento foi que a ideia de não matar Firmo apareceu pela primeira vez na cabeça do negro Damião. Levemente apenas, ele não chegou propriamente a pensar em não matar. Foi uma coisa rápida e fugidia, mas ainda assim o amedrontou. Como não cumprir uma ordem do Sinhô Badaró? Homem direito, Sinhô Badaró. Demais gostava dele, do seu negro Damião. Na estrada conversava com ele, tratava-o quase como a um amigo. E Don'Ana também. Lhe davam dinheiro, seu salário era dois mil e quinhentos réis por dia, mas em verdade ele tinha muito mais, cada homem que derrubava era uma gratificação na certa. Além de quê trabalhava pouco, há muito que não ia para as roças, ficava sempre fazendo pequenos serviços na casa-grande, acompanhando o coronel nas suas viagens, brincando com as crianças, esperando ordens para matar um homem... Sua profissão: matar. Agora Damião se dá perfeita conta disso. Sempre lhe parecera que ele era um trabalhador da fazenda dos Badarós. Agora é que via que era apenas um jagunço. Que sua profissão era matar, que, quando não havia homens que derrubar na estrada, ele não tinha nada que fazer. Acompanhava Sinhô mas era para guardar a vida dele, era para baixar algum que quisesse balear o coronel. Era um assassino... Essa fora a palavra que Sinhô Badaró empregara a respeito de Juca, na conversa daquela tarde. Palavra justa para ele também. Ainda agora que fazia senão esperar um homem para atirar nele? Estava sentindo alguma coisa por dentro, alguma coisa que era terrivelmente dolorosa. Doía como uma ferida. Era como se o tivessem apunhalado por dentro. A lua brilha sobre a mata silenciosa. Damião se lembra que pode fazer um cigarro, assim terá alguma coisa em que se ocupar.

Quando acabou de acender o cigarro a ideia voltou: e se ele não matasse Firmo? Agora chegou como uma coisa definida, Damião se encontrou pensando no assunto. Não, isso não era possível. Damião sabia perfeitamente por que Sinhô Badaró necessitava da morte de Firmo. Era para poder mais facilmente se apossar da sua roça e marchar para as matas de Sequeiro Grande. Quando os Badarós tiverem aquelas matas vão ter a fazenda maior do mundo, vão ter mais cacau que o resto de toda a gente junta, vão ser mais ricos que mesmo o coronel Misael. Não, deixar de liquidar Firmo nessa noite era faltar à confiança que Sinhô depositava nele. Se o mandara é porque confiava no negro Damião. Tinha que matar. Se aferrou a esse pensamento. Matara tantos antes, por que hoje era tão difícil? O pior era Teresa, a branca dona Teresa, com um filho no bucho. Ia morrer com certeza, o menino também. Está vendo dona Teresa, antes aqui era o branco luar que caía, agora é o rosto alvo da mulher de Firmo. Nem que tivesse bebido, um porre mãe. Outros bebiam antes de vir liquidar um homem. Ele nunca precisou. Veio sempre calmo, confiante na sua pontaria. Nunca precisou tomar um trago com os outros, se embebedar para atirar num homem. Mas hoje se encontra como se tivesse bebido muito e a cachaça tivesse subido. Está vendo no chão o rosto branco de dona Teresa. Antes era o luar, alvo de leite, se derramando sobre a terra. Virou dona Teresa de rosto branco e aflito, de rosto aberto numa surpresa trágica: estava esperando o marido para o amor, ele chegava morto, uma bala no peito. Do chão ela olhava para o negro Damião. Está pedindo que ele não mate Firmo, que pelo amor de Deus ele não mate... No chão de luar o negro vê perfeitamente visto o rosto de Teresa. Se estremece todo, seu enorme corpo de gigante.

Não, não podia lhe atender, dona Teresa. Sinhô Badaró mandou, o negro Damião tem que fazer. Não podia trair a confiança de um homem direito como Sinhô Badaró. Ainda se fosse Juca que tivesse mandado... Mas era Sinhô, dona Teresa, esse negro não pode fazer nada. A culpa também é de seu marido... Por que diabo ele não vende a roça? Não tá vendo logo que contra os Badarós ele não pode lutar? Por que ele não vendeu a roça, dona Teresa? Não chore que o negro Damião é capaz de chorar também... E um cabra valente não pode chorar que se desmoraliza. O negro Damião lhe jura que se pudesse não matava Firmo, lhe fazia a vontade. Mas foi Sinhô quem mandou, negro Damião tem que obedecer...

Quem disse que dona Teresa era boa? Mentira. Agora ela abre a boca e com sua voz musical repete aquelas palavras de Sinhô Badaró:

— Tu acha bom matar gente? Tu não sente nada? Nada por dentro?

A voz dela é musical mas é terrível também. Soa como uma praga na mata, no coração amedrontado do negro. O cigarro se apagou, ele não tem coragem de riscar um fósforo para não despertar as assombrações da mata. Só agora pensou nelas porque esse rosto de dona Teresa se desenhando no chão é com certeza coisa de bruxaria. Damião sabe que muita gente tem rogado praga contra ele. Parentes de gente que ele matou. Pragas horríveis, ditas na hora do sofrimento e do ódio. Mas eram coisas distantes, Damião apenas sabia delas por ouvir dizer. Agora não. É dona Teresa que está ali, seus olhos tristes, seu branco rosto, sua voz musical e terrível. Amaldiçoando o negro Damião. Perguntando se ele não sente nada por dentro, lá no fundo do coração. Sente, sim, dona Teresa. Se o negro Damião pudesse não matava Firmo. Mas não tem jeito, não é porque ele queira não...

E se dissesse que errou o tiro? Era uma ideia nova, iluminou o cérebro de Damião. Por um segundo ele viu o luar em vez do rosto de Teresa. Ficaria desmoralizado, outros cabras não erravam a pontaria, quanto mais o negro Damião! Sua pontaria era a melhor de toda aquela zona do cacau. Nunca dera dois tiros para matar um homem. Bastou sempre com o primeiro. Ficaria desmoralizado, toda gente ia rir dele, até as mulheres, até os meninos, Sinhô Badaró daria seu lugar a outro... Iria ser um trabalhador como os outros, colhendo cacau, tocando burros, dançando na barcaça para secar os caroços moles. Toda gente ia rir dele. Não, não podia. Demais ia trair da mesma maneira a confiança de Sinhô Badaró. O coronel precisava que Firmo morresse, quem tinha culpa era mesmo Firmo, que era tão cabeçudo.

Dona Teresa sabe de tudo no mundo, é mesmo assombração, porque ela agora está lembrando ao negro, desde o chão onde seu rosto substituiu novamente o luar, que Sinhô estava indeciso naquela tarde, só mandou os homens porque Juca forçara. Damião levanta os ombros... Sinhô Badaró era lá homem para decidir uma coisa só porque Juca insistia... Isso era não conhecer Sinhô Badaró... Bem se vê que dona Teresa não o conhece... Mas ela está lembrando detalhes e o negro Damião começa a vacilar. E se Sinhô não quisesse também a morte de Firmo? Se também ele tivesse pena de dona Teresa? Do filho que ela tem na barriga? Se ele também estivesse sentindo alguma coisa por dentro como o negro Damião? Damião aperta a cabeça com as mãos. Não, não era verdade. Era tudo mentira de dona Teresa, de dona Teresa com as suas bruxarias. Sinhô Badaró, se não quisesse que Firmo morresse, não o mandaria. Sinhô Badaró só faz o que quer. Para isso ele é rico e é o chefe da família. Juca tinha medo dele, apesar de toda a valentia que arrotava. Quem é que não tinha medo de Sinhô Badaró? Só mesmo o negro Damião. Mas, se não matar Firmo, vai ter medo toda a vida, nunca mais vai olhar direito para Sinhô Badaró.

Do chão a voz de dona Teresa se rindo do negro: "Então é só de medo de Sinhô Badaró que ele vai matar Firmo? Com medo de Sinhô Badaró? E esse é o negro Damião que se diz o cabra mais valente da redondeza?...". Dona Teresa ri, a risada cristalina e burlona sacode os nervos do negro. Ele está tremendo todo por dentro. A risada vem do chão, vem da mata, da estrada, do céu, de toda parte, todos estão dizendo que ele tem medo, que ele é um medroso, um cagão, ele, o negro Damião falado nos jornais...

Dona Teresa, não ria mais, eu sou capaz de lhe dar um tiro. Nunca atirei em mulher, um homem não faz isso. Mas sou capaz de atirar em vosmicê se vosmicê não parar de rir. Não ria do negro Damião, dona Teresa. O negro não tem medo de Sinhô Badaró... Tem é respeito, não quer faltar à confiança que Sinhô tem nele... Por Deus que é isso... Não ria mais que eu lhe dou um tiro, lhe meto bala nessa cara branca...

Estão apertando seu peito. O que foi que puseram em cima dele? Isso é bruxaria, é praga que lhe rogaram. Praga de mulher em cima do negro. Vem da mata a voz que repete as palavras de Sinhô Badaró:

— Tu acha bom matar gente? Tu não sente nada? Nada por dentro?

A mata inteira ri dele, a mata toda grita aquelas palavras, a mata toda aperta seu coração, dança na sua cabeça. Na frente dona Teresa, não é ela toda, é só o rosto. Isso é bruxaria, é praga que rogaram no negro. Damião sabe bem o que eles querem. Querem que ele não mate Firmo... Dona Teresa está pedindo, o que é que ele pode fazer? Sinhô Badaró é um homem direito, dona Teresa tem o rosto branco. Está chorando... Mas quem é? É dona Teresa com seu rosto no chão ou é o negro Damião? Está chorando... Dói mais que talho de facão, que brasa chiando na carne do negro...

Prenderam seus braços, não pode matar. Prenderam seu coração, ele tem que matar... Pelo rosto negro de Damião choram os olhos azuis de dona Teresa... A mata se sacode em riso, se sacode em pranto, a bruxaria da noite rodeia o negro Damião. Ele sentou no chão e chora mansamente como uma criança castigada.

O ruído de um burro trotando aumenta na estrada. Vem mais perto, cada vez mais perto, sob o luar aparece o vulto de Firmo. O negro Damião sacode seu corpo, se levanta, um nó na garganta, suas mãos tremem na repetição. A mata grita em torno. Firmo se aproxima.

7

— CRISTAL BACCARAT... — ANUNCIOU HORÁCIO BATENDO COM O dedo na taça. Sonoridades claras e pequenas se espalharam pela mesa. Horácio completou:

— Me custou um dinheirão... Foi quando casei. Mandei buscar no Rio...

O dr. Virgílio tomou da sua taça onde as gotas do vinho português manchavam de sangue a transparência do cristal. Suspendeu-a à altura dos olhos:

— É de refinado bom gosto...

Se dirigia a todos, mas seu olhar demorou em Ester como a lhe dizer que ele, Virgílio, sabia perfeitamente que o bom gosto era dela. Falava com sua bela voz cheia e modulada e escolhia as palavras como se estivesse num torneio de oratória. Saboreava o vinho como um conhecedor, em pequenos goles que valorizavam a bebida. Suas maneiras finas, seu lânguido olhar, sua cabeleira loira, tudo contrastava com a sala. Horácio o sentia vagamente, Maneca Dantas se dava conta. Mas para Ester a sala não existia. Ela, com a presença do jovem advogado, fora bruscamente retirada da fazenda, jogada para os dias do passado. Era como se ainda estivesse no colégio de irmãs, numa daquelas grandes festas de fim de ano, quando dançavam com os rapazes mais finos e distintos da capital. Sorria a respeito de tudo, requintava também nas palavras e nos modos, uma doce melancolia que era quase alegre andava dentro dela. "Era o vinho", pensava Ester. O vinho lhe subia facilmente à cabeça. Pensava e bebia mais e bebia também as palavras do dr. Virgílio:

— Foi numa festa em casa do senador Lago... Um baile comemorando exatamente a sua eleição. Que festa, dona Ester! Algo inimaginável. O ambiente era o que havia de mais aristocrático. Estavam as Paivas — Ester conhecia as Paivas, haviam sido suas colegas —, Mariinha estava encantadora de tafetá azul. Parecia um sonho...

— Ela é linda... — fez Ester, e ia certa reserva em sua voz que não escapou ao dr. Virgílio.

— Não, porém, a mais linda do colégio no seu tempo... — esclareceu o advogado e Ester ruborizou-se. Bebeu mais vinho.

Virgílio continuou discorrendo. Falava de músicas, lembrou uma valsa pelo nome, Ester recordou a melodia. Horácio interveio:

— Ester é uma pianista de mão-cheia, hein!

A voz de Virgílio numa súplica doce:

— Então, após o jantar iremos ter a alegria de ouvi-la... Não vai nos negar esse prazer...

Ester disse que não, há muito que não tocava, já tinha perdido a agilidade dos dedos e demais o piano estava um horror. Desafinado, abandonado ali, naquele fim de mundo...

Mas Virgílio não aceitou as desculpas. E se dirigiu a Horácio e lhe pediu que "insistisse junto a dona Ester para que ela abandonasse a modéstia e enchesse a casa de harmonia". Horácio insistiu:

— Deixe de rodeio e toque pro moço ouvir. Eu também quero ouvir... Afinal meti um dinheirão nesse piano, o maior que havia na Bahia, deu um trabalhão dos diabos trazer ele para aqui e pra quê? Um dinheiro posto fora... Seis contos de réis...

Repetiu, era quase um desabafo:

— Seis contos postos fora... — e olhava Maneca Dantas, este era capaz de compreender o que ele sentia... Maneca Dantas achou que devia apoiar:

— Seis contos é muito dinheiro... É uma roça...

Dr. Virgílio tinha completa impunidade:

— Que são seis contos de réis, seis míseros contos, se são empregados em dar uma alegria à sua esposa, coronel?... — e levava o dedo ao alto, próximo ao rosto do coronel, o dedo de unha bem tratada onde o rubi do anel de advogado brilhava escandaloso. — O coronel fala, mas garanto que jamais gastou seis contos tão satisfeito como quando comprou esse piano. Não é verdade?

— Bem, que dei contente, é verdade. Ela tocava piano na casa do pai... Eu não quis que ela trouxesse o de lá, um piano pequenininho, chinfrim, muito reles... — fez com a mão enorme um gesto de desprezo. — Comprei esse. Mas ela quase não toca. Uma vez na vida...

Ester ouvia muda, um ódio ia subindo dentro dela. Maior ainda que o que sentira na noite do seu casamento, quando Horácio rasgou seus vestidos e se lançou sobre seu corpo. Estava ligeiramente tomada pelo vinho, embriagada também pelas palavras de Virgílio, e seus olhos eram novamente os trêfegos e sonhadores olhos da normalista dos anos passados. E viram um Horácio transformado num grande porco sujo, igual a um que havia na fazenda e habitava os lamaçais próximos à estrada. E Virgílio surgia como um cavaleiro andante, um mosqueteiro, um conde francês, mistura de personagens de romances lidos no colégio, todos nobres, audazes e belos. Apesar de tudo, apesar do ódio — ou mesmo por causa do ódio? — era delicioso aquele jantar. Sorveu mais um copo de vinho e anunciou sorrindo:

— Pois eu toco... — tinha falado para Virgílio e então voltou-se para Horácio. — Você também nunca me pediu... — Sua voz era suave e meiga e seu ódio se satisfazia porque ela agora compreendia que podia se vingar dele. Falou mais, tinha desejos de, depois, magoá-lo muito:

— Pensava até que a música não lhe agradava... Agora, que sei que você gosta, o piano não vai ter descanso.

Tudo havia acabado para Horácio. Essas não eram palavras contrafeitas. Essa não era a Ester de antes. Era outra. Que pensava nele, num desejo seu. Sentia uma sensação boa, uma coisa que rompeu as muitas capas com que estava coberto o seu coração e o lavou de bondade. Talvez tivesse sido sempre injusto com Ester... Não a havia compreendido, ela era de outro meio... Achou que devia lhe prometer alguma coisa muito grande, muito boa, que a fizesse muito feliz. Falou:

— Pelas festas vamos à Bahia... — Falava para ela, somente para ela, não enxergava mais ninguém na mesa.

E a conversa adquiriu novamente sua brilhante normalidade. Conversa gasta quase que somente por Ester e Virgílio, descrições de festas, discussão sobre modas, sobre músicas e romances. Horácio envolvido na admiração da esposa, Maneca Dantas olhando de olhos astutos.

— Gosto de Jorge Ohnet... — esclareceu Ester. — Chorei quando li *O grande industrial*.

Dr. Virgílio se fez levemente melancólico:

— Porque lhe encontrou algo de autobiográfico?

Horácio e Maneca Dantas não compreendiam nada e a própria Ester demorou um pouco em compreender. Mas, quando o compreendeu, pôs uma mão sobre o rosto e negou nervosamente:

— Oh! não, não!

Suspiro de dr. Virgílio:

— Ah!

Ela achou que tinha ido demasiado longe.

— Isso não quer dizer...

Porém ele não queria saber. Estava radiante, seus olhos brilhavam e perguntou finalizando a conversa:

— E Zola, já leu Zola?

Não, não havia lido, as freiras do colégio não deixavam. Virgílio achou que, realmente, para mocinhas não estava bem. Mas uma senhora casada... Ele tinha o *Germinal* em Ilhéus. Ia mandar à dona Ester.

As negras serviam as infindáveis sobremesas. Ester propôs que tomassem o café na sala. Virgílio levantou-se rapidamente, tomou da cadeira da qual ela se levantava, puxou-a para trás fazendo espaço para ela sair. Horácio olhava com certa longínqua inveja, Maneca Dantas admirava os modos do advogado. Considerava que a educação era uma grande coisa. E pensou nos filhos e os imaginou, no futuro, iguais ao dr. Virgílio. Ester saía da sala, os homens a seguiram.

Chuviscava no campo, um chuvisco miúdo, atravessado pela claridade da lua. As estrelas eram muitas, nenhuma outra empanava sua luz celeste. Virgílio chegou até a porta, andou um passo na varanda. Felícia entrava com a bandeja de café, Ester servia o açúcar. Virgílio voltou, fez a consideração como se declamasse um poema:

— Só na mata se vê uma noite tão bela...

— Está bonita, sim ... — apoiou Maneca Dantas que mexia sua xícara de café. Voltou-se para Ester: — Mais uma colherzinha, comadre. Gosto de café bem doce.

Mais uma vez atendeu ao advogado:

— Muito bonita a noite e essa chuvinha ainda dá mais graça... — Fazia força para acompanhar o ritmo que Virgílio e Ester emprestavam à conversa. Ficou contente porque teve a impressão que dissera uma frase parecida com as deles.

— E o doutor? Pouco ou muito açúcar?

— Pouco, dona Ester... Basta... Muito obrigado... A senhora também não acha que o progresso mata a beleza?

Ela entregou o açucareiro a Felícia, tardou um minuto a responder. Estava pensativa e séria.

— Acho que o progresso também tem tanta beleza...

— Mas é que nas grandes cidades, com a iluminação, nem se vê as estrelas... E um poeta ama as estrelas, dona Ester... As do céu e as da terra...

— Mas há outras noites que não são de estrelas... — Agora a voz de Ester era profunda, vinha do coração. — Nas noites de tempestade é horroroso...

— Deve ser terrivelmente belo... — A frase subia pela sala, dançava diante de todos. Completou: — É o belo horrendo...

— Talvez... — disse Ester. — Mas eu tenho medo nessas noites — e o olhava com um olhar súplice, como a um amigo de largos anos.

Virgílio viu que ela já não representava e teve pena, imensa pena. Foi nesse momento que pousou os olhos nela com doçura e com verdadeiro interesse. E os pensamentos risonhos e astuciosos de antes desapareceram substituídos por algo mais sério e mais profundo.

Horácio se meteu:

— Sabe de que essa tola tem medo, doutor? Do grito das rãs quando as cobras engolem elas na beira do rio...

O dr. Virgílio já tinha também ouvido aquele grito e também ao seu coração ele confrangera. Disse apenas:

— Eu compreendo...

Foi um momento feliz, os olhos dela estavam puros e de uma alegria sã. Agora não representavam. Foi um segundo só mas foi o bastante. Nela não restou nem o ódio por Horácio.

Andou para o piano. Maneca Dantas começou a expor a Virgílio o seu negócio. Era um caxixe importante, causa de muitos contos de réis. Virgílio forçava para prestar atenção. Horácio aparteava por vezes com sua experiência. Virgílio citou uma lei. Os primeiros acordes vibraram na sala. O advogado sorriu:

— Agora vamos ouvir dona Ester. Depois aumentaremos sua fazenda...

Maneca Dantas concordou num gesto. Virgílio se aproximou do piano. A valsa não cabia na sala, saía pelo campo até a mata nos fundos da casa. No sofá, Maneca Dantas comentou:

— Moço distinto, hein! E que talento! Diz-que é até poeta... Como fala... De advogado estamos bem servidos... Tem tutano na cabeça.

Horácio estendeu as grandes mãos, esfregou-as uma na outra, sorriu seu sorriso para dentro:

— E Ester? Que é que você me diz, seu compadre? Quem é que tem em Ilhéus, e mesmo na Bahia — repetia —, e mesmo na Bahia, uma mulher tão educada?... Entende desses troços todos: francês, música, figurinos, de tudo... Tem cabeça — batia com o dedo na testa —, não é só boniteza... — Falava com orgulho, como um dono falaria de uma propriedade sua. Sua voz respirava vaidade. Era feliz porque imaginava que Ester fazia música para ele, tocava porque ele pedira. Maneca Dantas concordava balançando a cabeça. "A comadre é uma mulher educada, sim!"

Junto ao piano, os olhos enternecidos, Virgílio trauteia a melodia. Quando Ester termina e vai levantar-se, ele lhe dá a mão para ajudá-la. Ela fica em pé, bem próxima a ele. Enquanto bate palmas, aplaudindo, Virgílio murmura para que só ela o ouça:

— É como um passarinho na boca de uma cobra...

Maneca Dantas pedia, com entusiasmo, outra música. Horácio vinha se chegando, Ester fez um esforço supremo e prendeu as lágrimas.

8

AO BORDO DA MATA O NEGRO DAMIÃO ESPERAVA UM HOMEM NA TOCAIA. Ao luar via alucinações e sofria. Ao bordo de outra mata, na sala da casa-grande, o dr. Virgílio punha seus conhecimentos da lei a serviço da ambição dos coronéis e descobria o amor nos olhos amedrontados de Ester. Junto à mata que descambava por detrás do morro, na Fazenda Sant'Ana da Alegria, a fazenda dos Badarós, Antônio Vítor espera, os pés enfiados na água do rio. O rio corria manso, pequeno e claro, e nas suas águas se misturavam as folhas caídas dos cacaueiros e as que caíam do outro lado, das grandes árvores que os homens não haviam plantado. Aquelas águas limitavam a mata das roças, e Antônio Vítor, enquanto espera, pensa que não tardará que os machados e o fogo ponham a mata abaixo. Seria tudo cacaueiro, o rio não marcaria mais nenhuma separação. Juca Badaró falava em derrubar aquela mata nesse mesmo ano. Os trabalhadores se aprontavam para as queimadas, já estavam sendo preparadas as mudas de cacau que encheriam o lugar que a mata ainda ocupava. Antônio Vítor gostava da mata. Sua cidade de Estância, tão distante agora até no seu pensamento, ficava dentro de um bosque, dois rios a cercavam e as árvores a penetravam nas ruas e nas praças. Ele se acostumara mais com a mata, onde todas as horas eram horas de crepúsculo, que mesmo com as roças de cacau que explodiam no ouro velho dos frutos, luminosos e brilhantes.

Vinha para junto da mata quando, nos primeiros tempos, terminava o trabalho nas roças. Ali é que descansava. Ali recordava Estância todavia presente, recordava Ivone deitada na ponte sobre o rio Piauitinga. Ali sofria a doce dor da saudade. Nos primeiros tempos, que foram tempos duros, a saudade roendo por dentro, o trabalho pesado, imensamente mais pesado que no milharal que ele plantava com os irmãos antes de vir para estas terras do sul. A fazenda era o levantar-se às quatro da manhã, preparar a carne-seca para comer ao meio-dia com o pirão de farinha, beber a caneca de café e estar na roça colhendo cacau às cinco, quando o sol apenas começava a sua subida pelo morro de detrás da casa-grande. Depois o sol chegava ao cimo do morro e doía nas costas nuas de Antônio Vítor, dos outros também, principalmente dos que haviam chegado com ele e não estavam acostumados. Os pés afundavam nos atoleiros, o visgo do cacau mole se grudava neles, de quando em vez a chuva vinha sujá-los ainda mais, pois atravessava as copas das roças e chegava carregada de gravetos, de insetos, de imundícies de toda classe. Ao meio-dia — conheciam pelo sol — paravam o trabalho. Engoliam a boia, derrubavam uma jaca mole de uma jaqueira qualquer e era a sobremesa. Mas já o capataz estava gritando de cima de seu burro que pegassem as foices. E recomeçavam até às seis horas da tarde quando o sol abandonava as roças. Chegava a noite triste e cheia de cansaço, sem mulher com quem deitar, sem Ivone para acariciar na ponte que não existia, sem as pescarias de Estância. Falavam nesse dinheiro do sul. Uma dinheirama de fazer medo. Ali por aquele trabalho todo eram dois mil e quinhentos réis por dia, empregados inteiramente no armazém da fazenda, um saldo miserável no fim do mês, quando havia saldo. Chegava a noite, trazia a saudade com ela, pensamentos também. Antônio Vítor vinha para perto da mata, metia os pés no rio, cerrava os olhos e recordava. Os demais ficavam pelas casas de barro batido, jogados nos leitos de tábuas, dormindo quebrados de cansaço, outros cantavam saudosas tiranas. Gemiam as violas, versos de outras terras, lembranças de um mundo deixado para trás, música de partir corações. Antônio Vítor vinha para perto da mata, trazia consigo suas recordações. Novamente, pela centésima vez, possuía Ivone na ponte de Estância. E era sempre pela primeira vez. Novamente a tinha nos braços e novamente manchava de sangue seu desbotado vestido de flores vermelhas. Sua mão calosa do trabalho nas roças era mulher de suave pele, era Ivone se entregando. Sua mão tinha a quentura, a maciez, o requebro e o dengue de corpo de mulher. Crescia junto da mata, virava, no sexo de Antônio Vítor, a virgem se entregando. Ali, na beira do rio, nos primeiros tempos. Depois o rio lavava tudo, corpo e coração, no banho noturno. Só restava mesmo o visgo de cacau mole preso na sola dos pés, cada vez mais grosso, igual a um estranho sapato.

Depois Juca Badaró se afeiçoara a ele. Primeiro porque, quando derrubavam a mata onde hoje era a roça do Repartimento, ele não a temera como os outros quando chegaram de noite, na tempestade. Fora mesmo ele, Antônio Vítor, quem derrubara a primeira árvore. Hoje era a roça do Repartimento, onde as mudas de cacau começavam a virar troncos ainda débeis mas já próximos à primeira floração. Depois, no barulho de Tabocas, Antônio Vítor baixara um homem — seu primeiro homem! — para salvar Juca. É verdade que chorara muito na volta para a fazenda, desesperado, é verdade que passou noites e noites vendo o homem cair, a mão no peito, a língua saindo para fora. Mas isso passara também. Juca o tirara do trabalho nas roças para o trabalho muito mais suave de capanga. Acompanhava Juca Badaró na fiscalização do trabalho da fazenda, nas viagens repetidas que ele fazia aos povoados e à cidade, trocara a foice pela repetição. Conhecera as prostitutas de Tabocas, de Ferradas, de Palestina, de Ilhéus, tivera doença feia, levara um tiro no ombro. Ivone agora era uma sombra distante e vaga, Estância uma lembrança quase perdida. Restara o costume de vir pela noite deitar no bordo da mata, os pés dentro do rio.

E de esperar ali a Raimunda. Ela vinha pelas latas de água para o banho noturno de Don'Ana Badaró. Descia cantando, mas mal enxergava Antônio Vítor parava o canto e fechava a cara, um ar de aborrecida. Respondia de maus modos ao cumprimento dele e a única vez que ele quis pegá-la, apertá-la contra si, ela dera um jeito no corpo e atirara o cabra no rio, era forte e decidida como um homem. Nem por isso ele deixara de voltar todas as noites, apenas nunca mais tentou abusar dela. Dava as boas-noites, recebia a resposta resmungada, ficava assoviando a modinha que ela cantava pelo caminho. Ela enchia a lata de querosene na beira do rio, ele ajudava-a a pô-la na cabeça. E Raimunda se perdia entre os cacaueiros, os pés grandes, muito mais negros que o rosto mulato, afundando na lama da picada. Ele se atirava n'água. Se estava distante o dia em que dormira com mulher num povoado, possuía antes Raimunda, que aparecia nua na sua mão transformada em sexo. Voltava pela roça de cacau, ia receber as ordens de Juca Badaró para o dia seguinte. Por vezes Don'Ana mandava lhe dar um copo de pinga. Antônio Vítor ouvia os passos de Raimunda na cozinha, sua voz que respondia ao chamado de Don'Ana:

— Já tou indo, madrinha.

Era afilhada de Don'Ana se bem fossem as duas da mesma idade. Nascera no mesmo dia que Don'Ana, filha da negra Risoleta, cozinheira da casa-grande, uma negra linda, de ancas roliças e carne dura. Ninguém sabia quem era o pai de Raimunda, que nascera mulata clara, de cabelos quase lisos. Mas muita gente murmurava que não era outro que o velho Marcelino Badaró, o pai de Sinhô e de Juca. Essas murmurações não foram motivo para que dona Filomena mandasse a cozinheira embora. Ao contrário, foi Risoleta quem amamentou nos seus grandes seios negros a sinhazinha recém-nascida, a primeira neta dos velhos Badarós. Don'Ana e Raimunda cresceram juntas nos primeiros tempos, uma em cada braço de Risoleta, uma em cada seio seu. No dia do batizado de Don'Ana a mulatinha Raimunda se batizou também. A negra Risoleta escolhera os padrinhos: Sinhô, que era então um rapaz de pouco mais de vinte anos, e Don'Ana, que tinha apenas meses. O padre não protestou, já então os Badarós eram uma potência diante da qual a lei e a religião se inclinavam. Raimunda cresceu na casa-grande, era a irmã de leite de Don'Ana. E como Don'Ana chegara inesperadamente para alegrar a família, na quase velhice dos avós, vinte anos depois da última menina Badaró que enchera a casa de dengues, a família toda fazia-lhe as vontades. E Raimunda ganhava as sobras desse carinho. Dona Filomena, que era uma mulher religiosa e boa, costumava dizer que Don'Ana havia tomado a mãe de Raimunda e por isso os Badarós tinham que dar algo à mulatinha. E era verdade: a negra Risoleta não tinha olhos para outra coisa no mundo que não fosse a "sua filha branca", a sua sinhazinha, a sua Don'Ana. Por ela, na infância da menina branca, chegara a levantar a voz contra Marcelino, quando o velho Badaró tentava castigar a neta mimada e desobediente. A negra Risoleta virava fera quando escutava o choro de Don'Ana. Chegava da cozinha, os olhos brilhando, o rosto inquieto. Fora mesmo uma das diversões prediletas de Juca, então meninote, fazer a sobrinha chorar para assistir à tempestade de fúria de Risoleta. Esta o chamava de demônio, não o respeitava, chegara por vezes até a dizer que ele era "pior que um negro". Na cozinha dizia às outras negras, enxugando as lágrimas:

— Este menino é uma pestinha...

Para Don'Ana a cozinha fora sempre o grande lugar de asilo. Quando fazia uma traquinagem demasiado grande fugia para ali, para junto das saias da sua mãe negra e ali nem mesmo dona Filomena, nem mesmo o velho Marcelino, nem mesmo Sinhô que era seu pai, a vinham buscar. A negra se preparava como se fosse para uma batalha. Raimunda fazia pequenos trabalhos caseiros, aprendia a cozinhar, mas na casa-grande lhe ensinaram também costura e bordado, lhe ensinaram a ler as primeiras letras, a assinar o nome e a fazer contas de somar e de diminuir. Os Badarós acreditavam estar pagando a sua dívida. Risoleta morrera com o nome de Don'Ana na boca, olhando a filha de criação que lhe dera a alegria de estar ao seu lado naquela hora final. O velho Marcelino Badaró já estava enterrado há dois anos e há um ano falecera a sua filha, que casara com um comerciante e fora morrer na Bahia, não tendo se acostumado com a cidade, longe da fazenda. Dera de enfraquecer e pegara a tísica. Dona Filomena tirou Raimunda da cozinha, a trouxe em definitivo para dentro da casa-grande. E protegeu sempre a mulatinha enquanto viveu. Depois, quando a esposa de Sinhô morreu tísica, ficaram os padrinhos, Sinhô e Don'Ana, mas aos poucos Raimunda foi tendo uma vida igual às das demais crias da casa: lavar, remendar roupa, buscar água no rio, fazer os doces. Só que nas festas Don'Ana lhe regalava um corte de fazenda para um vestido melhor e Sinhô lhe dava um par de sapatos e um pouco de dinheiro. Ela não tinha ordenado, para que precisava ela de dinheiro se tinha de um tudo na casa dos Badarós? Quando Sinhô, pelas festas de São João e de Natal, lhe dava dez mil-réis, dizia sempre:

— Vá guardando para o seu enxoval...

É que ele mesmo não se dava conta de que Raimunda pudesse ter nenhum desejo. No entanto, desde sua infância, o coração de Raimunda vivia cheio de desejos irrealizados. Primeiro foram as bonecas e os brinquedos que vinham da Bahia para Don'Ana e nos quais lhe proibiam de tocar. Quantas surras não levara da negra Risoleta por bulir nos brinquedos da "irmã de criação". Depois fora o desejo de montar como Don'Ana num cavalo bem arreado e partir a correr os campos. E por fim desejara ter, como ela, algumas daquelas coisas tão lindas, um colar, um par de argolas, um pente espanhol para os cabelos. Herdara um desses, fora buscá-lo no lixo onde Don'Ana o jogara como inútil, os dentes partidos, restando dois ou três apenas. E, no seu pequeno quarto que um candeeiro iluminava pelas noites, ela o colocava no cabelo e sorria para si mesma. Talvez fosse esse o seu primeiro sorriso daquele dia, pois Raimunda tinha uma cara séria e zangada, fechada para todos. Juca, que não deixava passar mulher perto dele, fosse mulher da vida ou mulher casada, na cidade, fossem as mulatinhas, na roça, mesmo as negras, nunca se metera com Raimunda, talvez a achasse feia, o nariz chato contrastando com o rosto quase claro. Era zangada, a própria Don'Ana o notava e em geral, na fazenda, diziam que Raimunda era ruim, não era de bom coração. Parecia não estimar ninguém, vivia sua vida calada, trabalhando como quatro, recebendo o que lhe davam com um agradecimento murmurado. Assim crescera e se fizera moça. Mais de um pretendente lhe aparecera, na certeza de que Sinhô Badaró não deixaria de ajudar aquele que casasse com sua afilhada, a irmã de leite de Don'Ana. O empregado do armazém, um loiraça que viera da Bahia e sabia contas e lia livros, quis casar com ela. Era magro e fraco, usava óculos. Raimunda não aceitou, chorou quando Sinhô falou no assunto, disse que não e não. Sinhô fez um gesto de desinteresse com os ombros:

— Não quer, acabou-se... Não tou obrigando...

Juca ainda se meteu:

— Mas é um casamentão... Um rapaz branco, instruído... Nunca mais aparece outro igual. Nem sei o que ele viu nessa negra...

Porém Raimunda suplicou a Sinhô e esse deu o assunto por encerrado. Sinhô comunicou ao empregado do armazém a recusa de Raimunda, Juca Badaró lhe perguntou o que ele vira de bonito naquela cara fechada da mulata. Também Agostinho, que era capataz numa das roças dos Badarós, a desejou e falou com ela. Raimunda respondeu de maus modos. Don'Ana tinha uma explicação para o fato:

— Raimunda nunca há-de deixar a gente. Ela tem aquela cara fechada mas gosta da gente...

E se enternecia de repente, lembrando-se de Risoleta, e nesses dias dava sempre um vestido velho à mulata, ou uma prata de dois mil-réis. Mas essas conversas sobre Raimunda eram raras, os Badarós nem sempre tinham tempo de se preocupar com o futuro da irmã de criação.

Antônio Vítor fazia muito que andava de olho nela. Na fazenda mulher era objeto de luxo e seu corpo jovem pedia mulher. Não bastava o amor feito com as rameiras nas viagens aos povoados. Ele queria um corpo que esquentasse o dele nas longas noites de chuva dos meses de inverno, de maio a setembro, a estação das águas.

Esperava-a no bordo da mata. Não tardará que a voz de Raimunda chegue pela picada, precedendo a mulata. A cara dela talvez não seja uma beleza, mas Antônio Vítor tem na cabeça é o seu corpo forte, de nádegas grandes, de seios rijos, de roliças coxas. No céu de crepúsculo a noite se prepara. O rio corre manso, talvez chuvisque nesta noite. Os grilos iniciam seu canto na mata. Caem folhas sobre as águas. Falavam dessa dinheirama do sul. Antônio prometera voltar um dia, rico, bem vestido, de botinas rangideiras. Agora esses pensamentos já não existem na sua cabeça. Agora ele é um capanga de Juca Badaró, conhecido pela rapidez do seu tiro. As lembranças de Estância, de Ivone se entregando na ponte, se esfumaçaram na sua memória. Os sonhos tampouco enchem sua cabeça como na noite de bordo. Só um desejo: casar com a mulata Raimunda, terem uma casa de barro batido para os dois. Casar com Raimunda, ter um corpo em que repousar do dia árduo de trabalho, das viagens longas pelos caminhos difíceis, da morte de um derrubado por ele. Descansar no corpo dela. Corpo em que repousar sua cabeça sem sonhos.

A voz de Raimunda na picada. Antônio Vítor levanta a cabeça e o busto, se prepara para ajudá-la a encher a lata de água. A noite envolve a mata, corre tranquilo o rio.

9

OS HOMENS PARARAM EM FRENTE DA CASA-GRANDE DA FAZENDA DOS MACACOS.

O nome oficial era outro muito mais bonito: Fazenda Auricídia, homenagem de Maneca Dantas à esposa, gorda e preguiçosa matrona cujos únicos interesses na vida eram os filhos e os doces, que ela sabia fazer como ninguém. Mas, com grande tristeza do coronel, o nome não pegara e toda a gente tratava a fazenda por "Macacos", nome da roça inicial, encravada nas matas de Sequeiro Grande entre as grandes propriedades dos Badarós e de Horácio, onde os macacos em bando corriam pela selva. Só nos documentos oficiais de posse da terra aparecia o nome "Auricídia". E somente Maneca Dantas dizia: "Lá, na Auricídia...". Todos os mais ao se referirem à fazenda falavam dos "Macacos".

Os homens pararam, descansaram a rede atravessada com um pau, onde o cadáver efetuava sua última viagem. De dentro da sala mal iluminada dona Auricídia perguntou, movendo preguiçosamente as banhas:

— Quem é?

— É de paz, dona — respondeu um dos homens.

O menino havia corrido até a varanda e voltou com a notícia:

— Mamãe, é dois homens com um morto... Um morto magro...

Antes de se alarmar, dona Auricídia, que fora professora, corrigiu mansamente:

— É dois não, Rui. São dois é como se deve dizer...

Movimentou-se para a porta, o filho ia agarrado nas suas saias. Os menores já dormiam. Na varanda os homens haviam sentado num banco, no chão se abria a rede com o cadáver.

— Jesus Cristo lhe dê boa noite... — falou um deles, era um velho de carapinha branca.

O outro tirou o chapéu furado e cumprimentou. Dona Auricídia respondeu, ficou esperando. O moço explicou:

— Nós tá trazendo ele da Fazenda Baraúna, trabalhava lá... Tamos levando pro cemitério de Ferradas...

— Por que não enterraram na mata?

— Não vê que ele tem três filhas em Ferradas? Tamos levando pra entregar a elas. Se vosmicê consente a gente descansa um tempinho. A caminhada é muita, o tio aqui já tá dando o prego... — apontou para o velho.

— De que foi que ele morreu? — perguntou a senhora.

— Febre... — agora era o velho que respondia. — Essa febre braba que dá na mata. Tava derrubando mata, a febre pegou ele... Foi três dias só. Não teve remédio que prestasse...

Dona Auricídia afastou o filho, afastou-se ela mesma alguns passos. Ficou refletindo. O cadáver do homem magro, velho ele também, repousava na rede sobre a varanda.

— Levem para a casa de um trabalhador. Descansem lá... Aqui, não. É só andar um pouco mais, encontrarão logo as casas. Digam que eu mandei. Aqui, não, por causa dos meninos...

Temia o contágio, aquela febre não conhecia remédio que servisse. Só muitos anos depois os homens foram saber que era o tifo, endêmico então em toda a zona do cacau. Dona Auricídia ficou espiando os homens levantarem a rede, colocarem-na nos ombros e partirem:

— Boa noite, dona...

— Boa noite...

Olhava o lugar onde o cadáver estivera. E então aquela gordura toda se movimentou. Gritou pelas negras lá dentro, mandou que trouxessem água e sabão e que, apesar de ser de noite, lavassem a varanda. Levou consigo o filho, lavou-lhe as mãos até a criança quase chorar. E naquela noite não dormiu, de hora em hora levantava-se para ver se Rui não estava com febre. E ainda por cima Maneca não se encontrava em casa, fora comer na fazenda de Horácio...

Os homens chegaram com a rede em frente de uma casa de trabalhadores. O velho ia cansado, o outro falou:

— O finado está pesando, hein, tio?

Aquela ideia de levar o morto até Ferradas fora do velho. Eram amigos os dois, ele e o que morrera. Decidira entregar o cadáver às filhas para que estas o "enterrassem como cristão", explicava ele. Era uma viagem de cinco léguas e há horas que eles andavam sob o luar. Baixaram novamente a rede, o moço enxugou o suor enquanto o velho golpeava com seu bastão na porta mal cerrada, de tábuas desiguais. Uma luz se acendeu, a pergunta saiu:

— Quem é?

— É de paz... — respondeu novamente o velho.

Ainda assim o negro que abriu a porta trazia um revólver na mão, naquelas terras não havia que descuidar. O velho explicou sua história. Terminou dizendo que fora dona Auricídia quem os mandara. Um homem magro que surgira por detrás do negro comentou:

— Lá ela não quis... Podia pegar nos filhos a febre... Mas para aqui não faz mal, não é? — e riu.

O velho pensou que o iam mandar mais uma vez para diante. Começou uma explicação, mas o homem magro interrompeu:

— Não tem nada, meu velho. Pode entrar. Na gente a febre não pega mesmo. Trabalhador tem o couro curtido...

Entraram. Os outros homens que dormiam despertaram. Eram cinco ao todo e a casa não tinha mais que uma peça, as paredes de barro, o teto de zinco, o chão de terra. Ali era sala, quarto e cozinha, a latrina era o campo, as roças, a mata. Descansaram o morto em cima de um dos jiraus onde os homens dormiam. Ficaram todos em torno, o velho tirou uma vela do bolso, acendeu na cabeceira do defunto. Já estava queimada pela metade, iluminara o corpo no princípio da noite, iria iluminá-lo quando chegassem também na casa das filhas.

— Que é que elas fazem? — perguntou o negro.

— Tudo é puta nas Ferradas... — explicou o velho.

— As três? — o homem magro se admirou.

— Todas três, sim, sinhô...

Houve um minuto de silêncio. O morto repousava magro, a barba crescida, pintada de branco. O velho continuou.

— Uma foi casada... Depois o marido morreu...

— Era um homem velho, hein? — fez o magro apontando o cadáver.

— Tinha seus sessenta bem contados...

— Fora os que mamou... — disse um que até então não tinha intervindo na conversa. Mas ninguém riu.

O homem magro trouxe a garrafa de cachaça. Havia um caneco que passou de mão em mão. Reagiram com o trago. Um dos que moravam na casa havia chegado para a fazenda naquele dia. Quis saber que febre era aquela de que o velho morrera.

— Ninguém sabe mesmo. É uma febre da mata, pega um, liquida em dois tempos. Não há remédio que dê jeito... Nem mesmo doutor formado. Nem mesmo Jeremias, que trata com erva...

O negro explicou para o cearense recém-chegado que Jeremias era o feiticeiro que morava nas matas de Sequeiro Grande, sozinho, socado entre as árvores numa cabana em ruínas. Só num último caso os homens se atreviam a ir até lá. Jeremias se alimentava com raízes e com frutas silvestres. Fechava o corpo dos homens contra bala e contra mordida de cobra. Na sua cabana as cobras andavam soltas e cada uma tinha seu nome como se fosse uma mulher. Dava remédios para males do corpo e para males de amor. Mas com essa febre nem ele podia.

— Me falaram lá no Ceará mas eu não dei crença... — Se falava tanta história dessas terras que até parecia coisa de milagre...

O trabalhador magro quis saber o que é que diziam:

— Coisa boa ou coisa ruim?

— Boa e ruim, mais ruim que boa. De boa só dizia que aqui era uma fartura de dinheiro que o fulano enricava logo que desembarcava. Que dinheiro era calçamento de rua, era poeira de estrada... De ruim, que tinha a febre, os jagunços, as cobras... De ruim muita coisa...

— E ainda assim tu veio...

O cearense não respondeu, foi o velho que vinha trazendo o cadáver quem falou:

— Pode ter a ruindade que tiver, se tem dinheiro o homem não enxerga nada. Homem é bicho que só vê dinheiro, fica cego e surdo quando vê falar em dinheiro... Por isso é que há tanta desgraça nessas terras...

O homem magro apoiou com a cabeça. Também ele deixara pai e mãe, noiva e irmã, para vir atrás do dinheiro dessas terras de Ilhéus. E os anos se haviam passado e ele continuava a colher cacau nas roças para Maneca Dantas. O velho continuava:

— Tem dinheiro muito, mas a gente não vê...

A vela iluminava a cara magra do defunto. Ele parecia escutar atento a conversa dos homens em torno dele. A caneca de cachaça passou mais uma vez. Começaram os chuviscos lá fora, o negro fechou a porta. O velho fitou longamente o rosto barbado do morto, sua voz era cansada e sem esperança:

— Tão vendo o finado? Pois bem: fazia pra mais de dez anos que trabalhava nas Baraúnas pro coronel Teodoro. Não tinha nada, nem mesmo as filhas... Passou dez anos devendo pro coronel... Agora a febre levou ele, o coronel não quis dar nem um vintém pra ajudar as meninas a fazer o enterro...

O moço concluiu a história que o velho contava:

— Inda disse que fazia muito não mandando a conta que o velho devia pras filhas pagar. Que rapariga ganha muito dinheiro...

O homem magro cuspiu com nojo. As orelhas largas do defunto pareciam escutar. O cearense estava um pouco alarmado. Ele chegara naquele dia, um capataz de Maneca Dantas o contratara em Ilhéus juntamente com outros que haviam desembarcado do mesmo navio. Haviam chegado já tarde e tinham sido distribuídos pelas casas dos trabalhadores. O negro esclareceu, enquanto emborcava o caneco de cachaça:

— Amanhã tu vai ver...

O velho que trazia o defunto resumiu:

— Nunca vi destino mais ruim que o de trabalhador de roça de cacau...

O homem magro considerou:

— Os capangas ainda passam melhor... — Virou para o cearense. — Se tu tem boa pontaria, tu tá feito na vida. Aqui só tem dinheiro quem sabe matar, os assassinos...

O cearense arregalou os olhos. O morto o assustava vagamente, era uma prova concreta do que conversavam.

— Quem sabe matar?

O negro riu, o homem magro falou:

— Um cabra certeiro na pontaria tem regalias de rico... Vive pelos povoados, com as mulheres, tem dinheiro no bolso, nunca falta saldo pra eles... Mas quem só serve pra roça... Tu vai ver amanhã...

Como o homem magro era o segundo que falava nesse dia de amanhã, o cearense quis saber o que ia se passar. Qualquer um podia explicar mas foi o mesmo homem magro quem falou:

— Amanhã cedo o empregado do armazém chama por tu para fazer o "saco" da semana. Tu não tem instrumento pro trabalho, tem que comprar. Tu compra uma foice e machado, tu compra um facão, tu compra uma enxada... E isso tudo vai ficar por uns cem mil-réis. Depois tu compra farinha, carne, cachaça, café pra semana toda. Tu vai gastar uns dez mil-réis pra comida. No fim da semana tu tem quinze mil-réis ganho do trabalho. — O cearense fez as contas, seis dias a dois e quinhentos, e concordou. — Teu saldo é de cinco mil-réis, mas tu não recebe, fica lá pra ir descontando a dívida dos instrumentos... Tu leva um ano pra pagar os cem mil-réis sem ver nunca um tostão. Pode ser que no Natal o coronel mande te emprestar mais dez mil-réis pra tu gastar com as putas nas Ferradas...

O homem magro disse aquilo tudo com ar meio burlão, entre cínico, desanimado e trágico. Depois pediu cachaça. O cearense tinha ficado emudecido, olhava o morto. Falou, por fim:

— Cem mil-réis por um facão, uma foice e uma enxada?

Foi o velho quem explicou:

— Em Ilhéus tu tira um facão Jacaré por doze mil-réis. No armazém das fazendas tu não tira por menos de vinte e cinco...

— Um ano... — fez o cearense, e estava fazendo cálculos sobre quando a chuva cairia novamente na sua terra de secas do Ceará. Ele pretendia voltar logo que chovesse sobre a terra abrasada e pretendia levar dinheiro para poder comprar uma vaca e um bezerro. — Um ano... — repetiu, e fitou o morto que parecia sorrir.

— Isso tu pensa... Antes de terminar de pagar tu já aumentou a dívida... Tu já comprou mais calça e camisa de bulgariana... Tu já comprou remédio que é um deus nos acuda de caro, tu já comprou um revólver que é o único dinheiro bem empregado nessa terra... E tu nunca paga a dívida... Aqui — e o homem magro fez um gesto circular com a mão abarcando todos eles, os que trabalhavam para os "Macacos" e os dois que vinham com o morto das "Baraúnas" —, aqui tudo deve, ninguém tem saldo...

Os olhos do cearense estavam amedrontados. A vela se gastava iluminando o morto com sua luz vermelha. Chuviscava lá fora, o velho se levantou:

— Eu era menino no tempo da escravidão... Meu pai foi escravo, minha mãe também... Mas não era mais ruim que hoje... As coisas não mudou, foi tudo palavra.

O cearense tinha deixado mulher e filha no Ceará. Viera para voltar com a notícia das primeiras chuvas, carregado de dinheiro ganho no sul, dinheiro para recomeçar a vida na sua terra. Agora estava com medo. O morto ria, a luz da vela aumentava e diminuía seu sorriso. O homem magro concordou com o velho:

— Não faz diferença...

O velho apagou a vela, guardou no bolso. Levantaram lentamente a rede, ele e o moço. O homem magro abriu a porta. O negro perguntou:

— As filhas dele, as puta...

— Sim?... — fez o velho.

— ...onde mora?

— Na rua do Sapo... É a segunda casa...

Depois o velho voltou-se pro cearense:

— Daqui nunca ninguém volta. Fica amarrado no armazém desde o dia que chega. Se tu quer ir embora vá hoje mesmo, amanhã já é tarde... Se tu quer ir, vem com a gente, assim faz também a caridade de ajudar a carregar o finado... Depois é tarde...

O cearense duvidava ainda. O velho e o moço já estavam com a rede sobre os ombros. O cearense perguntou:

— E pra onde vou? Que vou fazer?

Ninguém soube responder, aquela pergunta não havia ocorrido a nenhum deles. Nem mesmo o velho, nem mesmo o homem magro que tinha a voz burlona e cínica. O chuvisco caía sobre o morto. O velho deu boa-noite e agradeceu. O moço também. Ficaram olhando da porta, o negro se benzeu em homenagem ao cadáver mas logo pensou nas três filhas, rameiras as três. "Rua do Sapo, segunda casa..." Iria lá quando fosse a Ferradas... O cearense olhava os homens que iam sumindo na noite. De repente disse:

— E eu que vou também...

Juntou febrilmente seus trapos, soluçou uma despedida, saiu correndo. O homem magro fechou a porta:

— E pra onde vai? — E como ninguém respondesse à sua pergunta ele mesmo respondeu: — Pra outra fazenda, vai ser o mesmo que aqui.

Apagou o candeeiro.

10

APAGOU O CANDEEIRO COM UM SOPRO. ANTES HORÁCIO HAVIA DESEJADO boas-noites, desde a porta, ao dr. Virgílio que dormia no quarto em frente. A voz sonora do advogado respondera delicadamente:

— Que durma bem, coronel.

No silêncio do quarto Ester ouviu e prendeu as mãos sobre os peitos, queria prender as batidas do seu coração. Chegavam da sala os roncos compassados de Maneca Dantas. O compadre dormia numa rede armada na sala de visitas, cedera ao doutor o quarto em que sempre se hospedava. Ester, no escuro, espiava os movimentos do marido. Havia nela uma sensação definida: era certeza da presença de Virgílio no quarto em frente. Horácio despiu-se no escuro, Ester escutou o ruído das botas ao serem descalçadas. Ele estava sentado na beira da cama e ainda estava alegre, ainda trazia no peito aquela sensação quase juvenil de felicidade que o acompanhava desde a mesa quando Ester resolvera tocar piano a pedido dele. Da beira da cama ouvia a respiração de Ester. Arrancou a camisa e as calças, vestiu o camisolão de pequenas flores vermelhas bordadas no peito. Levantou-se para fechar a porta que comunicava o quarto deles com aquele onde o filho dormia guardado por Felícia. A muito custo Ester consentira em tirar a criança do seu quarto, em deixá-la dormir sob os cuidados da empregada. E exigira que a porta ficasse sempre aberta no seu medo de que pela noite as cobras descessem e estrangulassem o menino. Horácio cerrava a porta devagarinho. Ester seguia, seus olhos abertos no escuro, os movimentos do marido. Sabia que ele a iria tomar nessa noite, sempre que fechava a porta entre os dois quartos era porque a queria possuir. E — era o mais estranho de quanta coisa estranha acontecera naquela noite — pela primeira vez Ester não sentia aquela obscura sensação de asco que se renovava todas as vezes que Horácio a procurava para o amor. Das outras vezes se encolhia na cama, inconscientemente, um frio a percorria toda, seu ventre, seus braços, seu coração. Sentia seu sexo se fechar numa angústia. Hoje não sente nada disso. Porque, se bem seus olhos vislumbrem na escuridão do quarto os movimentos de Horácio, sua cabeça está no quarto em frente onde Virgílio dorme. Dormirá? Talvez não, talvez pense nela, talvez seus olhos atravessem a escuridão e a porta, o corredor e a outra porta e procurem ver sob a camisa de cambraia o corpo de Ester. Estremece ao imaginá-lo. Mas não de horror, é um estremecimento doce que desce pelas suas costas, sobe pelas coxas, morre no sexo numa morte de delícia. Nunca sentira o que sente hoje. Seu corpo magoado das passadas brutalidades de Horácio, seu corpo possuído sempre com a mesma violência, se negando sempre com a mesma repulsa, seu corpo que se havia trancado para o desejo, acostumado a receber o adjetivo — fria — cuspido por Horácio após a luta de instantes, seu corpo se abriu hoje como hoje se abriu seu coração. Não sente no sexo aquela sensação de coisa que se aperta, que se esconde na casca como um caramujo. A só presença de Virgílio no outro quarto a abre toda, com o só pensar nele, no seu bigode largo e bem cortado, nos seus olhos tão compreensivos, no seu cabelo loiro, sente um frio no sexo que se banha de morna sensação. Quando ele lhe dissera aquela comparação do passarinho e da cobra, a sua boca estivera perto do ouvido de Ester mas foi no coração e no sexo que ela ouviu. Cerra os olhos para não ver Horácio que se aproxima. Vê é Virgílio, ouve suas palavras boas... e ela que pensara que ele fosse bêbedo como o dr. Rui... Sorri, Horácio pensa que o sorriso é para ele. Também ele está feliz nessa noite. Ester vê Virgílio, suas mãos cuidadas, seus lábios carnudos, e sente no sexo, coisa que ela nunca sentiu, um desejo doido. Uma vontade de tê-lo, de apertá-lo, de se entregar, de morrer nos braços dele. Na garganta um estrangulamento como se fosse soluçar. Horácio estende as mãos sobre Ester. Delicadas e doces mãos de Virgílio, carícias que ele saberá, ela vai desmaiar, Horácio está por cima dela, Virgílio é aquele por quem ela esperou desde os dias longínquos de colégio... Estende as mãos procurando os seus cabelos para acariciá-los, esmaga nos lábios de Horácio os lábios desejados de Virgílio... E vai morrer, sua vida escoa pelo sexo em chamas.

Horácio nunca a encontrara assim. Hoje é outra mulher a sua mulher. Tocara música para ele, se entrega com paixão. Parece morta nos seus braços... Aperta-a mais, prepara-se para tê-la novamente. Para Horácio é como uma madrugada, uma inesperada primavera, é a felicidade que ele já não esperava. Sustenta sua cabeça formosa, soam os golpes na porta da rua. Horácio suspende seu gesto de carinho, ouve de ouvido atento. Ouve Maneca Dantas que se levanta, os golpes que se repetem, a tranca da porta que é aberta, a voz do compadre perguntando quem é. Nas suas mãos a cabeça de Ester. Os olhos vão se abrindo devagar. Horácio sente os passos de Maneca que se aproximam, abandona o doce calor do corpo de Ester. E sente uma repentina raiva de Maneca, do importuno que chegou nessa hora feliz, seus olhos se tornam pequenos. Do corredor vem a voz de Maneca Dantas:

— Horácio! Compadre Horácio!

— Que é?

— Venha aqui um minuto. É coisa séria...

Do outro quarto chega a voz de Virgílio:

— Eu sou preciso?

Maneca responde:

— Venha também, doutor.

Do leito sai a voz estrangulada de Ester:

— Que é, Horácio?

Horácio volta-se para ela. Sorri, leva a mão ao seu rosto:

— Vou ver, volto já...

— Eu também vou...

E, enquanto ele sai, ela salta da cama, veste uma bata sobre a camisa. Recordou-se que assim pode ver mais uma vez a Virgílio nessa noite. Horácio saiu como estava, o candeeiro aceso numa mão, o camisolão até os pés, as flores no peito, pequenas e cômicas. Virgílio já se encontra na sala com Maneca Dantas quando Horácio chega. Reconhece imediatamente o terceiro homem: é Firmo que tem uma roça junto das matas do Sequeiro Grande. Está cansado, se sentou numa cadeira, as botas enlameadas, o rosto também pingado de lama. Horácio ouve os passos de Ester, diz:

— Traz uma pinga...

Ela mal teve tempo de constatar que Virgílio não veste como os outros um camisolão para dormir. Veste pijama muito elegante, e fuma nervosamente. Maneca Dantas aproveita a saída de Ester para enfiar umas calças sobre o camisolão. Fica mais ridículo ainda, um pedaço das fraldas saindo pelas calças. Firmo volta a explicar para Horácio:

— Os Badarós mandaram me liquidar...

Maneca Dantas está ridículo e ansioso naqueles trajes. Sua pergunta envolve um profundo conhecimento dos capangas dos Badarós:

— E como é que você tá vivo ainda?

Horácio também espera a resposta. Virgílio o olha, o coronel tem rugas na testa, está enorme no cômico camisolão. Firmo conta:

— O negro se amedrontou, errou a pontaria...

— Mas era mesmo um homem dos Badarós? — Horácio queria certeza.

— Era o negro Damião...
— E errou? — a voz de Maneca vinha cheia de incredulidade.
— Errou... Parece que tava bêbedo... Saiu correndo pela estrada como um doido. A lua tava bonita, eu vi bem a cara do negro...
Maneca Dantas falou pausado:
— Pois pode mandar acender umas velas ao Senhor do Bonfim... Escapar de tiro do negro Damião é milagre e dos grandes...
Ficaram todos calados. Ester chegava com a garrafa de cachaça e os copos. Serviu. Firmo bebeu e pediu outro. Emborcou-o também de um trago. Virgílio admirou a nuca de Ester que se curvava para servir Maneca Dantas. O cangote branco aparecia aos pedaços sob o cabelo solto. Horácio estava parado, agora Ester servia a ele. Virgílio os olhava e teve um desejo de rir, o coronel era ridículo, parecia um palhaço de circo com aquele camisolão bordado, a cara picada de bexiga. Na mesa era um homem tímido que não entendia a maior parte do que ele conversava com Ester. Agora era sumamente cômico, Virgílio se sentiu dono daquela mulher que o acaso jogara ali, num meio que não era o dela. O gigantesco fazendeiro parecia-lhe uma coisa frágil e sem importância, incapaz de ser obstáculo aos projetos que nasciam no cérebro de Virgílio. A voz de Firmo o trouxe para a realidade ambiente:
— E dizer que estou bebendo essa cachacinha... Podia estar na estrada, estirado...
Ester se estremeceu, a garrafa tremeu na sua mão. Virgílio foi jogado também, subitamente, dentro da cena. Estava diante de um homem que escapara de ser morto. Era a primeira vez que ele constatava um daqueles tantos acontecimentos dos quais os amigos lhe haviam falado na Bahia, quando ele se preparava para vir para Ilhéus. Mas ainda assim não se dava perfeita conta da importância do fato. Julgava que as rugas de Horácio, o olhar ansioso de Maneca Dantas refletiam apenas as emoções que lhes causavam a vista de um homem que escapara de ser assassinado. No tempo relativamente curto em que Virgílio estava na zona do cacau ouvira falar de muita coisa mas ainda não se encontrara frente a frente com um fato concreto. O barulho das Tabocas, entre a gente de Horácio e a dos Badarós, se dera quando ele voltara à Bahia, a passeio. Quando chegara, restavam os comentários mas ele duvidara de muita coisa. Já ouvira falar nas matas de Sequeiro Grande, já ouvira dizer que tanto Horácio como os Badarós as desejavam, mas nunca dera uma grande importância a tudo aquilo. E demais encontra-

va Horácio igual a um *clown* naquela roupa de dormir, presença cômica que completava uma imagem formada com a atitude dele no jantar e na sala de visitas. Se não fosse o ar de Firmo ele nem se daria conta do dramático da cena. Por isso se admirou quando Horácio se voltou para Maneca Dantas e disse:

— Não há mais jeito... Eles tão querendo, vão ter...

Virgílio não esperava aquela voz firme e enérgica de Horácio. Chocava com a imagem que ele formara do coronel. Olhou interrogativamente, Horácio falou para ele numa explicação:

— Vamos precisar muito do senhor, doutor. Quando eu mandei pedir ao doutor Seabra um advogado bom é que já previa que isso ia se dar... A gente tá por baixo na política, não conta com juiz, precisa de um advogado que entenda das leis... E no doutor Rui não confio mais... Um cachaceiro, brigado com todo mundo, com o juiz, com os escrivães... Fala bem, mas é só o que sabe fazer... E aqui, agora, é preciso um advogado que tenha cabeça e manha...

Aquela franqueza com que Horácio falava dos advogados, da advocacia e da justiça, as palavras fortes envoltas em certo desprezo, novamente chocaram Virgílio. A figura do coronel como um palhaço torpe e cômico ia ruindo na imaginação do advogado. Perguntou:

— Mas, do que se trata?

Era um grupo estranho. Estavam todos de pé em torno de Firmo que tinha a roupa molhada do chuvisco e que ainda arfava da corrida a cavalo. Horácio enorme no camisolão branco, Virgílio fumando nervoso, Maneca Dantas pálido, sem notar o pedaço de camisa que saía das calças. Ester havia sentado também, só tinha olhos para Virgílio. Também ela ficara pálida, ela sabia que ia começar a luta pela posse de Sequeiro Grande. Mas, mais importante que esse fato, era a presença de Virgílio, era o pulsar novo do seu coração, era a alegria inédita dentro dela. Quando Virgílio fez a pergunta, Horácio disse:

— Vamos sentar...

Vinha uma autoridade da voz dele que Virgílio não conhecera antes. Como se uma ordem sua não pudesse sequer ser discutida. Virgílio se recordou do Horácio de quem falavam em Tabocas e em Ilhéus, o das muitas mortes, o das velhas beatas, que tinha o diabo preso numa garrafa. Vacilava entre as duas imagens: uma mostrando um homem poderoso e forte, dono e senhor; a outra mostrando um palhaço ignorante e desgraçado, de uma infinita fraqueza. Da sua cadeira Horácio falou, o palhaço foi desaparecendo:

— Se trata do seguinte: essa mata do Sequeiro Grande é terra boa pra cacau, a melhor de toda a zona. Nunca ninguém entrou nela pra plantar. Só quem vive lá é um maluco, metido a curandeiro... Do lado de cá da mata tou eu com minha propriedade. Já meti o dente na mata por esse lado. Do lado de lá tão os Badarós com a fazenda deles. Eles também já meteram o dente na mata. Mas pouca coisa de um lado e de outro. Essa mata é um fim do mundo, seu doutor, e quem tiver ela é o homem mais rico dessas terras de Ilhéus... É mesmo que ser dono de uma vez de Tabocas, de Ferradas, dos trens e dos navios...

Os outros bebiam as suas palavras, Maneca Dantas apoiava com a cabeça. Virgílio começava a compreender, Firmo ia se repondo do seu susto. Horário continuou:

— Na frente da mata, entre eu e os Badarós, tá o compadre Maneca Dantas com a fazenda dele. Mais arriba tá Teodoro das Baraúnas. Só tem essas duas fazendas grandes. O mais é roça pequena, como a de Firmo, umas vinte... Tudo mordendo a mata, mas sem coragem de entrar... Faz muito que eu tenho o plano de derrubar a mata de Sequeiro Grande. Os Badarós bem sabe... Se metem porque quer...

Olhou em frente, as últimas palavras soavam como anunciando desgraças irremediáveis. Maneca Dantas esclareceu:

— Eles tão de cima na política, por isso se atrevem...

Virgílio queria saber uma coisa:

— Mas que é que Firmo tem que ver?

Horácio voltou a falar:

— É que a roça dele está entre a mata e a propriedade dos Badarós... Faz tempo que eles andavam propondo comprar a roça dele. Ofereceram até mais do que valia. Mas Firmo é meu amigo, meu eleitor há muitos anos, me consultou, aconselhei que não vendesse. Eu sabia a tenção dos Badarós que era entrar pela mata. Mas não imaginei que eles mandassem liquidar Firmo... Quer dizer que eles tão decididos... Tão querendo...

Vinha uma ameaça na sua voz, os homens abaixaram as cabeças. Horácio riu seu riso para dentro. Virgílio o via um gigante de força inimaginável. Sob o império da sua voz desapareciam até as cômicas flores do camisolão. Fez um gesto, Ester serviu outra rodada de cachaça. Horácio virou-se para o dr. Virgílio:

— O senhor acha mesmo, doutor, que o Seabra vai ganhar as eleições?...

— Estou certo disso...

— Tá bem... Acredito no senhor — falou como se acabasse de tomar uma resolução definitiva. E era certo porque levantou e andou para Firmo: — Não tem nada, Firmo. Tu que acha? E tu, compadre? — virava-se para Maneca Dantas. — Tem algum dono de roça na beira da mata que não esteja comigo?

Explicou a Virgílio:

— Os donos de roças tudo sabe que se eu ficar com as matas não vou botar eles para fora das terras deles... Até dou parte da mata... Se me ajudarem. Já temos conversado. Agora, os Badarós querem é tudo, a mata e as roças junto... Tudo, querem mais do que podem engolir...

Olhou para Maneca e para Firmo esperando a resposta da pergunta que fizera antes. Firmo falou primeiro:

— Tá tudo com vosmicê...

Maneca Dantas tinha uma restrição:

— Não endosso por Teodoro das Baraúnas. É homem muito da casa dos Badarós... Só vendo...

Horácio resolvia rapidamente:

— Tu, Firmo, vai voltar agorinha mesmo. Mando dois homens pra lhe garantir... Tu fala com os outros todos: Braz, José da Ribeira, com a viúva Miranda, com Coló, com todo mundo. Não esqueça compadre Jarde que é um homem valente. Diga que venha tudo almoçar aqui amanhã. Tá o doutor, a gente bota tudo no preto e no branco. Fico com a mata até a beira do rio, o mais, o que tá do outro lado, é pra dividir... E também as terras que se tomar... Tá certo?

Firmo concordou já se levantando para partir. Virgílio se sentia tonto, olhava Ester branca mais que branca, pálida mais que pálida, que não pronunciava uma palavra. Horácio falava agora para Maneca Dantas, dava ordens, era o senhor:

— E tu, compadre, vai falar com Teodoro. Explica o caso a ele. Se ele quiser vir que venha. Faço um acordo com ele. Se não quiser que se prepare porque vai chover tiro nessas vinte léguas de terra...

Saiu até o terreiro. Virgílio o seguiu com os olhos prenhes de admiração. Depois olhou timidamente Ester, encontrou-a distante e quase inatingível. Lá fora Horácio gritava para a casa dos trabalhadores:

— Algemiro! José Dedinho! João Vermelho!

Depois foram todos para a varanda. No terreiro os burros eram selados, os homens se armavam. Partiram juntos, Maneca, Firmo e os três capangas, a cavalhada ressoando na madrugada que chegava. O capataz viera também, Horácio estava explicando o caso para ele. Virgílio e Ester entraram na sala. Ela se aproximou, estava lívida, falou em voz rápida, palavras arrancadas do coração.

— Me leve daqui... Pra muito longe...

Ouviram os passos de Horácio antes que Virgílio respondesse. O coronel entrou, falou para a esposa e para o advogado:

— Essa mata vai ser minha nem que tenha de lavar a terra toda com sangue... Seu doutor, se prepare, o barulho vai começar...

Descobriu Ester com medo:

— Tu vai pra Ilhéus, é melhor... — mas estava interessado era nos acontecimentos. — Doutor, vosmicê vai ver como se liquida uns bandidos... Porque os Badarós não são mais que uns bandidos...

Tomou Virgílio pelo braço, conduziu-o até a varanda. Na madrugada que se avizinhava a terra se vestia de uma luz ainda baça e triste. Horácio apontou para longe, um horizonte que mal se via:

— Nessa direção, seu doutor, estão as matas do Sequeiro Grande. Daqui uns tempos vai ser tudo pé de cacau... Tão certo como eu me chamar Horácio da Silveira...

11

QUANDO O CACHORRO UIVOU NO TERREIRO, DON'ANA BADARÓ se estremeceu na rede. Não era medo, na cidade, nos povoados e nas fazendas a gente dizia que os Badarós não sabiam o que era medo. Mas estava inquieta, assim passara toda a tarde, na certeza de que lhe ocultavam algo, de que entre o pai e o tio havia um segredo que as mulheres da casa não conheciam. Notara a ausência de Damião e de Viriato, perguntara por eles a Juca que respondera que os homens "haviam ido a um recado". Don'Ana percebera a mentira na voz do tio mas nada dissera. Havia uma gravidade espalhada no ar e ela a sentia e se inquietava. O uivo do cachorro se repetiu, chorava ao luar numa angústia de macho sem fêmea em noite de desejo. Don'Ana olhou o rosto do pai que, de olhos semicerrados, esperava que ela iniciasse a leitura. Sinhô Badaró estava tranquilo, uma serenidade descia-lhe pelos olhos e pelas barbas, suas mãos grandes apoiadas nas pernas, todo ele segurança e paz. Se não fosse Juca se movendo inquieto na cadeira, Don'Ana talvez não sentisse tão dentro de si o uivo do cachorro.

Estavam na sala de visitas e era chegada a hora da leitura da Bíblia. Aquele era um hábito de muitos anos, vinha desde os tempos da finada dona Lídia, mãe de Don'Ana. Era religiosa e amava buscar na Bíblia a palavra conselheira para os negócios do marido. Quando ela morrera Sinhô conservara o hábito e o respeitava religiosamente. Onde quer que ele estivesse, na fazenda, em Ilhéus, mesmo na Bahia a negócios, onde quer que fosse, alguém havia de ler para ele ouvir, cada noite, trechos esparsos da Bíblia, onde ele procurava adivinhar conselhos e profecias para os seus negócios. Desde que Lídia morrera que Sinhô se fazia cada vez mais religioso, misturando agora ao seu catolicismo um pouco de espiritismo e muito de superstição. Principalmente lhe era arraigado aquele hábito da leitura da Bíblia. As más-línguas, em Ilhéus, pilheriavam sobre o assunto e contavam nos cafés que certa noite Sinhô Badaró, de passeio na Bahia, se resolvera a ir a uma casa de prostitutas. E antes de se deitar com a rameira sacara do bolso a velha Bíblia e fizera com que ela lesse um trecho. Por causa dessa história Juca Badaró armara um barulho no café de Zeca Tripa, partindo a cara do farmacêutico Carlos da Silva que a contava entre gargalhadas.

Desde que dona Lídia morrera Don'Ana passara a ser a leitora, na fazenda ou em Ilhéus, das páginas já sujas e por vezes rasgadas do velho exemplar da Bíblia. Exemplar que Sinhô Badaró nunca quisera trocar por outro, certo de que aquele era o que tinha capacidade mágica de lhe guiar. Nem mesmo quando o cônego Freitas, numa noite que dormiu na fazenda, lhe fez notar que aquela era uma Bíblia editada pelos protestantes e que não ficava bem a um católico ler um livro "anatemado". Sinhô Badaró não entendeu o adjetivo e não pediu explicações. Respondeu que pouca diferença fazia, que ele sempre se dera bem com aquela e que "Bíblia não era almanaque que se mudasse todo ano". O cônego Freitas não encontrou argumentos e preferiu calar, achando que já era uma grande coisa que um coronel lesse a Bíblia todas as noites. Tampouco Sinhô Badaró admitiu que Don'Ana ordenasse a leitura, como ela o tentou ao substituir Lídia nos cuidados da casa. Don'Ana propusera partir da primeira página e lerem até o fim. Mas Sinhô protestou, ele acreditava que a Bíblia devia ser aberta ao acaso, para ele era um livro mágico, a página aberta casualmente era aquela que tinha o que ensinar. Quando não se satisfazia mandava que a filha abrisse noutro trecho qualquer e mais noutro e noutro, até que encontrava uma relação entre a página lida e o negócio que o estava preocupando. Prestava uma enorme atenção às palavras — muitas delas não entendia —, buscava-lhes o sentido, interpretava-as ao seu modo, em função das suas necessidades. Várias vezes deixara de realizar negócios devido às palavras de Moisés ou de Abraão. E costumava dizer que nunca se havia dado mal. E ai daquele, parente ou visita, que, chegada a hora da leitura, pilheriasse ou protestasse. Sinhô Badaró perdia a calma e vinha uma explosão de cólera. Nem mesmo Juca se atrevia a reclamar contra aquele hábito que ele considerava sumamente molesto. Ouvia procurando prestar atenção, se divertindo com os trechos que tratavam das relações sexuais, era o único que entendia certas palavras cujo sentido real escapava a Sinhô e a Don'Ana.

Don'Ana olha o pai sereno na sua cadeira alta. Parece-lhe que, com os seus olhos semicerrados, ele olha o quadro da parede, aquele quadro que ele trouxera da Bahia quando ela lembrara que a sala precisava de algo que a alegrasse. Ela também olha o quadro e sente toda a paz que desce da oleogravura. Mas logo vê que Juca está nervoso, que não se interessa pelo jornal que lê, um jornal da Bahia, atrasado de quinze dias. O cachorro uivou novamente e Juca falou:

— Quando vier de Ilhéus vou trazer uma cadela. Peri anda sentindo falta...

Don'Ana achou que a frase soava falso, que Juca procurava apenas ocultar com o ruído das próprias palavras a sua agitação. Não a enganam, existe algo, algo de grave. Onde estarão Damião e Viriato? Muitas noites assim já passou Don'Ana Badaró, sentindo na casa esse ar perturbado, essa atmosfera de segredo. Por vezes só muitos dias depois ela ia saber que um homem morrera e que as terras dos Badarós haviam aumentado. E ficava terrivelmente magoada por lhe haverem escondido o fato, como se ela fosse uma menina. Desvia o olhar do tio, a quem ninguém respondeu, e agora inveja a calma de Olga, a esposa de Juca, que faz crochê numa cadeira ao lado do marido. Olga pouco demorava na fazenda e quando, obrigada por Juca, subia no trem de Ilhéus para passar um mês com Don'Ana, vinha chorando e se lastimando. Sua vida eram os cochichos de Ilhéus, era se fazer de mártir perante as velhas beatas e as amigas, o se queixar dia e noite das aventuras amorosas de Juca. Ao princípio quisera reagir contra as sucessivas infidelidades do marido. Mandara cabras ameaçar mulheres que se metiam com ele, certa vez mandou raspar a cabeça de uma mulatinha para quem Juca botara casa. Mas a reação de Juca foi violenta — as vizinhas diziam que ele a surrara — e ela passou a se contentar com os comentários, com as queixas feitas a todo mundo, com o ar de vítima resignada que punha nas festas de igreja. E isso era a sua própria vida, nada lhe agradava mais que se queixar, que ouvir as murmurações e as lamentações das velhas beatas, possivelmente se sentiria defraudada se Juca se convertesse num esposo modelo. Odiava a fazenda onde Sinhô não queria ouvir suas lamúrias, onde Don'Ana, ocupada todo dia, tinha pouco tempo para se condoer dela. Demais Don'Ana tinha a visão de vida dos Badarós e não chegava a encontrar mal nenhum nas aventuras de Juca desde que ele dava à esposa tudo que ela necessitava. Assim fora o seu pai, assim haviam de ser sempre os homens, pensava Don'Ana. Além de que Olga, desinteressada de todos os problemas dos Badarós, inimiga da terra, desconhecendo tudo que se relacionava com o cultivo do cacau, parecia a Don'Ana terrivelmente estranha à família, distante e perigosa. Don'Ana a sentia como que respirando outra atmosfera, não a que ela, Sinhô e Juca respiravam. Porém nesse momento ela fita Olga com certa inveja da sua calma, da sua indiferença ante o mistério que perdura na sala. Don'Ana pressente que alguma coisa de muito sério se está processando. E sente tristeza e raiva porque a afastam do segredo, não lhe dão o lugar que lhe compete na família Badaró. E demora o início da leitura, seus olhos passeiam de rosto em rosto.

Raimunda chega, terminadas as tarefas da cozinha, se senta no chão, por detrás da rede, começa a catar cafuné nas tranças de Don'Ana. Os dedos da mulata estalam na morte de imaginários piolhos, nem mesmo aquela carícia suave consegue adormecer a inquietação da moça. Que segredo guardam Sinhô e Juca, seu pai e seu tio? Onde se encontrarão Viriato e o negro Damião? Por que Juca está tão inquieto, por que olha o relógio tantas vezes? O uivo do cachorro corta a noite de agonia.

Sinhô abre lentamente os olhos, demora-os na filha:

— Por que não começa, filha?

Don'Ana abre a Bíblia, Olga olha com desinteresse, Juca larga o jornal sobre as pernas. Don'Ana começa a ler: "E todos estes saíram com as suas tropas, uma multidão de gente tão numerosa como a areia que há nas praias do mar, e um número imenso de cavalos e carroças".

Era a história das lutas de Josué, e Don'Ana se admira de Sinhô não mandar que ela abra noutra página. E, enquanto o pai ouve muito atento os versículos, ela procura também penetrar o sentido deles, encontrar a ligação que existe entre eles e o segredo que a preocupa. Sinhô está voltado para a frente, a barba descansando sobre as pernas, curvado, no interesse de não perder uma só palavra. Mais de uma vez olhou para Juca. Don'Ana lê vagarosamente, procura ela também sair de um mundo de dúvidas.

E Sinhô pede que ela repita um versículo, aquele que dizia: "Tomou pois Josué toda a terra das montanhas e do meio-dia, e a terra de Gosen, e a planície, e o distrito ocidental, e o monte de Israel e as suas campinas".

A voz de Don'Ana silenciou, o pai fez um gesto para ela esperar. Estava refletindo, se bem lhe parecesse clara a bendição divina à sua família e aos seus projetos. Se sentia invadido por uma grande tranquilidade e por uma segurança absoluta. Falou:

— A Bíblia não mente nunca. Nunca me dei mal seguindo ela. Nós se toca pra essas matas de Sequeiro Grande, essa é a vontade de Deus. Hoje ainda tava com dúvida, agora não tenho mais.

E, de repente, Don'Ana compreendeu e ficou feliz, agora sabia que as matas de Sequeiro Grande iam ser dos Badarós, que naquelas terras iam crescer os pés de cacau e que, como uma vez Sinhô lhe prometera, o nome daquela fazenda seria escolhido por ela. Seu rosto se abriu de alegria.

Sinhô Badaró se levantou, era majestoso, parecia um profeta antigo com os longos cabelos que começavam a embranquecer e a barba negra rolando sobre o peito. Juca olhou o irmão mais velho:

— Sempre te disse, Sinhô, que a gente tinha que entrar nessa mata. No dia que a gente tiver ela ninguém vai mesmo poder com os Badarós...

Don'Ana abriu mais seu riso. Apoiava as palavras do tio. A voz de Olga veio assustada:

— Vão começar de novo os barulhos! Se é assim vou pra Ilhéus. Não me dou com essa vida de ver se matar gente...

Nesse momento Don'Ana a odiou. Teve um olhar de infinito desprezo pela esposa do tio, desprezo e raiva, era uma pessoa de outro mundo, um mundo inútil e torpe, segundo pensava Don'Ana.

O relógio bateu as horas. Sinhô falou para a filha:

— Vai dormir, Don'Ana, está na hora. Você também, Olga, que eu quero conversar com Juca.

Toda alegria desapareceu do rosto de Don'Ana. Olga e Raimunda já se levantavam, ela ainda procurava as palavras para pedir a Sinhô para ficar. Mas os latidos do cachorro que acusava alguém no terreiro fizeram com que todos parassem. Segundos depois Viriato aparecia na porta da varanda, o cachorro o seguia, logo que o reconhecera parara de latir. Juca se adiantou perguntando:

— E o serviço?

O mulato baixou os olhos, falou apressadamente:

— O homem veio pelo atalho, não veio pelo meu lado. Se tivesse vindo eu tinha derrubado ele...

Sinhô perguntou:

— Que foi que teve? Se passou alguma coisa com Damião? Fale logo.

— Errou a pontaria...

— Não é possível!

— Errou? — Juca se admirava.

— É o que tou pensando, sim, senhor. Não sei o que deu nele. Tava esquisito desde que saiu daqui. Não sei o que deu nele. Cachaça não era, eu havia de conhecer...

— O que é que tu sabe? — perguntou Sinhô.

O mulato baixou de novo os olhos:

— Seu Firmo nem foi ferido. Todo mundo já sabe pela redondeza. Tão dizendo que Damião maluqueceu. Ninguém sabe que rumo tomou...

— E Firmo? — quis saber Juca.

— Topei com dois homens levando um defunto. Diz-que seu Firmo passou no rumo da casa do coronel Horácio. Ia no galope, só parou para dizer que vosmicê tinha mandado liquidar ele mas que Damião errou a pontaria. Não quis mais conversa, ia com uma pressa da disgrama... Topei com os homens, já tava muita gente conversando...

As mulheres estavam paradas, Don'Ana segurava a Bíblia na mão, seguia a conversa com os olhos ávidos. Agora compreendia tudo. E dava ao acontecimento toda a sua importância. Sabia que o futuro dos Badarós estava sendo jogado naquela noite. Sinhô atravessou a sala em passos largos. Falou:

— Que teria dado no negro?

Viriato tentou explicar:

— Parece que deu o medo nele...

— Não estou lhe perguntando...

O mulato se encolheu, Juca esfregou as mãos, procurava esconder seu nervosismo:

— Agora não tem mais jeito... É melhor começar antes que Horácio comece... Porque vai ser guerra de verdade...

Olga suspendeu um gesto com medo do marido. Sinhô sentou-se novamente. Esteve um minuto silencioso, pensava nos trechos da Bíblia que a filha lera. Era bem claro mas ele queria ainda mais:

— Lê mais, Don'Ana...

Ela tomou do livro, abriu-o ao acaso e leu mesmo de pé. Suas mãos tremiam um pouco mas sua voz estava firme: "Não terás misericórdia com ele, mas far-lhe-ás pagar vida por vida, olho por olho, dente por dente, mão por mão, pé por pé".

Sinhô suspendeu a cabeça, já não tinha dúvidas. Fez com a mão um gesto para que as mulheres saíssem. Olga e Raimunda começaram a andar mas Don'Ana não se moveu. Já as duas estavam no corredor e ela ainda se encontrava de livro na mão, em pé na sala, olhando o pai. Juca estava ansioso que ela partisse para conversar livremente com Sinhô. Este disse com voz áspera:

— Já te mandei ir dormir, Don'Ana. Que está esperando?

E então ela recitou de memória, sem olhar sequer para o livro, os olhos fitos nos do pai: "Não te ponhas contra mim obrigando-me a deixar-te e a ir-me; porque para onde quer que tu fores irei eu; e onde quer que tu ficares, ficarei eu também".

— Isso não é coisa para mulher... — começou Juca.

Mas Sinhô Badaró o interrompeu:

— Deixe que ela fique. É uma Badaró. Um dia vão ser os filhos dela, Juca, que vão colher o cacau das roças de Sequeiro Grande. Pode ficar, minha filha.

Juca e Don'Ana sentaram-se perto dele. E começaram a traçar os planos da luta pela posse das matas de Sequeiro Grande. Don'Ana Badaró estava alegre e a alegria fazia ainda mais formosa sua cabeça morena, de olhos ardentes e negros.

12

EM TORNO DA MATA, NA NOITE DE AMBIÇÕES, DESEJOS E SONHOS desencadeados, as luzes se acendiam. Luzes de placas de querosene da casa de Horácio, luzes da casa dos Badarós. Vela que Don'Ana acendera aos pés da Virgem, no altar da casa-grande, para que ela ajudasse os Badarós nos dias que iam vir, vela que iluminava o caminho do defunto que os homens levavam para entregar às filhas, em Ferradas. Luzes na Fazenda das Baraúnas, onde Juca Badaró e Maneca Dantas chegaram quase ao mesmo tempo para conversar com Teodoro. Luz de fifós, vermelha e fumacenta, nas casas dos trabalhadores que despertavam mais cedo para ouvir a história do negro Damião que havia errado a pontaria e sumira ninguém sabia para onde. Luz na casa de Firmo onde dona Teresa esperava o marido com seu corpo branco, pronto para seu amor na cama de jacarandá. Luzes nas casas dos pequenos lavradores despertados pela inesperada chegada de Firmo com os cabras de Horácio, convidando-os para o almoço no dia seguinte. Em torno da mata brilhavam as luzes das lanternas, das placas, dos candeeiros e dos fifós. Marcavam os limites da mata do Sequeiro Grande, ao norte e ao sul, a leste e a oeste.

Os homens a cavalo ou a pé cortavam, por vezes, para atalhar a estrada real, pequenos trechos da mata. Eram os que iam de fazenda em fazenda, de roça em roça, nos convites para as conversações do dia que se avizinhava. Em torno da mata a ambição dos homens acendia luzes, cortava as estradas num galope. Mas nem as luzes, nem o passo dos homens acordavam a mata do Sequeiro Grande, que dormia seu sono de centenas de anos pelos galhos e pelos troncos. Repousavam as onças, as cobras e os macacos. Ainda não se haviam despertado os pássaros para saudar a madrugada. Somente os vaga-lumes, lanternas de assombrações, iluminavam com sua verde luz o verde espesso das árvores. A mata do Sequeiro Grande dormia, em torno dela os homens ávidos de dinheiro e de poder concertavam planos para conquistá-la. E, no coração da mata, no mais fechado da floresta, iluminado somente pela luz incerta e inconstante dos vaga-lumes, dorme Jeremias, o feiticeiro.

Como as árvores e os animais também ele não se deu ainda conta de que a mata está ameaçada, de que a ambição dos homens a cercou, de que os dias das grandes árvores, dos animais ferozes e das assombrações chegaram ao fim. Na sua cabana miserável ele dorme junto com as árvores e os animais.

Quantos anos terá esse negro Jeremias, de carapinha branca, de olhos que já perderam o brilho, quase cegos, de corpo curvado, seco de carnes, de rosto retalhado de rugas, de boca sem um só dente, e cuja voz é apenas um murmúrio que é necessário adivinhar?

Ninguém sabe nessas vinte léguas de terra em torno das matas do Sequeiro Grande. Para toda gente ele é um ser da mata, tão temível como as onças e as cobras, como os troncos enredados de cipós, como as próprias assombrações que ele dirige e desencadeia. Ele é dono e senhor dessa mata do Sequeiro Grande que Horácio e os Badarós disputam. Desde a fímbria do mar, no porto de Ilhéus, até o mais longínquo povoado no caminho do sertão, os homens falam em Jeremias, o feiticeiro, o que cura as moléstias, o que fecha o corpo dos homens para as balas e para as mordidas de cobra, o que dá remédios também para os males do amor, aquele que sabe as mandingas que fazem uma mulher se agarrar a um homem que nem visgo de jaca mole. Sua fama anda por cidades e povoados que ele nunca viu. De muito longe vem gente para consultá-lo.

Um dia, muitos anos antes, quando a floresta cobria muito mais terra, quando se estendia em todas as direções, quando os homens ainda não pensavam em derrubar as árvores para plantar a árvore do cacau que todavia não chegara da Amazônia, Jeremias se acoitou naquela mata. Era um negro jovem, fugido da escravidão. Os capitães do mato o perseguiam e ele entrou pela floresta onde moravam os índios e não saiu mais dela. Vinha de um engenho de açúcar onde o senhor mandara chicotear as suas costas escravas. Durante muitos anos tivera tatuada nas espáduas a marca do chicote. Mas mesmo quando ela desapareceu, mesmo quando alguém lhe disse que a abolição dos escravos havia sido decretada, ele não quis sair da mata. Fazia muitos anos que chegara, Jeremias havia perdido a conta do tempo, já tinha perdido também a memória desses acontecimentos. Só não havia perdido a lembrança dos deuses negros que seus antepassados haviam trazido da África e que ele não quisera substituir pelos deuses católicos dos senhores de engenho. Dentro da mata vivia em companhia de Ogum, de Omolu, de Oxóssi e de Oxalufã, com os índios havia aprendido o segredo das ervas medicinais. Misturou aos seus deuses negros alguns dos deuses indígenas e invocava a uns e a outros nos dias em que alguém ia lhe pedir conselho ou remédios no coração da mata. Vinha muita gente, vinha mesmo gente da cidade, e aos poucos foram abrindo um caminho até a sua cabana, estrada feita pelos passos dos doentes e dos angustiados.

Viu os homens brancos chegarem para perto da mata, assistiu outras matas serem derrubadas, viu os índios fugirem para mais longe, assistiu ao nascimento dos primeiros pés de cacau, viu como se formavam as primeiras fazendas. Foi se retirando cada vez mais para o fundo da mata e um temor foi se apossando dele: o de que os homens chegassem um dia para derrubar a mata do Sequeiro Grande. Profetizara desgraças sem conta para esse dia. A todos que lhe vinham ver ele dizia que essa mata era moradia dos deuses, cada árvore era sagrada, e que, se os homens pusessem a mão nela, os deuses se vingariam sem piedade.

Se alimenta de raízes e ervas, bebe a água pura do rio que corta a mata, tem na sua cabana duas cobras mansas que assombram os visitantes. E nem mesmo os coronéis mais temidos, nem mesmo Sinhô Badaró que é chefe político e homem respeitado, nem mesmo Horácio sobre quem contam tantas histórias, nem mesmo Teodoro das Baraúnas que tem uma fama terrível de malvado, nem mesmo Brasilino que é símbolo de valentia, ninguém é tão temido nessas terras de São Jorge dos Ilhéus como o feiticeiro Jeremias. Dele são as forças sobrenaturais, aquelas que desviam o curso das balas, que param no ar a mão que sustenta o punhal assassino, que transformam em água inofensiva o veneno mais perigoso da cobra mais mortífera, que é a cascavel.

Na sua cabana dorme Jeremias, o feiticeiro. Mas seus ouvidos acostumados a todos os ruídos da floresta percebem, mesmo no sono, os passos precipitados que se aproximam. Abre os olhos cansados, levanta a cabeça que repousa na terra. Procura enxergar na madrugada que apenas se avizinha, ergue o busto magro, vestido de farrapos. Os passos estão cada vez mais próximos, alguém corre pela picada que conduz à cabana. Alguém que vem em busca de remédio ou de conselho e que vem com o desespero no coração. Jeremias já se acostumou a conhecer a angústia dos homens pela rapidez com que atravessam a mata. Esse vem desesperado, vem correndo pela picada, deve trazer o peito pesado de dor. O feiticeiro se acocora no chão, de entre os galhos chega uma luz dúbia que ilumina fracamente a cobra que se arrasta pela cabana. Jeremias espera. Este que vem não traz luz que ilumine o caminho, seu sofrimento é suficiente para guiá-lo. O feiticeiro morde palavras ininteligíveis.

E, subitamente, o negro Damião se arroja na cabana, ajoelha no chão, beija as mãos de Jeremias:

— Pai Jeremias, me sucedeu uma desgraça... Nem tenho voz para contar, nem sei como dizer... Pai Jeremias, eu tou perdido...

O negro Damião treme todo, seu corpo enorme parece um frágil bambu batido pelo vento na beira do rio. Jeremias pousa sobre a testa do negro as suas mãos descarnadas:

— Filho, não há desgraça sem cura. Tu conta pra eu, negro velho vai dar remédio...

Sua voz é fraca mas suas palavras têm uma força de convicção. O negro Damião se aproxima mais, arrastando os joelhos pela terra:

— Meu pai, não sei como se deu... Nunca se deu isso com o negro Damião. Desde que vosmicê me fechou o corpo pras balas que nunca perdi um tiro, nunca me meteu medo ter de derrubar um desinfeliz... Não sei como se deu, pai Jeremias, foi coisa de feitiço...

Jeremias espera a história em silêncio. Suas mãos sobre a testa de Damião são seu único gesto. A cobra agora parou de andar, se arrodilhou no quente onde o feiticeiro dormia. Damião treme ao continuar com uma voz que ora é precipitada, ora é demorada na busca das palavras:

— Sinhô Badaró mandou eu ir liquidar o homem. Era seu Firmo, o que tem a roça dele bem aqui juntinho... Fui tocaiar no atalho e veio assombração, meu pai, veio assombração, era a mulher dele, a dona Teresa, e me perturbou o entendimento...

Fica esperando. Seu coração está pequeno, são as emoções que enchem seu peito, emoções novas e desencontradas. Jeremias diz:

— Conta, meu filho.

— Tava tocaiando o homem, apareceu a mulher, andava de barriga, diz-que o filho ia morrer, que o negro Damião ia matar todos três... Foi me amolecendo, foi me pegando, foi botando coisa na minha cabeça, tirou a força de minha mão, tirou a pontaria de meu olho. Coisa de feitiço, meu pai, negro Damião errou o tiro... Que vai dizer agora Sinhô Badaró? Ele é um homem bom, eu atraiçoei ele... Não matei o homem, foi coisa de feitiço, botaram mandinga, meu pai!

Jeremias está com o corpo duro e os olhos parados, seus olhos quase cegos. Também ele compreende que, por detrás da história do negro Damião, está uma história muito mais importante, que por detrás do destino do negro está o de toda a mata do Sequeiro Grande:

— Pra que era que Sinhô queria fazer o trabalho em Firmo, filho?

— Seu Firmo não quis vender a roça, como Sinhô podia entrar na mata, nessa mata, meu pai? E eu atraiçoei ele, não derrubei o homem, os olho da mulher tirou a coragem do meu peito. Eu juro que vi, meu pai, não é mentira do negro, não...

Jeremias se ergueu. Desta vez não precisou de bordão para sustentar em pé seu corpo centenário. Deu dois passos para a porta da cabana. Agora seus olhos quase cegos viam perfeitamente vista a mata em todo seu esplendor. E a via desde os dias mais longínquos do passado até esta noite que marcava o seu fim. Sabia que os homens a iam penetrar, iam derrubar a floresta, matar os animais, plantar cacau na terra onde havia sido a mata do Sequeiro Grande. Enxergou o fogo das queimadas se estorcendo nos cipós, lambendo os troncos, ouviu o miado das onças acossadas, o guincho dos macacos, o silvo das cobras se queimando. Viu os homens de machados e facões acabando com o resto que o fogo deixara, pelando tudo, pondo a terra nua, arrancando até as raízes mais profundas dos troncos. Não via o negro Damião que traíra seu chefe e chorava agora a sua traição. Via era a mata devastada, derrubada e queimada, via os cacaueiros nascendo, e estava possuído de um ódio imenso. Sua voz não saiu num murmúrio como sempre, não se dirigia tampouco ao negro Damião que tremia e chorava na espera das palavras que alijariam o sofrimento para longe. As palavras de Jeremias eram aos seus deuses, os deuses que tinham vindo das florestas da África, Ogum, Oxóssi, Iansã, Oxalufã, Omolu, e também a Exu, que é o diabo. Clamava por eles para que desencadeassem a sua cólera sobre aqueles que iam perturbar a paz da sua moradia. E disse:

— O olho da piedade secou e eles tá olhando pra mata com o olho da ruindade. Agora eles vai entrar na mata mas antes vai morrer homem e mulher, os menino e até os bicho de pena. Vai morrer até não ter mais buraco onde enterrar, até os urubu não dar mais abasto de tanta carniça, até a terra tá vermelha de sangue que vire rio nas estrada e nele se afogue os parente, os vizinho e as amizade deles, sem faltar nenhum. Vão entrar na mata mas é pisando carne de gente, pisando defunto. Cada pé de pau que eles derrube vai ser um homem derrubado, e os urubu vão ser tanto que vai esconder o sol. Carne vai ser estrume de pé de cacau, cada muda vai ser regada com sangue deles, deles tudo, tudo, sem faltar nenhum.

Gritou mais uma vez o nome dos seus deuses queridos. Gritou por Exu também, entregando-lhe sua vingança, sua voz atravessando a mata, despertando as aves, os macacos, as cobras e as onças. Gritou mais uma vez, era uma praga ardente:

— Cada filho vai plantar seu cacaueiro em riba do sangue do pai...

Depois olhou fito para a madrugada que se abria em trinados de pássaros sobre a mata do Sequeiro Grande. Seu corpo foi cedendo, tinha sido imenso o esforço. Foi cedendo, seus olhos cegaram de todo, as pernas se dobraram e ele caiu sobre a terra, os pés tocaram no negro Damião transido de medo. Não saiu da sua boca nem um suspiro, nem um lamento. No estertor da morte, Jeremias procurava apenas repetir sua praga, torcida de ódio sua boca agonizante. Nas árvores, os pássaros gorjeavam um canto matinal. A luz da madrugada iluminava a mata do Sequeiro Grande.

GESTAÇÃO DE CIDADES

1

ERA UMA VEZ TRÊS IRMÃS: MARIA, LÚCIA, VIOLETA, UNIDAS NAS correrias, unidas nas gargalhadas. Lúcia, a das negras tranças; Violeta, a dos olhos mortos; Maria, a mais moça das três. Era uma vez três irmãs, unidas no seu destino.

Cortaram as tranças de Lúcia, cresceram seus seios redondos, suas coxas como colunas, morenas, cor de canela. Veio o patrão e a levou. Leito de cedro e penas, travesseiros, cobertores. Era uma vez três irmãs.

Violeta abriu os olhos, seus seios eram pontudos, grandes nádegas em flor, ondas no caminhar. Veio o feitor e a levou. Cama de ferro e de crina, lençóis e a Virgem Maria. Era uma vez três irmãs.

Maria, a mais moça das três, de seios bem pequeninos, de ventre liso e macio. Veio o patrão, não a quis. Veio o feitor, não a levou. Por último veio Pedro, trabalhador da fazenda. Cama de couro de vaca, sem lençol, sem cobertor, nem de cedro, nem de penas. Maria com seu amor.

Era uma vez três irmãs: Maria, Lúcia, Violeta, unidas nas gargalhadas, unidas nas correrias. Lúcia com o seu patrão, Violeta com o seu feitor e Maria com o seu amor. Era uma vez três irmãs, diversas no seu destino.

Cresceram as tranças de Lúcia, caíram seus seios redondos, suas coxas como colunas, marcadas de roxas marcas. Num auto pela estrada cadê o patrão que se foi? Levou a cama de cedro, travesseiros, cobertores. Era uma vez três irmãs.

Fechou os olhos Violeta com medo de olhar em torno: seus seios bambos de pele, um filho pra amamentar. No seu cavalo alazão, o feitor partiu um dia, nunca mais há-de voltar. Cama de ferro se foi. Era uma vez três irmãs.

Maria, a mais moça das três, foi com seu homem pro campo, pras plantações de cacau. Maria voltou do campo, era a mais velha das três. Pedro partiu um dia, não era patrão nem feitor, partiu num pobre caixão, deixou a cama de couro e Maria sem seu amor. Era uma vez três irmãs.

Cadê as tranças de Lúcia, os seios de Violeta, cadê o amor de Maria?

Era uma vez três irmãs numa casa de putas pobres. Unidas no sofrimento, unidas no desespero, Maria, Lúcia, Violeta, unidas no seu destino.

2

NA PORTA DA CASA DE BARRO, SEM PINTURA E SEM CAIAÇÃO, OS TRÊS homens pararam. O jovem e o cearense levavam a rede com o cadáver, o velho descansava, apoiado no bordão. Na porta da casa ficaram um minuto parados. Era manhãzinha e na rua de rameiras não havia movimento. O jovem disse:

— E se elas tiver dormindo com macho?

O velho suspendeu os braços:

— A gente tem mesmo que acordar.

Bateram palmas mas ninguém respondeu de dentro da casa. O silêncio ia pela rua afora. Uma rua de canto no povoado de Ferradas. Casas pequenas, de barro batido, algumas cobertas de palha, duas ou três de telhas, a maioria de zinco. Ali viviam as rameiras, ali os trabalhadores das fazendas vinham nos dias de festa em busca do amor. O velho bateu na porta com o bordão. Bateu uma vez e outra. Afinal alguém gritou lá de dentro:

— Quem é? Que diabo é que quer? — era uma voz de mulher mal despertada.

Logo um homem completou:

— Vá adiante...aqui tá tudo cheio... — e riu uma gargalhada satisfeita.

— Tão com macho... — comentou o jovem. Ele não via como entregar o cadáver às filhas se elas estivessem dormindo com homens.

O velho refletiu um momento:

— Não tem jeito... A gente tem mesmo que entregar...

O cearense interveio na conversa:

— Não era melhor esperar?

— E o que é que a gente faz com ele? — o velho apontava o cadáver. — Já tá sem cova há muito tempo. O pobre precisa descansar...

E gritou para dentro:

— Lúcia! Violeta! Lúcia!

— Que é que quer? — era uma voz de homem que perguntava.

O velho chamou pela terceira filha:

— Maria! Oh! Maria!

Na porta da casa vizinha apareceu uma mulher velha e sonolenta. Vinha reclamar contra o ruído mas ao ver o cadáver parou e apenas perguntou:

— Quem é?

— É o pai delas... — respondeu o cearense apontando para a casa.

— Foi morte matada? — quis saber a mulher.

— Foi de febre…

A mulher saiu da porta, se aproximou do grupo. Examinou o cadáver com um ar de nojo:

— Que coisa…

O velho perguntou:

— Elas tão em casa? Ninguém atende…

— Tavam de farra na noite passada. Era aniversário de Juquinha que tem um rabicho com Violeta. Tiveram de farra até de madrugada. Por isso não acordam.

Juntou sua voz à do velho:

— Violeta! Violeta!

— Quem é? Que diabo é que quer?

A mulher se esganiçou num grito:

— É teu pai!

— Quem? — a voz chegava de dentro da casa numa surpresa.

— Teu pai!

Houve um silêncio logo cortado pelo movimento de gente que andava na casa. A porta se abriu e apareceu a cabeça de Violeta. Viu o grupo, esticou o pescoço, reconheceu o cadáver do pai. Deu um grito, o ruído dentro da casa aumentou.

E logo se movimentou a rua toda. Saíam mulheres de todas as casas, mais lentamente vieram vindo homens que pernoitavam com algumas delas. A maior parte das rameiras vinham em trajes menores, algumas traziam apenas uma camisa sobre o corpo. Cercavam o cadáver, murmuravam comentários.

— Foi a febre…

— Ninguém pode com ela.

— Será que não pega mais?

— Diz-que pega até pelo ar…

— É melhor enterrar logo…

— Fazia anos que não via as filha… Tinha raiva delas ser perdida…

— Diz-que nem vinha a Ferradas de vergonha…

Mulheres de caras machucadas, mulatas, negras, uma que outra branca. Nas pernas e nos braços, por vezes nos rostos, marcas de feridas. Havia no ar um cheiro de álcool misturado com perfume barato. Uma mulata cuja cabeleira despenteada subia enorme para o alto andou até junto do cadáver:

— Uma vez dormi com ele... Foi em Tabocas...

Houve um silêncio em torno dela. Violeta ainda parava na porta sem coragem de se aproximar. E foi a mulata que ordenou:

— Levem ele pra dentro.

Lúcia e Maria iam chegando. Lúcia chorava: "meu pai, meu pai". Maria vinha devagar, seus olhos medrosos. Uns homens apareceram atrás. Uma mulher comentou, rindo:

— Juquinha, teu sogro morreu...

O velho pediu:

— Respeitem o morto...

Outra mulher xingou a que falara:

— Tu é mesmo uma puta suja...

Levantaram a rede, levaram para dentro. Entrou todo mundo atrás do cadáver. Alguns homens ainda terminavam de abotoar as calças, as mulheres iam mesmo como estavam, vestidas pela metade. Todas pareciam ter a mesma idade e a mesma cor, uma cor de doença. Era um resto de gente perdido no fim do mundo. E, como não havia sala na casa, eram cinco quartos pequenos ocupados por cinco mulheres, deitaram o morto na cama de Violeta, que era no quarto da frente. O velho acendeu o toco de vela que estava quase toda gasta. Por detrás da cama havia uma gravura de um santo. Senhor do Bonfim. Uma página de revista mostrava, pregada na parede, uma mulher loira e nua. Lúcia soluçava. Maria atendia ao cadáver, Violeta fora em busca de outra vela. A gente se espalhou pelo corredor. Juquinha foi lá dentro, trouxe uma garrafa de cachaça, começou a servir aos homens que haviam trazido o cadáver. Maria tirou o violão que estava ao lado da cama, junto à cabeça do morto.

O velho falou pro cearense, apontando Maria que passava com o violão.

— Conheci ela quando era menina... Era uma lindeza. Depois foi uma moça bonita como quê... Quando casou com Pedro. Hoje nem parece.

— Ainda tem uns traços...

— Essa vida de rapariga come a beleza de mulher em dois dias...

O jovem ficou olhando Maria com interesse.

Algumas mulheres se retiravam para se vestir. Antes de partir, um homem ofereceu seus préstimos a Lúcia. Violeta fazia com Juquinha cálculos demorados sobre o caixão e o enterro. Era caro. Entraram para o quarto onde estavam, com o cadáver, Lúcia e Maria. Ficaram os quatro discutindo. Juquinha era como se fosse da família. Faziam contas. Não era possível comprar um caixão. Já o lugar no cemitério era muito caro:

— O jeito é enterrar mesmo na rede... — disse Lúcia. — A gente cobre com um lençol.

Violeta, que agora, após os gritos iniciais, estava serena, falou:

— Também não sei por que não enterraram de uma vez na estrada... Ele nunca ligou pra gente...

— Tu não tem mesmo coração... — atalhou Maria. — Não sei por que tu gritou quando viu ele... Só de fita... Ele era um homem bom.

Violeta ia retrucar, Maria continuou:

— Ele tinha era vergonha da gente ser mulher da vida... Tinha sentimento... Não era que não gostasse da gente...

No corredor o velho que trouxera o cadáver contava para as visitas como o homem morrera, aquela febre de três dias liquidando com a força dele:

— Não teve remédio que servisse... Ficou uma conta braba de medicação no armazém das Baraúnas... Não adiantou.

No quarto, Lúcia, que era muito religiosa, propôs chamarem frei Bento para rezar as orações. Juquinha duvidou que o frade viesse:

— Ele não vem em casa de mulher dama...

— Quem foi que disse? — perguntou Violeta. — Quando Isaura morreu ele veio... Só que cobra caro.

E não acrescentou nenhum comentário, ela não queria que a tomassem por uma inimiga do pai. Foi Juquinha quem a apoiou:

— Só vem por muito dinheiro. Por menos de vinte mil-réis não há-de vir...

Lúcia ia desistindo do seu projeto:

— Se é assim não se chama...

Olhou o defunto, sua cara magra, verdosa, parecendo sorrir na aflição da morte. E deu em Lúcia uma agonia, uma tristeza do pai se enterrar sem orações, e balbuciou numa crise de choro:

— Vai se enterrar sem oração, coitado! Não fez mal a ninguém, era um homem bom... E vai se enterrar sem ser recomendado. Nunca pensei... Meu pai...

Violeta tomou do braço dela, o melhor gesto de carinho que conhecia.

— A gente mesmo reza... Eu ainda me lembro de uma oração...

Mas a mulata que havia certa vez dormido com o morto, e que do corredor ouvia o diálogo, tirou vinte mil-réis da meia e, entrando no quarto, entregou a Lúcia:

— Não deixe ele sem oração...

Foi isso que deu ideia a Juquinha de fazer uma subscrição. Saiu entre os presentes recolhendo dinheiro. Um homem que não tinha o que dar se ofereceu para ir chamar frei Bento e partiu. Era a sua maneira de colaborar.

Lúcia lembrou enxugando as lágrimas:

— É preciso dar café aos homens que trouxeram ele...

Maria partiu para os fundos da casa. Quando chamou ao velho, ao jovem e ao cearense, todos os acompanharam para a cozinha. No quarto ficaram apenas Violeta e a mulata que dera os vinte mil-réis. Ela nunca tinha visto, repousando na paz da morte, um homem com quem houvesse dormido. Estava impressionada e o considerava como um morto seu, como um parente próximo.

Na cozinha, em torno ao café, o velho contou para mudar a conversa:

— Sabe que ontem os Badarós mandou liquidar seu Firmo?

Houve um interesse geral:

— O que tá me dizendo?

— Mataram ele?

— O tiro não pegou. É de admirar... Foi o negro Damião.

Um homem assoviou sua admiração. Outro falou:

— O negro Damião errando tiro? É o fim do mundo...

O velho se sentia orgulhoso do interesse despertado. Meteu a unha no dente, como se fora um palito, arrancando uma felpa de aipim. E contou:

— Seu Firmo passou pela gente, ia numa pressa dos diabos, ia tocando pra casa do coronel Horácio. Diz-que a coisa vai pegar fogo...

Haviam esquecido o defunto e cercavam o velho, alguns se debruçavam sobre a pequena mesa da cozinha para não perder uma palavra. Assomavam cabeças sobre os que estavam na frente, olhos abertos de curiosidade. O velho explicou o que todos sabiam:

— É por causa da mata de Sequeiro Grande...

— A coisa vai começar...

O velho pediu silêncio e relatou:

— Já tá começando... Mais adiante a gente se encontrou com seu Firmo que vinha de volta com dois cabras do coronel Horácio. Vinha também o coronel Maneca Dantas, que tomou pelo atalho pras Baraúnas... Ia tudo no galope...

Juquinha que era homem dos Badarós interveio:

— Coronel Horácio tá pensando que Teodoro vai fazer parte com ele. Parece menino que se engana com chupeta. Não vê que coronel Teodoro é unha e carne com os Badarós...

Lúcia interrompeu:

— É miserável, isso sim. Um bandido daqueles... Tá com quem der mais vantagem pra ele...

Uma mulher riu:

— Tu é que bem sabe, foi amásia dele, foi ele que te descabaçou.

Lúcia ergueu o busto, os olhos com raiva:

— Aquilo é a pior miséria do mundo. Não há homem tão desgraçado.

— Mas é valente... — falou um homem.

— Valente pro lado de mulher — era a voz de Lúcia. — Quando quer comer uma fica mais manso que um passarinho. Tou me lembrando comigo. Vinha pra meu lado, era um presente todo dia, um corte de fazenda, uma sandália, um lenço bordado. E promessa de fazer medo. Me prometeu casa em Ilhéus, me prometeu vestido, até aquele anelão de brilhante que usa no dedo mindinho. Prometeu tudo até que eu fui na conversa e dei pra ele... Depois, promessa foi um dia... Me largou foi na rua de mulher dama e sem a bênção de meu pai...

Estavam calados, o cearense olhava alarmado. Lúcia espiou todos, viu que ainda estavam esperando mais:

— E pensa que foi só? Quando me tinha comido e não queria mais, já tinha se cansado, botou o olho em Violeta... Se não fosse que Ananias que era o capataz já tinha passado antes e juntado as pernas com ela... Só não fez mais porque tinha medo de Ananias...

O velho falou:

— Negro tem filha é mesmo pra cama de branco...

Lúcia ainda tinha o que contar.

— E quando morreu Pedro, que tinha casado com Maria, na mesma noite do enterro, o coronel apareceu na casa dela com a conversa de oferecer seus préstimos. E não respeitou nem a dor da pobre, foi ali mesmo, na cama que ainda tava quente do corpo do marido... Aquilo é pior que a desgraça...

Houve silêncio. O jovem que trouxera o cadáver desde que chegara olhava Maria com olhos de desejo. Se não fosse dia de nojo teria proposto dormir com ela. Fazia dois meses que ele não sabia o que era mulher. Desde que entrara que os restos de beleza de Maria lhe haviam chamado a atenção. E de toda a conversa, só aquele caso do coronel Teodoro possuindo ela no dia do enterro do marido interessara ao jovem.

O velho, que perdera importância com a interrupção de Lúcia, puxou de novo a conversa para os acontecimentos da noite:

— Jagunço agora vai valer ouro... Se começar os barulho quem tiver pontaria vai enricar. Pode botar roça...

— Eu tou apostando nos Badarós — disse Juquinha. — Eles tão por cima na política. Vão ganhar com certeza. Sinhô e Juca são dois machos.

— Ninguém pode com coronel Horácio... — falou outro.

Um homem saiu. Juquinha comentou:

— Chico já vai se apresentar... Não há barulho que não se meta. É homem do coronel Horácio...

Algumas visitas saíram também na ânsia de espalhar as notícias que o velho trazia. E se distribuíram pelas poucas ruas de Ferradas, indo de conhecido a conhecido. O cearense se admirava daquela terra:

— Nessa terra só se fala em morte...

O velho sentenciou:

— Morte aqui é mercadoria barata. E agora vai ser mesmo de graça. Tu saiu em tempo...

— Tá fugindo? — perguntou uma mulher.

— Tou indo embora...

Juquinha riu:

— Logo agora que a coisa vai se pôr boa?

Mulheres já vestidas voltavam a entrar na casa. Uma trazia flores, murchas flores que um amante ocasional lhe dera dois dias antes, e as depositou nos pés do cadáver. Chegavam homens também, queriam saber das notícias que o velho trouxera. Pelo povoado circulavam, aumentadas. Diziam que havia chegado o cadáver de um cabra que acompanhava Firmo e morrera com o tiro destinado ao patrão. Que Firmo escapara por milagre do tiro do negro Damião. Outros diziam que fora o cadáver do próprio Firmo que chegara.

Frei Bento entrou em casa das mulheres. Uma que ainda estava em camisa saiu correndo para se vestir direito. Atrás de frei Bento vinha o sacristão. O frade saudou da porta, com sua voz estrangeira:

— Deus esteja convosco.

Entrou pelo corredor, antes de tudo quis saber das notícias. Depois do velho ter repetido toda a história, numa voz humilde, o frade se dirigiu para o quarto, parou junto ao cadáver. Violeta explicava, com uma voz envergonhada, as dificuldades de dinheiro. Depois fez contas com o sacristão, deu a nota de vinte mil-réis que a outra oferecera e mais umas pratas. O frade iniciou as orações. Homens e mulheres repetiam em coro:

— Ora pro nobis...

Lúcia chorava baixinho, as três irmãs estavam juntas, apertadas uma na outra. O jovem olhava Maria. Será que ela não aceitaria dormir com ele nesse mesmo dia, depois do enterro? Não já dormira ela com o coronel Teodoro depois do enterro de Pedro que fora seu marido? Repetia com o coro maquinalmente:

— Ora pro nobis...

O frade desfiava as orações da ladainha. Da porta alguém gritou:

— Lá vem Juca Badaró...

Correram todos para a rua onde, num galope que levantava poeira, Juca passava acompanhado por Antônio Vítor e mais dois cabras, caminho de Tabocas. Haviam corrido todos, até o sacristão, para vê-los passar. Frei Bento espiou pela janela, a cabeça esticada por cima do cadáver, sem parar a oração. Só as três irmãs e o jovem que desejava Maria ficaram com o frade ao lado do cadáver. Juca Badaró e os cabras já iam no fim do povoado. Passavam em frente ao grande armazém de Horácio, onde era depositado o seu cacau seco, e deram uns tiros pro ar. Os homens e mulheres foram voltando. As orações de defuntos se perdiam em meio aos comentários. O jovem ia se aproximando de Maria.

3

MUITOS ANOS DEPOIS, QUANDO ALGUÉM ATRAVESSAVA ESSE POVOADO de Ferradas em companhia de um velho que conhecia as histórias da terra do cacau, era quase certo o velho comentar, apontando as casas e as ruas cuja lama desaparecera sob o calçamento de pedras:

— Isso aqui já foi coito dos piores bandidos dessa terra. Muito sangue já correu em Ferradas. No começo do cacau...

O povoado de Ferradas era feudo de Horácio. Estava encravado entre as fazendas dele. Durante algum tempo Ferradas marcara os limites da terra do cacau. Quando os homens iniciaram no Rio do Braço a plantação da nova lavoura, ninguém pensava que ela ia terminar com os engenhos de açúcar, os alambiques de cachaça e as roças de café que existiam em redor de Rio do Braço, de Banco da Vitória, de Água Branca, os três povoados da beira do rio Cachoeira que ia dar no porto de Ilhéus. Mas o cacau não só liquidou os alambiques, os pequenos engenhos e as roças de café, como andou mata adentro. E no seu caminho nasceram as casas do povoado de Tabocas e mais longe ainda as casas do povoado de Ferradas, quando os homens de Horácio haviam conquistado a mata da margem esquerda do rio. Ferradas foi, durante algum tempo, o povoado mais distante de Ilhéus. Dali partiam os conquistadores de novas terras. Por vezes, rompendo a mata, chegavam viajantes de Itapira, da Barra do Rio de Contas, que era o outro lado das terras do cacau. Ferradas foi um centro de comércio pequeno e movimentado. Iria parar seu crescimento com a conquista da mata do Sequeiro Grande, nos limites da qual nasceria o povoado de Pirangi, uma cidade feita em dois anos. E anos depois, com o andar rápido da lavoura do cacau, nasceria Baforé, já no caminho do sertão, que logo trocaria seu nome pelo mais eufônico de Guaraci. Mas, nos tempos da conquista, Ferradas era importante, talvez mesmo mais importante que Tabocas. Falava-se que a estrada de ferro chegaria até lá. Era um projeto muito discutido nas vendas e na farmácia. Ditavam-se prazos, falava-se no progresso que isso traria a Ferradas. Mas a estrada nunca veio. Acontecia que Ferradas politicamente era de Horácio. Mandava ele e mais ninguém. E como ele era seabrista, estava na oposição, o governo nunca aprovara o projeto dos ingleses de criarem um ramal da estrada até Ferradas. E quando Seabra subiu ao governo e Horácio esteve de cima já se encontrava muito mais interessado em levar a estrada até Sequeiro Grande, junto ao qual nascia Pirangi. Ferradas foi uma etapa, naqueles anos fervia de gente, comerciava, era conhecida das grandes casas exportadoras da Bahia, estava no roteiro de todos os caixeiros-viajantes. Estes chegavam no lombo dos cavalos, as malas de amostras trazidas por uma tropa de burros, e durante alguns dias exibiam suas roupas de linho branco entre as roupas cáquis dos grapiúnas. Os caixeiros-viajantes namoravam as moças solteiras do povoado, bailavam quando havia bailes, bebiam cerveja quente reclamando contra a falta de gelo, faziam grandes negócios. E na cidade da Bahia, na volta das viagens, contavam nos cabarés as histórias bravias daquele povoado de aventureiros e jagunços, onde havia apenas uma pensão, onde a lama era o calçamento da rua, mas onde qualquer homem de pé descalço levava um maço de dinheiro no bolso. Comentavam:

— Nunca vi tanta nota de quinhentos mil-réis como em Ferradas...

Era a nota mais alta que havia naquele tempo. Em Ferradas ninguém tinha troco, níqueis quase não existiam. Contavam outras anedotas tolas, como todas as anedotas dos caixeiros-viajantes.

— Quando alguém chega em Ferradas, Chico Martins, que é o dono da pensão, põe açúcar na cama onde o hóspede vai dormir.

O que ouvia a história se admirava:

— Açúcar? Para quê?

— Para dar formiga e as formigas comerem os percevejos.

A varíola e o tifo eram endêmicos no povoado e a casa melhor de Ferradas não estava propriamente nas suas ruas. Estava mais para dentro da mata, era o lazareto onde internavam os bexigosos. Diziam que nenhum bexigoso voltava de lá. Era cuidado por um preto velho que tivera a bexiga negra e se salvara. Ninguém entrava no pedaço de mata onde estava o lazareto. Infundia um terror em toda a população.

Ferradas nascera em torno do armazém de cacau que Horácio fizera construir ali. Ele precisava de um depósito onde juntar o cacau já seco das suas diversas fazendas. Ao lado do armazém foram surgindo casas, em pouco tempo se abriu uma rua na lama, dois ou três becos a cortaram, chegaram as primeiras prostitutas e os primeiros comerciantes. Um sírio abriu uma venda, dois barbeiros se estabeleceram, vindos de Tabocas, passou a haver feira aos sábados, Horácio mandava abater dois bois para vender a carne. Tropeiros, que vinham conduzindo tropa de cacau seco das fazendas mais distantes, pernoitavam em Ferradas, os burros vigiados por causa dos ladrões de cacau.

Mas Ferradas começou a ser mesmo muito falada quando da nomeação dos subdelegados. O prefeito de Ilhéus, a instâncias de Juca Badaró, nomeara um subdelegado de polícia para Ferradas. Era uma maneira de ferir Horácio, de se meter nas terras dele. Disseram que aquilo já era um povoado e não importava que estivesse em terras de Horácio. Era necessário que a justiça se implantasse ali e se pusesse cobro aos assassinatos e roubos que se sucediam. O delegado chegou por uma tarde. Vinha com três soldados de polícia, anêmicos e tristes. Chegaram montados e pela noite voltaram a pé e nus, após terem tomado uma surra tremenda. O jornal governista de Ilhéus falou no assunto atacando Horácio, o jornal da oposição perguntou por que nomeavam um

subdelegado e no entanto não calçavam nem uma rua, não punham nem um candeeiro de iluminação nas esquinas? As benfeitorias que Ferradas possuía

> eram feitas pelo coronel Horácio da Silveira. Se o município queria intervir na vida da localidade que então contribuísse também com algum progresso para ela. Ferradas vivia em paz, não precisava de polícia, precisava era de calçamento, de luz, e de água encanada.

Mas não adiantaram os argumentos do jornal da oposição que respondia aos interesses de Horácio. O prefeito, sempre atiçado por Juca, nomeou outro delegado. Este era conhecido como valente, era Vicente Garangau, que fora muito tempo jagunço dos Badarós. Chegou com dez soldados, conversando muito, que ia fazer e acontecer. Logo no dia seguinte prendeu um trabalhador de Horácio que armara uma baderna numa casa de raparigas. Horácio mandou um recado pra ele soltar o homem. Ele mandou dizer que Horácio viesse soltar. Horácio veio mesmo, soltou o homem, Vicente Garangau foi morto no caminho dos Macacos quando procurava se esconder na fazenda de Maneca Dantas. Arrancaram-lhe a pele do peito, as orelhas e os ovos e mandaram tudo de presente ao prefeito de Ilhéus. Desde esse tempo não havia subdelegado em Ferradas, por mais que Juca Badaró procurasse um homem que quisesse o cargo.

Horácio fizera construir uma capela e conseguira um frade que viesse para ali. Frei Bento parecia mais um conquistador de terra que um sacerdote de Cristo. Sua paixão era o colégio que as freiras estavam construindo em Ilhéus, com todas as dificuldades, e todo o dinheiro que conseguia arrebanhar em Ferradas enviava para as freiras, para a sua obra. Por isso não era simpatizado no povoado. Esperavam que ele se preocupasse mais com Ferradas, que pensasse em levantar uma igreja melhor que a de Tabocas para substituir a capela. Mas frei Bento só pensava no colégio das freiras que se iniciara monumental no morro da Conquista, na cidade de Ilhéus. Fora um projeto dele, custara-lhe muito convencer ao arcebispo da Bahia, para que mandasse as freiras. E se as obras se haviam iniciado se devia a frei Bento, que formou comissões de senhoras em Ilhéus. E ele, se aceitara aquele lugar de capelão em Ferradas, fora com o fito de arranjar dinheiro para as obras do colégio. Metia-lhe medo a indiferença dos coronéis pela educação das filhas. Pensavam muito nos filhos, em fazer deles médicos, advogados ou engenheiros, as três profissões que haviam substituído a nobreza, mas nas filhas não pensavam, bastava que aprendessem a ler e a cozinhar. Em Ferradas não perdoavam a frei Bento o desinteresse pelo povoado. Diziam que ele dormia com a cozinheira, uma mulatinha que viera da fazenda de Horácio.

E, quando ela pariu, apesar de que todo mundo sabia que o menino era filho de Virgulino, o empregado do sírio, todos achavam que ele se parecia com frei Bento. Frei Bento sabia dos comentários, encolhia os ombros, saía em cata de dinheiro para o colégio. Tinha um secreto desprezo por aquela gente toda que ele considerava irremediavelmente perdida, assassinos, ladrões, homens sem lei, sem respeito a Deus. Segundo frei Bento não havia um só morador de Ferradas que não houvesse há bastante tempo conquistado a eternidade do inferno. E o dizia nos sermões de poucos assistentes nas missas de domingo.

Essa opinião do frade era mais ou menos generalizada pelas terras do cacau, onde Ferradas era sinônimo de morte violenta. Mais que o catolicismo, representado pelo frade com seu desinteresse pela povoação, o espiritismo medrava. Na casa de Eufrosina, uma médium que começava a criar fama, os crentes se reuniam para ouvir os parentes e os amigos mortos. Eufrosina tremia na cadeira, começava a falar com a língua embolada, um dos presentes reconhecia a voz de um defunto conhecido. Contavam que, há já muito tempo, os mortos, principalmente o espírito de um índio que era o guia de Eufrosina, vinham anunciando os barulhos por causa da mata do Sequeiro Grande. Aquelas profecias eram comentadas e ninguém era cercado de tanto respeito em Ferradas como a mulata Eufrosina, que atravessa a sua magreza pelas ruas enlameadas. Com o sucesso das sessões, Eufrosina iniciou também uns tratamentos de moléstias pelo espiritismo, com relativo sucesso. Foi só então que o dr. Jessé Freitas, que era médico em Tabocas e que vinha uma vez por semana a Ferradas para atender aos doentes do povoado, que era chamado também nas noites de tiroteio, uniu a sua campanha à de frei Bento contra Eufrosina. Ela lhe estava tirando a clientela, os doentes de febre cada vez iam mais à médium que ao médico. Frei Bento chegou a falar com Horácio. Mas Horácio não ligou. Dizem que foi por isso que frei Bento inventou aquela história sobre Horácio e as suas sessões espíritas. Frei Bento tinha — segundo Ferradas — uma língua venenosa. E desta vez fora mesmo ele quem espalhara a história. Dizia esta que, em certa sessão espírita em casa de Eufrosina, chamaram o espírito de Mundinho de Almeida, um dos primeiros conquistadores de terra, o mais terrível deles, morto muitos anos antes, mas cuja fama de malvadez ainda perdurava. Falava-se nele como o símbolo de homem ruim.

Eufrosina empregou-se toda em chamar o espírito de Mundinho de Almeida. Não havia jeito dele vir. Foi uma luta tremenda, a médium se rebentando num esforço enorme de tremedeiras e transes. Por fim, ao cabo de mais de uma hora de trabalho, os assistentes já cansados de tanta concentração, Mundinho de Almeida chegou, muito cansado e muito apressado. Que dissessem logo o que queriam, ele tinha que voltar rapidamente. A médium perguntou com doçura:

— Mas, por que tanta pressa, irmão?

— Ah! no inferno a gente está muito ocupado. Todo mundo... — respondera o espírito de maus modos, e pelos maus modos os mais velhos afirmaram que era mesmo Mundinho de Almeida.

— O que estão fazendo? — quis saber Eufrosina, voz da curiosidade geral.

— Tamos juntando lenha o dia todo. Trabalha todo mundo, os pecador e os diabo...

— Pra que tanta lenha, irmão?

— Tamos fazendo a fogueira pro dia que vier Horácio...

Eram assim as histórias do povoado de Ferradas, feudo de Horácio, coito de bandidos. Dali partiam para as matas os desbravadores de terra. Era um mundo primitivo e bárbaro cuja única ambição era dinheiro. Cada dia chegava gente desconhecida em busca de fortuna. De Ferradas, partiam as novas estradas recém-abertas da terra do cacau. De Ferradas, os homens de Horácio iam partir para dentro das matas do Sequeiro Grande. Naquele dia Ferradas vivia das notícias que o velho trouxera com o cadáver. Juca Badaró passara por ali na ida para Tabocas. Na volta já não poderia vir por Ferradas, teria que procurar outro caminho. Da manhã para a tarde Ferradas se pôs em pé de guerra. Chegaram jagunços para guardar o armazém de Horácio. Nas vendas, os homens bebiam mais cachaça que normalmente. No princípio da noite, Horácio chegou.

Chegou com uma comitiva grande, uns vinte cavalos, uma tropa de burros que conduzia as bagagens. Se dirigiam a Tabocas, onde, no dia seguinte, Ester tomaria o trem para Ilhéus. Ela vinha montada à maneira daquele tempo, sentada de banda no selim que tinha cabeção de prata, como de prata era o cabo do rebenque que ela trazia na mão. A seu lado marchava Virgílio num cavalo tordilho. Mais atrás, ao lado de Horácio pesado na sua montaria, vinha, baixo e troncudo, o rosto cortado por um longo talho de facão, compadre Braz, dono de uma roça junto das matas do Sequeiro Grande, respeitado como ele só na zona do cacau. Trazia uma repetição na frente da sela e sobre ela descansava a mão que segurava a rédea. E vinham cabras e tropeiros, a repetição no ombro, o revólver no cinto. Fechando a marcha cavalgava Maneca Dantas, que havia fracassado na sua missão ante o coronel Teodoro Martins, o proprietário das Baraúnas. Este ficara com os Badarós. Vinham todos num grupo cerrado, levantando poeira na estrada de barro vermelho. Os tropeiros gritavam pelos burros de carga, aquilo parecia mais um pequeno troço de exército invadindo um povoado. Entraram num galope. Logo no começo da rua Horácio passou na frente de todos e riscou o solo com as patas do seu cavalo ao parar defronte da casa de Farhat, o sírio, onde iam pernoitar. Assim com o cavalo levantado sobre as patas traseiras, levantado ele também da sela, o chão com as marcas do risco das patas do animal, o rebenque numa mão, a outra sustentando pela rédea o equilíbrio do cavalo, Horácio parecia uma estátua equestre de um antigo guerreiro. Os cabras e os tropeiros se espalharam pelo povoado que fervia de comentários. Nessa noite pouca gente dormiu em Ferradas. Era como uma noite de acampamento antes da manhã da batalha.

4

COM OS SEUS LONGOS CHICOTES QUE ESTALAVAM AO TOCAR O SOLO os tropeiros atravessaram as ruas enlameadas de Tabocas. Gritavam para os burros não entrarem pelos becos e pelas ruas novas que se abriam:

— Eh! Diamante! Dianho! Pra frente burro da desgraça...

Na frente da tropa, chocalhando de guizos, com um peitoral enfeitado, ia o burro que melhor conhecia o caminho, a "madrinha da tropa". Os coronéis requintavam no enfeite dos peitorais das "madrinhas das tropas", era uma prova da sua fortuna e do seu poderio.

O grito dos tropeiros atravessava dia e noite o povoado de Tabocas, se elevando sobre todas as vozes e todos os ruídos:

— Xô, Piranha! Toca pra frente, Borboleta! Mula empacadeira dos diabos...

E os longos chicotes estalavam no ar e no solo, enquanto as tropas de burros revolviam a lama das ruas no seu passo seguro e tardio. De uma porta qualquer um conhecido pilheriava com o tropeiro na pilhéria mais gasta de Tabocas:

— Como vai, mulher de tropeiro?

— Vou ver tua mãe daqui a pouquinho...

Por vezes entravam boiadas que vinham do sertão e que, ou paravam em Tabocas, vendidas aos abatedouros, ou seguiam no caminho de Ilhéus. Os bois mugiam nas ruas, os vaqueiros vestidos de couro, nos seus pequenos cavalos de tanta agilidade, se misturavam aos tropeiros nas vendas onde bebiam cachaça ou nas casas das rameiras onde buscavam um carinho de mulher. Cavaleiros atravessavam a rua no galope dos cavalos, o revólver no cinto. As crianças que brincavam na lama se afastavam rápidas, abrindo o caminho. E mil vezes por dia a lama das ruas era revolvida, cacau e mais cacau se depositava nos armazéns enormes. Assim era Tabocas.

Primeiro não teve nome, quatro ou cinco casas apenas à margem do rio. Depois foi o povoado de Tabocas, as casas se construindo umas atrás das outras, as ruas se abrindo sem simetria ao passo das tropas de burros que traziam cacau seco. A estrada de ferro avançou de Ilhéus até ali e, em torno dela, nasceram novas casas. E eis que não eram só casas de barro batido, sem pintura, de janelas de tábuas, casas levantadas às pressas, casas mais para pouso que mesmo para moradia como as de Ferradas, Palestina e Mutuns. Em Tabocas se levantavam casas de tijolos e também casas de pedra e cal, com telhados vermelhos, com janelas de vidro. Uma parte da rua central tinha sido calçada de pedras. É verdade que as outras ruas eram um puro lamaçal, revolvido diariamente pelas patas dos burros que chegavam de toda a zona do cacau, carregados com sacos de quatro arrobas. As ruas se abriam em armazéns e armazéns onde o cacau era depositado. Algumas casas exportadoras já tinham filial em Tabocas e ali compravam o cacau aos fazendeiros. E, se bem não tivesse sido ainda instalada uma filial do Banco do Brasil, havia um representante bancário que evitava a muitos coronéis fazerem a viagem de trem a Ilhéus para depositar e retirar dinheiro. No meio de uma larga praça plantada de capim havia sido construída a igreja de São José, padroeiro da localidade. Quase em frente, num dos poucos sobrados de Tabocas, estava a Loja Maçônica, que reunia no seu seio a maioria dos fazendeiros e que dava bailes e mantinha uma escola.

Do outro lado do rio já se levantavam várias casas e começava-se a falar em construir uma ponte que ligasse os dois pedaços da cidade. Os habitantes de Tabocas tinham uma grande reivindicação: que o povoado fosse elevado à categoria de cidade e fosse sede de governo e de justiça, com seu prefeito, seu juiz, seu promotor, seu delegado de polícia. Alguém já propusera até o nome que devia ter o novo município e a nova cidade: Itabuna, que em língua guarani quer dizer "pedra preta". Era uma homenagem às grandes pedras que surgiam nas margens e no meio do rio e sobre as quais as lavadeiras passavam o dia no seu trabalho. Mas como Tabocas respondia politicamente a Horácio, sendo ele o maior fazendeiro das proximidades, o governo do Estado não atendia ao apelo dos moradores. Os Badarós diziam que era um plano político de Horácio para dominar ainda mais aquela zona. Tabocas continuava um povoado do município de São Jorge dos Ilhéus. Mas já muita gente quando escrevia cartas não as datava mais de Tabocas e sim de Itabuna. E quando perguntavam a um morador dali, que estivesse de passeio em Ilhéus, de onde ele era, o homem respondia cheio de orgulho:

— Sou da cidade de Itabuna...

Havia um subdelegado, era a maior autoridade. Isso de nome, porque, em verdade, a maior autoridade era Horácio. O subdelegado era um ex-cabo do exército, pequeno, magro e valente, que se mantinha ali apesar de todas as ameaças dos cabras de Horácio. Fora hábil também, procurara não abusar da sua autoridade, e só se envolvia num barulho quando ou já as feridas eram graves ou alguém havia caído morto. Horácio se dava com ele, e, mais de uma vez, havia apoiado algumas atitudes do cabo mesmo contra jagunços seus. Quando Horácio chegava em Tabocas o cabo Esmeraldo ia sempre visitá-lo, trocar dois dedos de prosa com ele. E sempre falava na possibilidade de uma reconciliação com os Badarós. Horácio ria seu riso para dentro, batia no ombro do cabo:

— Tu é um homem direito, Esmeraldo. Porque tu tá servindo a esses Badarós é que eu não entendo. No dia que tu quiser, tem um amigo às ordens.

Mas Esmeraldo sentia por Sinhô Badaró uma veneração que vinha de longe, de dias remotos quando haviam os dois varado juntos as matas da terra do cacau. Nessas terras se dizia que os homens de Sinhô eram fiéis por amizade. Quem se ligava a ele não o abandonava nunca. Que não era como Horácio, homem de trair os seus amigos.

Em Tabocas quem era amigo e eleitor de Horácio mantinha sempre uma atitude de hostilidade em relação aos amigos e eleitores dos Badarós. Nas eleições havia barulhos, tiros e mortes. Horácio ganhava sempre e sempre perdia porque as urnas eram fraudadas em Ilhéus. Votavam vivos e mortos, muitos votavam sob a ameaça dos cabras. Nesses dias Tabocas se enchia de jagunços que guardavam as casas dos chefes políticos locais: a do dr. Jessé, que era eternamente o candidato de Horácio, a de Leopoldo Azevedo, chefe dos governistas, a do dr. Pedro Mata, agora também a do dr. Virgílio, o novo advogado. Havia uma farmácia para cada partido e nenhum doente que votasse nos Badarós se tratava com o dr. Jessé. Era com o dr. Pedro. Os dois médicos mantinham relações pessoais, mas diziam horrores um do outro. Dr. Pedro dizia que dr. Jessé não ligava para os enfermos, muito mais preocupado com a política e com sua roça de cacau. Dr. Jessé afirmava, e a população fazia coro, que dr. Pedro não respeitava as enfermas, que um homem casado ou um pai de família não lhe podia entregar sua mulher ou sua filha para um exame geral. Havia também um dentista para cada um dos partidos. Todo o povoado estava dividido nos dois partidos políticos e trocavam desaforos pesados nos jornais de Ilhéus. Horácio já encomendara as máquinas para fundar em Tabocas um semanário que dr. Virgílio dirigiria.

Só os advogados eram muitos, seis ou sete naquele povoado, ganhando dinheiro todos com os caxixes escandalosos. Mais que em Ilhéus, era em Tabocas que o caxixe medrava. Homens que há anos possuíam terras e plantações as perdiam de um dia para outro devido a um caxixe bem-feito. Não havia coronel que se animasse a fazer negócio sem antes consultar um bom advogado, se resguardar completamente da possibilidade do caxixe futuro. Um negro de Tabocas, Claudionor, fazendeiro que colhia suas mil arrobas de cacau, fizera certa vez um caxixe que ficara célebre e fora citado mesmo pelos jornais da Bahia. A vítima fora o coronel Misael, cuja fortuna já era meio lendária naquele tempo, fazendeiro de muitas mil arrobas, acionista das obras do porto e da estrada de ferro, dono de um banco em Ilhéus. Era toda uma força econômica, tinha um advogado por genro. Pois ainda assim fora logrado pelo negro Claudionor. Na quietude da sua fazenda Claudionor estudara o caxixe, e o realizara com a ajuda do dr. Rui.

Um dia apareceu para o coronel Misael e lhe pediu setenta contos de réis emprestados, para comprar uma roça. Misael emprestou com juros altos e prazo curto: seis meses. Também o coronel Misael tinha seu plano que era ficar com a fazenda de Claudionor quando este não pagasse. Claudionor era analfabeto e assinou em cruz os documentos de reconhecimento de dívida. Voltou para a sua fazenda e, na passagem por Itabuna, contratou um professor de primeiras letras. Levou-o para a roça e com ele aprendeu a ler e a assinar o nome. Seis meses depois, quando a dívida venceu, Claudionor apenas negou que devesse. Que nunca tomara dinheiro algum a Misael, que era tudo uma trampa do coronel. E a melhor prova — argumentava o dr. Rui, seu advogado — era que Claudionor sabia ler perfeitamente e assinava o nome. E o coronel Misael perdeu 70 contos de réis, Claudionor aumentou suas terras e ajudou as festas de São José naquele ano.

Em verdade não se podia dizer que fossem apenas seis ou sete advogados. Estes eram os que moravam em Tabocas. Mas os que habitavam em Ilhéus trabalhavam também no povoado, e os de Tabocas trabalhavam na cidade. Eram apenas três horas e meia de trem, um dia haviam de ser tão somente quarenta e cinco minutos pela estrada de rodagem que haveria de ser construída com o progredir da zona.

Em meio aos caxixes, às lutas políticas, às intrigas, e às festas da Igreja ou da maçonaria, vivia Tabocas, que antes não tivera nome e agora pensava em se chamar de Itabuna. Muitas vezes o sangue de homens caídos nos barulhos se misturava à lama das ruas. Os burros revolviam tudo no seu passo lento. Por vezes, quando o dr. Jessé chegava com sua mala de ferros, custava a encontrar a ferida porque a lama cobria o corpo do homem. Mas, ainda assim, a fama de Tabocas corria mundo, se falava deste povoado até no sertão, e certo jornal da Bahia já o chamara de "centro de civilização e de progresso".

5

MARGOT ESTENDEU A MÃO, APONTOU O TRECHO DE RUA QUE SE VIA PELA janela aberta, queria indicar todo o povoado de Tabocas:

— Isto é a última terra do mundo... É um cemitério...

Virgílio a puxou para si, Margot deixou a cadeira com má vontade, veio se sentar nas pernas dele:

— Você é uma gatinha mal-acostumada.

Ela se levantou num repente, falou zangada:

— É só o que você sabe dizer... Eu é que sou culpada... Quando você veio se meter nessa terra não faltou quem lhe abrisse os olhos. Me lembro de Juvenal dizendo que você devia era ir pro Rio, fazer carreira. Não sei por que você aceitou vir pra aqui...

Virgílio chegou a abrir a boca para falar. Mas ficou com o gesto pela metade, encontrando que não valia a pena. Se fosse um mês antes, ele perderia, sem dúvida, um tempo enorme em explicar para a amante que ali estava o seu futuro, que se a oposição vencesse as eleições, como tudo indicava que venceria, ele seria candidato a deputado por aquela zona que era a mais próspera do estado. Que o caminho do Rio de Janeiro era muito mais fácil através das estradas do cacau que através do mar, num transatlântico. Que Tabocas era terra de dinheiro e que ele, em poucos meses, havia ganho ali o que não ganharia em anos de advocacia numa capital. Já lhe explicara isso mais de uma vez, sempre que Margot sentia saudades das festas, dos cabarés, dos teatros da Bahia. De certa maneira ele compreendia o sacrifício que a amante estava fazendo. Aquele caso começara quando ele era ainda quartanista. Conhecera Margot numa pensão de mulheres, dormira com ela algumas vezes, não tardou que a mulher se enxodozasse por ele. E quando ele esteve a pique de abandonar os estudos, devido à morte do pai que deixara mal os negócios da família, ela viera lhe oferecer o que possuía e o que ganhava cada noite. Aquele gesto o comovera e, como um chefe político oposicionista lhe conseguiu um emprego na secretaria do partido e um lugar na redação do jornal, ele pudera ficar com Margot só para si. Passou a pagar o quarto dela na pensão, dormia lá todas as noites, saía mesmo com ela para os teatros. Só não vivia publicamente com a amante porque isso seria um escândalo que poderia prejudicar sua carreira. Mas foi no quarto de Margot que, com Juvenal e outros colegas, concebeu toda a campanha acadêmica que faria dele o orador da turma, e junto a ela escreveu o discurso de formatura.

E, quando aconselhado pelo chefe político aceitou o lugar de advogado do partido em Tabocas, perdeu horas para convencer Margot de que devia vir com ele. Ela não queria, achava de menos as festas, a vida e o movimento da Bahia. Sempre acreditara que Virgílio, logo depois de formado, rumaria para o Rio de Janeiro. Também Virgílio pensava o mesmo nos seus dias de acadêmico. Mas os chefes políticos souberam convencê-lo de que, se queria fazer carreira, devia perder uns anos naquelas terras novas do cacau. E veio, apesar de Margot ter declarado que estava tudo terminado entre eles. Fora uma noite dolorosa aquela última noite na Pensão Americana. Ela chorava, abraçada a ele, e o acusava de abandoná-la. Ele dizia que era ela quem o abandonava, não gostava dele. Margot tinha medo:

— Você vai pra lá, vai casar com uma tabaroa rica qualquer, me larga naquelas brenhas... Não vou não...

— Você não gosta é de mim. Se gostasse ia mesmo...

Se possuíram em meio à agonia daquela noite que pensavam ser a última que passavam juntos. E se requintaram no amor, querendo cada um conservar do outro a melhor lembrança.

Ele veio sozinho, mas poucas semanas se passaram e ela chegou inesperadamente, escandalizando Ilhéus com seus vestidos de última moda, com seus chapéus largos, com o rosto pintado. E a noite do reencontro encheu as ruas de Ilhéus de suspiros e ais de amor. Viera com ele para Tabocas e nos primeiros tempos se comportara bem, parecia ter esquecido a vida brilhante e alegre da Bahia, parecia até uma senhora casada, cuidando da roupa dele, dirigindo a comida na cozinha, toda entregue a ele, descuidando um pouco da elegância, deixando os cabelos caírem sobre os ombros sem reclamar contra a falta de cabeleireiros que lhe fizessem os complicados penteados de então.

Não viviam juntos que Virgílio não podia escandalizar o povoado preconceituoso. Ele era advogado de um partido político, tinha responsabilidades. Ela vivia numa casa bonitinha com a amante de um comerciante local. Nessa casa Virgílio passava uma grande parte do dia, por vezes recebia lá mesmo algum constituinte mais apressado, lá comia e dormia, lá redigia os considerandos dos casos que tinha que defender perante a justiça em Ilhéus.

Margot parecia feliz, os vestidos de grandes babados dormiam esquecidos nos armários, quase não falava na Bahia. Mas aos poucos foi se cansando. Aos poucos foi se dando conta de que era mais largo do que ela pensava o tempo que ele devia passar ali. Demais ele, em geral, evitava levá-la a Ilhéus nas suas repetidas viagens, para evitar os comentários maliciosos. E quando ela ia, era noutro trem e na cidade pouco o via. E, o que era pior, o vira mais de uma vez de conversa com moças casadoiras, filhas de fazendeiros ricos. Nesses dias o mundo vinha abaixo, Margot abria a boca em escândalos que comoviam a rua, e nem Virgílio lhe dizer que aquilo era necessário para a sua carreira, nem isso a comovia. Saíam brigados e ela lhe lançava em rosto o sacrifício que estava fazendo por ele, socada ali, naquelas brenhas, quando podia estar na Bahia, vivendo no bom e no melhor, porque não faltava comerciante rico ou político montado na vida que quisesse botar casa para ela. Muitos a haviam convidado, ela deixara tudo para vir atrás dele, feito uma tola.

— Bem que Cleo me dizia que não viesse... Que era essa a paga que você ia me dar...

As brigas terminavam sempre no abrir de uma garrafa de champanhe e no estalar dos beijos na noite de amor delirante. Mas restava depois, cada vez maior dentro de Margot, a saudade da vida boa da Bahia e a certeza de que Virgílio não sairia mais daquelas terras. E o tempo entre as brigas ia diminuindo, agora se sucediam com espaço de poucos dias, por qualquer motivo. Ela se queixava da falta de costureiras, de que ali estava botando seu cabelo a perder, de que estava engordando, de que nem sabia mais dançar de tanto tempo que não dançava.

Nessa tarde a coisa fora mais séria. Ele anunciara que ia a Ilhéus onde se demoraria uns quinze dias ou mais. Margot pulou de contente. Ilhéus afinal era uma cidade, se podia dançar no cabaré de Nhozinho, havia algumas mulheres com quem era possível conversar, não eram só aquelas raparigas imundas de Tabocas, vindas na sua maioria das roças, defloradas pelos coronéis ou pelos capatazes e que caíam na vida no povoado. Mesmo a mulher que vivia com ela, a amante do comerciante, era uma mulata que nem sabia ler, de corpo bonito e de riso idiota, que o filho de um fazendeiro desfrutara e que o comandante tirara da rua do Poço que era a rua de mulheres fáceis. Em Ilhéus havia mulheres que vinham da Bahia e do Recife, havia mesmo mulheres chegadas do Rio de Janeiro, e com elas era possível conversar sobre vestidos e penteados. Margot se alvoroçou toda quando Virgílio anunciou a ida a Ilhéus e a demora na cidade. Correu para ele, o enlaçou pelo pescoço, beijou-o repetidas vezes na boca:

— Que bom! Que bom!

Mas a alegria não durou porque ele lhe avisou que não podia levá-la. Antes mesmo de que ele explicasse por que não a levava, ela já gritava entre soluços e lágrimas:

— Você tem é vergonha de mim... Ou tem alguma outra em Ilhéus... É capaz de estar metido com alguma sem-vergonha. Mas fique sabendo que eu quebro a cara dela, que faço um escândalo que todo mundo vai saber... Você não sabe quem sou eu, ainda não me viu zangada...

Virgílio deixou que ela gritasse e só quando ela parou, apenas as lágrimas corriam dos olhos e os soluços saíam do peito, é que ele começou a explicar, com uma voz que procurava fazer a mais carinhosa possível, por que não a levava. Ia a negócios sérios, não teria tempo para cuidar dela, será que ela não sabia ainda que as coisas estavam se pondo feias entre Horácio e os Badarós por causa da mata do Sequeiro Grande? Ela fez com a cabeça que sim, que sabia. Mas não via naquilo motivo para ele não a levar. E, quanto ao tempo, não tinha importância. Ele não havia de trabalhar a noite toda e era pela noite que a acompanhava ao cabaré quando estavam em Ilhéus.

Virgílio ficou procurando argumentos. Sentia que ela tinha razão e que as desconfianças que vinham na voz dela, nas acusações vagas de que existia outra mulher, que vinham nesse olhar entre raivoso e medroso que ela punha ao fitá-lo, eram certas. Ele não queria levá-la porque ia não só tratar dos interesses de Horácio, como pensava em poder, nesses dias, ter todo o tempo para Ester. Ester não lhe saía da cabeça. Ainda não deixara de ouvir, dia e noite, aquele pedido de socorro que ela murmurara quando o marido estava na varanda:

— Me leve embora... Pra longe daqui...

Virgílio sabia que se Margot fosse a Ilhéus não tardaria a ouvir algum comentário maledicente. E seria um inferno, ela era capaz de um escândalo que inclusive envolvesse a Ester. E Virgílio não sabia colocar juntas, num mesmo pé, Ester e Margot. Esta fora a amante dos tempos de estudante que são tempos de loucura. Ester era o amor descoberto entre as matas, aquele que chega um dia e é mais forte que o mundo. Não queria que ela fosse, estava decidido. Mas não a queria ferir também, ele não sabia magoar uma mulher. Procurava como um desesperado um argumento decisivo. E acreditou encontrá-lo quando disse a Margot que não queria deixá-la em Ilhéus sem poder cuidar dela, tinha ciúme dos outros, a casa de Machadão, onde ela pousava sempre, era a casa de mulheres mais frequentada pelos coronéis de maior fortuna. Era por ciúmes que não a levava. Disse dando à sua voz a maior força de convicção que conseguiu. Margot sorriu por entre as lágrimas, Virgílio se sentiu vitorioso. E esperava poder dar o assunto por terminado, quando ela veio, sentou-se no seu colo e falou:

— Tá com ciúme da tua gatinha? Por quê? Você sabe que eu nem ligo pras propostas que me fazem. Se eu me soquei aqui foi por tua causa, por que havia de te enganar?

Beijou-o muito, agora pedia:

— Leva tua gatinha, meu negro, eu juro que não saio. Só com você pra ir no cabaré. Não saio do quarto, não converso com homem nenhum. Quando você não tiver tempo eu passo o dia trancada...

Virgílio sentiu que estava cedendo. Mudou de tática:

— Também não sei o que é que você acha de tão horroroso em Tabocas que não pode passar dez dias aqui sozinha... Só quer estar metida em Ilhéus...

Ela levantou-se, foi quando apontou a rua:

— É um cemitério...

Falou de novo do erro dele ter se metido ali, sacrificando seu futuro e a vida dela. Virgílio pensou em explicar. Mas compreendeu que não valia mais a pena, naquela hora viu que seu caso com Margot havia chegado ao fim. Desde que conhecera Ester que não tinha olhos para outra mulher. Mesmo na cama, com Margot, não era o mesmo amante de outras noites, sensual, apaixonado pelo corpo dela. Já olhava com certa indiferença os seus encantos, as coxas roliças, os seios de virgem, as invenções que ela sabia para tornar ainda mais saborosa a hora do amor. Agora seu peito era só desejo mas desejo de Ester, dela toda, seus pensamentos e seu corpo, seu coração e seu sexo. Por isso ficou de boca semiaberta naquele gesto de quem ia começar a dizer qualquer coisa. Margot esperava. E como ele não falasse, apenas levantasse a mão como a dizer que não valia a pena, ela voltou à carga:

— Tu me trata como uma escrava. Se toca para Ilhéus, me larga aqui. Depois vem com essa história de ciúme. Conversa fiada. Eu é que sou mesmo besta. Mas agora não vou ser mais... Agora quando vier um com conversa pra meu lado, querendo me levar para Ilhéus e pra Bahia, eu vou dar trela...

Virgílio se irritou:

— Por mim, minha filha, pode dar... Pensa que eu vou morrer?

Ela se enfureceu:

— Eu aqui bancando a tola... Não falta homem atrás da mim... Juca Badaró vive pelo beiço me mandando recado... E eu feito besta por tua causa e tu o que quer é se tocar pra Ilhéus, atrás com certeza de alguma tabaroa rica pra casar pelo dinheiro dela...

Virgílio se levantou, os olhos cheios de raiva:

— Cala a boca...

— Pois não calo. Deve ser isso mesmo. Tu quer é enganar uma tabaroinha qualquer, agarrar o dinheiro dela...

Virgílio virou as costas da mão, bateu com ela na boca da mulher. O sangue correu do beiço partido, Margot olhou assustada. Quis dizer um desaforo mas apenas rompeu em soluços:

— Tu não gosta mais de mim... Tu nunca tinha me tocado...

Ele se comoveu também. E se admirava do seu gesto bruto. Sentia que o clima daquela terra estava penetrando nele também, estava a modificá-lo. Já não era o mesmo homem que chegara meses antes da Bahia, todo gentil, incapaz de pensar em bater numa mulher. Também sobre ele, ser civilizado de outra terra, pesava o clima da terra do cacau. Baixou a cabeça, envergonhado. Olhava a mão com tristeza. Andou para Margot, tirou o lenço, limpou a gota de sangue:

— Me perdoe, minha filha. Perdi a cabeça, é tanto negócio em que pensar que me põe nervoso... E também você falando em me deixar, em Juca Badaró, em ir com outro... Foi sem querer...

Ela soluçava, ele prometeu:

— Não chore mais, eu lhe levo a Ilhéus...

Margot suspendeu a cabeça, já sorria. Pensava que ele lhe batera por ciúmes. Se sentia ainda mais dele, Virgílio era seu homem. Se apoiou nele, estava pequena e terna, toda metida no peito dele. E se encheu de desejo e o arrastou consigo para o quarto.

6

OS GRITOS DOS ALFAIATES ALCANÇARAM O DR. JESSÉ, QUE JÁ IA NA ESQUINA:

— Doutor! Doutor Jessé! Chegue aqui!

Estavam os quatro alfaiates na porta da Tesoura de Paris, a melhor alfaiataria de Tabocas, propriedade de Tonico Borges que, neste momento, segurava as metades de uma calça numa mão e na outra a agulha e a linha. A Tesoura de Paris era não somente a melhor alfaiataria de Tabocas como era também, no dizer de todos, o quartel-general das más-línguas locais. Ali se comentavam todos os fatos, ali se sabia de todos os acontecimentos, se sabia até o que se comia nas casas particulares. Naquele dia a Tesoura de Paris estava alvoroçada com as notícias chegadas de Ferradas na rabada da comitiva de Horácio. Por isso Tonico Borges reclamava aos berros a presença esclarecedora do dr. Jessé.

E quando ele chegou, gordo, baixo e apressado, o chapéu no alto da cabeça, os óculos querendo cair pelo nariz, as botas muito sujas de lama, perguntando o que queriam, um dos alfaiates correu com uma cadeira para ele sentar:

— Esteja a gosto, doutor.

O médico sentou-se, depositou no chão de ladrilhos a sua maleta de ferros. Maleta que era célebre no povoado porque dentro dela o médico levava as mais diversas coisas: desde o bisturi até grãos de cacau seco, desde injeções até frutas maduras, desde vidros de remédio até os recibos a cobrar das casas que possuía para aluguel. Tonico Borges, que havia ido aos fundos da casa, chegou com um grande abacate maduro que ofereceu ao dr. Jessé:

— Guardei isso pro senhor, doutor.

Jessé agradeceu, meteu o abacate entre as inúmeras coisas que abarrotavam a maleta. Os alfaiates cercaram o médico. Puxaram as cadeiras para perto da dele, dali dominavam toda a rua. Dr. Jessé se adiantou:

— Que há de novo?

— O senhor é quem pode contar, doutor — riu Tonico Borges. — O senhor é quem sabe...

— De quê?

— Tão dizendo por aí que a coisa vai se esquentar entre o coronel Horácio e os Badarós... — adiantou outro alfaiate.

— Que Juca Badaró anda recrutando gente... — completou Tonico.

— Isso não é novidade, eu já sabia — falou o médico.

— Mas tem uma coisa que o senhor não sabe... Posso garantir.

— Vamos a ver...

— Que Juca Badaró já tem um agrônomo contratado para fazer a medição das matas do Sequeiro Grande...

— O que está me dizendo? Quem lhe disse?

Tonico fez um gesto cheio de mistério:

— Os filhos da Candinha, seu doutor... O que é que não se sabe em Tabocas? Aqui, quando não se tem o que falar se inventa...

Mas Jessé queria saber:

— Falando sério... Quem disse?

Tonico Borges baixou a voz:

— Foi o Azevedo da loja de ferragens. Foi lá que Juca redigiu o telegrama chamando o homem...

— Isso eu não sabia... Vou mandar um recado pra compadre Horácio hoje mesmo...

Os alfaiates se olharam: a coisa estava feia. Tonico continuou:

— Diz-que o coronel Horácio mandou dona Ester para Ilhéus pra ela não correr perigo na fazenda... Que ele vai entrar pela mata ainda essa semana... Que já fez um contrato com Braz, com Firmo, com José da Ribeira e com Jarde pra divisão da mata... Ele fica com metade e divide a outra metade com os que ajudar ele. É verdade, doutor?

O médico quis negar:

— Pra mim é novidade...

— Doutor... — Tonico Borges entornou os olhos. — Pois se até se sabe que foi o doutor Virgílio quem redigiu o contrato, que está selado e tudo... Ah! que Maneca Dantas também faz parte... Todo mundo já sabe, doutor, é segredo em saco furado...

Dr. Jessé acabou por confessar e confessou também que até ele iria ter um pedaço da mata. Tonico Borges pilheriou:

— Então até o senhor vai pegar no pau-furado, hein, doutor? Já comprou seu Colt trinta e oito? Ou quer um parabélum? Se quer lhe vendo um em bom estado...

Dr. Jessé riu também:

— Já estou muito velho para começar carreira de valente...

Riram todos, a covardia do dr. Jessé era proverbial. E o que espantava era ele ser, apesar disto, um homem respeitado nas terras do cacau. A única coisa que realmente desmoralizava alguém por completo, naquela zona, de Ferradas a Ilhéus, era a covardia. Homem com fama de covarde era homem sem futuro nessas estradas e nesses povoados. Se alguma virtude era exigida a um homem para tentar a vida no sul da Bahia, na época da conquista da terra, essa virtude era a coragem pessoal. Como se aventurar alguém entre jagunços e conquistadores de terra, entre advogados sem escrúpulos e assassinos sem remorso, se não levasse consigo a despreocupação da vida e da morte?

Homem que apanhava sem reagir, que fugia de barulho, que não tinha uma história de valentia para contar, não era levado a sério entre os grapiúnas. Dr. Jessé era a única exceção. Médico em Tabocas, vereador em Ilhéus, eleito por Horácio, sendo um dos chefes políticos da oposição, fora a única pessoa que se sustentara no conceito público apesar de todos o saberem medroso. A covardia do dr. Jessé era proverbial e quando queriam medir a de outro a medida era sempre o médico:

— É quase tão medroso quanto o doutor Jessé...

Ou então:

— É tão covarde que nem parente do doutor Jessé...

Não era, como podia parecer, um boato lançado pelos inimigos políticos do médico. Os seus próprios correligionários não contavam com ele para as horas de barulho. E mesmo eles comentavam pelos botequins e pelas casas de rameiras as histórias que comprovavam a covardia do dr. Jessé.

Num barulho de proporções que houvera em Tabocas entre a gente de Horácio e a gente dos Badarós, por exemplo, se contava que o dr. Jessé havia enveredado por uma casa de mulheres da vida e fora encontrado escondido debaixo da cama. De outra feita, ele discursava durante um *meeting* de propaganda eleitoral, do alto de uma tribuna improvisada no porto de Ilhéus. Fora durante a última campanha eleitoral para renovação do Senado e da Câmara de Deputados. Viera da Bahia, como candidato a deputado da oposição por aquela zona, um rapaz que começava sua carreira política, filho de um ex-governador do Estado. O rapaz viera fazer sua propaganda com muito medo. Lhe haviam contado brabezas dessa terra e ele temia receber um tiro ou uma punhalada. Horácio mandou cabras para Ilhéus para garantir o comício. Os cabras cercaram a tribuna, os revólveres nos cintos, prontos para tudo. Os homens dos Badarós se haviam distribuído entre a multidão curiosa de ouvir o moço da Bahia que tinha fama de bom orador. Primeiro falou o dr. Rui, meio bêbedo como sempre, e meteu o pau no governo federal. Depois discursou o dr. Jessé a quem cabia fazer a apresentação do candidato aos eleitores. E, por fim, chegou a vez do visitante. Este andou mais para a frente da tribuna, uma pequena tribuna improvisada com tábuas de caixões velhos, que balançava sob o peso dos oradores. Tossiu para chamar a atenção, o silêncio era completo, começou:

— Senhoras, senhores e senhoritas... Eu...

Não pôde dizer mais nada. Como não havia nem senhoras nem senhoritas um gaiato gritou:

— Senhorita é a mãe...

Riram, outros pediam silêncio. O orador falou em "má-educação". Os cabras dos Badarós se aproveitaram do zum-zum para começar o tiroteio, logo respondido pelos homens de Horácio. Dizem que então, quando o moço candidato quis se meter debaixo da tribuna para fugir às balas que se cruzavam, já a encontrara ocupada pelo dr. Jessé, que não só não lhe fez lugar, como lhe disse:

— Se o senhor não quer ficar desmoralizado volte pra seu lugar. Aqui só eu tenho o direito de me esconder porque sou covarde de tradição...

E, como o rapaz não concordasse e quisesse, à força, se meter sob a tribuna, embolaram os dois na disputa do esconderijo. Segundo consta esta foi a única vez que dr. Jessé brigou. E algumas pessoas que estavam próximas, e puderam apreciar a briga, a narravam sempre como a coisa mais cômica a que haviam assistido, direitinho uma briga de mulheres, um arranhando a cara do outro.

Tonico Borges puxou a cadeira, acercou-se mais ao médico:

— Sabe quem chega de hoje para amanhã?

— Quem é?

— O coronel Teodoro... Diz-que tá juntando homem na fazenda pra entrar aqui...

Dr. Jessé se assustou:

— Teodoro? O que é que vem fazer?...

Tonico não sabia:

— Só sei que vem com muito jagunço... O que vem fazer não sei. Mas é ter coragem, hein, doutor?

Outro alfaiate completou:

— Olhe que entrar em Tabocas, com tanta gente do coronel Horácio aqui... E depois de ter dado uma resposta daquelas... Como foi mesmo, Tonico?

Tonico sabia de memória:

— Diz-que ele respondeu ao coronel Maneca: "Diga a Horácio que eu não me junto com gente da laia dele, que não trato com tropeiro".

Comentavam a resposta que Teodoro dera a Maneca Dantas quando este o fora convidar em nome de Horácio para se aliarem na conquista da mata do Sequeiro Grande. Dr. Jessé se admirou:

— Também vocês sabem tudo... Aqui se corta a vida de todo mundo, não escapa ninguém...

Um dos alfaiates riu:

— Pois se é a diversão da terra, doutor...

Tonico Borges queria saber se havia alguma ordem de Horácio em relação a Teodoro, se ele chegasse a entrar em Tabocas:

— Não sei... Não sei de nada... — e o médico pegou a maleta e se levantou apressado. Parecia ter se lembrado de repente de algo urgente a fazer.

Tonico Borges, antes que ele saísse, lançou o último boato:

— Diz-que, doutor, o doutor Virgílio tá se derretendo pro lado de dona Ester...

Jessé ficou sério, respondeu já com o pé na porta:

— Se você quer um conselho de um homem que vive nessa zona vai fazer vinte anos, ouça: fale mal de tudo, das mulheres de todo mundo, fale mal de toda a gente, fale mal mesmo de Horácio, mas nunca fale da mulher dele. Porque se ele chegar a saber eu não dou um real pela sua vida. É conselho de amigo...

E arribou, deixando Tonico Borges branco, pálido de medo. Comentou para os outros:

— Será que ele conta ao coronel Horácio?

E, apesar dos outros haverem achado que não, que dr. Jessé era um homem bom, Tonico não descansou enquanto não pôde ir ao consultório do médico a lhe rogar que não "contasse nada ao coronel, que aquela história lhe fora contada pela mulher que vivia com Margot e que tinha assistido uma discussão entre Virgílio e a amante por causa de uma outra zinha, que ela pensava que fosse dona Ester".

— Isso é uma terra desgraçada, doutor, se fala de todo mundo — concluiu. — Não escapa ninguém... Mas minha boca agora tá fechada a cadeado. Não dou nem um pio. Só tinha falado mesmo ao senhor.

Dr. Jessé o sossegou:

— Vá descansado, Tonico. Por mim Horácio não vai saber nada... Agora, o melhor que você faz é se calar. A não ser que esteja querendo se suicidar...

Abriu a porta, Tonico saiu, entrou uma mulher. Dr. Jessé custou a encontrar, na confusão da maleta, o aparelho para auscultar o peito da doente.

Na sala de espera do consultório homens e mulheres conversavam. Uma mulher que estava com uma criança pela mão, ao ver Tonico Borges, largou a sua cadeira, se aproximou do alfaiate. Vinha sorrindo:

— Como vai, seu Tonico?

— Vou indo, dona Zefinha. E a senhora?

Ela nem respondeu. Queria era contar.

— O senhor já soube do escândalo?

— Que escândalo?

— Que o coronel Totonho do Riacho Doce largou a família pra ir atrás de uma rapariga, uma sirigaita da Bahia? Embarcou com ela, no trem, na vista de todo mundo...

Tonico Borges fez um gesto de enfado.

— Isso é velho, dona Zefinha. Agora garanto que a senhora não sabe é da novidade...

A mulher se abriu em curiosidade, esticou o corpo todo, nervosa:

— Qual, seu Tonico?

Tonico Borges duvidou um momento. Dona Zefinha esperava numa ânsia:

— Conte logo...

Ele espiou para todos os lados, puxou a mulher mais para longe da sala, baixou a voz.

— Tão dizendo por aí que o doutor Virgílio...

Sussurrou o resto no ouvido da velha. Esta explodiu em exclamações de surpresa:

— Será possível? Quem havia de dizer, hein?

Tonico Borges pediu:

— Eu não lhe disse nada, hein... Só contei por ser a senhora...

— Ora, seu Tonico, o senhor sabe que minha boca é um cofre... Mas quem havia de dizer, hein? Parecia uma mulher direita...

Tonico Borges desapareceu na porta. Dona Zefinha voltou à sala, examinou com os olhos os clientes que esperavam. Não havia ninguém que valesse a pena. Então decidiu deixar a injeção do neto para o dia seguinte. Deu boas-tardes aos demais, disse que estava ficando tarde e ela não podia esperar mais, tinha hora marcada no dentista. Saiu arrastando a criança. O boato queimava-lhe a língua, ia alegre como se tivesse ganho um bilhete de loteria. Tocou-se a toda pressa para a casa das Aventinos, três solteironas que moravam perto da igreja de São José.

7

DR. JESSÉ EXAMINAVA O HOMEM, BATEU-LHE MAQUINALMENTE NO PEITO e nas costas, encostou o ouvido, mandou que ele dissesse trinta e três. Em verdade estava muito longe dali, o pensamento em outras coisas. Naquele dia o consultório havia estado cheio. Era sempre assim... Quando ele tinha pressa o consultório se enchia de gente que não tinha nada, que vinha só tomar-lhe tempo. Mandou que o homem se vestisse, rabiscou uma receita:

— Mande preparar na Farmácia São José... Lá, vão lhe fazer mais barato... — isso não era verdade, porém a Farmácia São José era de um correligionário político, enquanto que a Primavera era de um eleitor dos Badarós.

— Nada de grave, doutor?

— Nada. Esse catarro é mesmo das chuvas na mata... Tome esse remédio, vai ficar bom. Volte com quinze dias...

— Não vou poder não, seu doutor. Não vê que é um custo poder sair da roça pra dar um pulo aqui? Trabalho muito longe...

Dr. Jessé queria encurtar a conversa:

— Bem, venha quando puder... Você não tem nada de sério.

O homem pagou, o médico empurrou-o até a porta. Ainda atendeu a outro, um trabalhador velho, pés descalços, camisa de bulgariana, que vinha em busca de um remédio para a mulher que "tinha uma febre que ia e vinha, todos os meses derrubava a pobre na cama". Enquanto o homem contava sua história comprida, dr. Jessé pensava no que ouvira na alfaiataria. Duas notícias desagradáveis: primeiro aquela da próxima vinda de Teodoro a Tabocas. Que diabo ele viria fazer? Devia desconfiar que Tabocas não era bom lugar para a saúde dele. Mas Teodoro era homem de coragem, amigo de fazer estrepolias. Se vinha a Tabocas, era com certeza para fazer alguma coisa malfeita. Dr. Jessé precisava mandar avisar a Horácio, que estava em Ilhéus. O pior é que o trem já havia saído, só podia mandar o recado no dia seguinte. Em todo caso falaria com o dr. Virgílio nesse mesmo dia. E então se lembrou da segunda notícia: estavam comentando no povoado que o dr. Virgílio se derretia para o lado de comadre Ester (ela e Horácio eram padrinhos de um filho do dr. Jessé, que tinha nove, uma escadinha de crianças, cada uma mais velha que a outra um ano). Dr. Jessé pensava no caso. Relembrava. Ester passara quatro dias em Tabocas, enquanto esperava que Horácio resolvesse uns negócios e a pudesse acompanhar a Ilhéus. E durante esses quatro dias Virgílio havia aparecido muito em casa do médico, onde o coronel estava hospedado. Ficava um tempo enorme na sala conversando com Ester e riam os dois. Ele mesmo, Jessé, pegara as criadas comentando. O diabo fora aquela festa na casa de Resende, um comerciante cuja mulher aniversariava. Oferecera uma mesa de doces, e como havia piano na casa e moças que tocavam, tinham improvisado um arrasta-pé. Em Tabocas mulher casada não dançava. Mesmo em Ilhéus quando alguma mais moderna dançava, era com o marido. Daí o escândalo quando Ester saiu dançando com Virgílio. Dr. Jessé se lembrava que Virgílio pedira licença a Horácio para dançar com ela e o coronel dera, orgulhoso de ver a esposa brilhar. Mas o povo não sabia disso e comentava. Esse era um assunto feio. Tão feio ou mais que o da vinda de Teodoro. Dr. Jessé coça a cabeça. Ah! se Horácio chegasse a saber dessas murmurações... A coisa ia ser braba... O cliente que já terminara de contar as dificuldades de sua mulher e que esperava em silêncio o diagnóstico do médico, falou:

— Vosmicê não acha que é maleita, seu doutor?

Dr. Jessé o olhou espantado. Tinha se esquecido dele inteiramente. Fez com que o homem repetisse uns detalhes, esteve de acordo:

— É impaludismo, sim.

Receitou quinino. Recomendou a Farmácia São José mas seu pensamento já estava de novo nas complicações da vida de Tabocas. As más-línguas — e quem não era má-língua em Tabocas? — estavam tomando conta da vida de Ester. Mau negócio. Para aquela gente não havia mulher casada que fosse honesta. E não havia nada que Tabocas gozasse tanto como um escândalo ou uma tragédia passional. E ainda por cima a notícia de que Teodoro ia entrar no povoado. Que diabo vinha fazer?

Dr. Jessé vestiu o paletó. Visitou dois ou três doentes, em todas as casas o comentário obrigatório era os barulhos que se avizinhavam por causa da mata do Sequeiro Grande. Todos queriam notícias, o médico era íntimo de Horácio, era quem bem podia saber. Depois Jessé foi ao grupo escolar. Ele o dirigia desde um governo anterior, quando o seu partido estava por cima. Nunca fora demitido, seria um escândalo demasiado grande, já que ele fizera construir o prédio novo do grupo e era muito apoiado pelas professoras. Entrou pelo pátio, atravessou uma sala. Esqueceu tanto a Ester como a Teodoro. Esqueceu também a mata de Sequeiro Grande. Agora estava pensando era na festa que o grupo escolar preparava para comemorar o "Dia da Árvore", daí a dois dias. Os meninos que corriam pelo pátio se atrapalhavam nas pernas curtas do médico. Ele segurou dois ou três, mandou que procurassem a subdiretora e a professora de português. Atravessou mais uma sala de aula, os meninos se levantaram à sua passagem. Fez sinal para que se sentassem, saiu noutra sala. A subdiretora e umas quantas professoras já o esperavam.

Sentou-se, pôs o chapéu e a maleta em cima de uma mesa. Puxou o lenço e limpou o suor que escorria no rosto gordo.

— O programa já está feito... — informou a subdiretora.

— Vamos ver...

— Primeiro temos a sessão aqui. Discurso...

— O doutor Virgílio não pode falar porque vai amanhã pra Ilhéus a negócio do coronel Horácio... Fala mesmo Estanislau... — Estanislau era um professor particular, orador obrigatório de quanta festa havia em Tabocas. Em cada discurso repetia, sobre qualquer acontecimento, os mesmos tropos de retórica e as mesmas imagens. Havia em Tabocas quem já soubesse de cor o "discurso de Estanislau".

— Que pena... — lastimou uma professora magrinha, que era admiradora do dr. Virgílio. — O doutor fala tão bem e é tão bonito...

As outras riram. Dr. Jessé limpava o suor:

— Que é que eu posso fazer?

A subdiretora continuou seu informe:

— Pois bem: primeiro sessão solene no grupo. Discurso do professor Estanislau (corrigiu o nome no papel que lia). Depois declamação pelos alunos. Por último cantarão todos em coro o "Hino da árvore". Em seguida formatura e marcha até a praça da matriz. Aí, plantio de um cacaueiro, discurso do doutor Jessé Freitas e poesia da professora Irene.

O médico esfregou as mãos:

— Muito bem, muito bem.

Abriu a maleta, extraiu dela umas folhas de papel almaço cortadas pela metade, ao comprido. Era o seu discurso. Começou a ler para as professoras. Aos poucos foi se entusiasmando, se levantou, lia agora com todos os gestos, a voz firme e eloquente. A meninada se juntou na porta da sala e, apesar dos repetidos "psius" da subdiretora, não manteve silêncio. Ao dr. Jessé pouco importava. Estava embriagado pelo seu discurso e lia com ênfase: "A árvore é um presente de Deus aos homens. É nosso irmão vegetal, que nos dá sua sombra fresca, sua fruta gostosa, sua madeira tão útil para a construção de móveis e outros objetos de conforto. Com troncos de árvores foram construídas as caravelas que descobriram o nosso idolatrado Brasil. As crianças devem amar e respeitar as árvores".

— Muito lindo... Muito lindo... — aplaudiu a subdiretora.

As professoras comentavam:

— Uma beleza...

— Vai fazer sucesso...

Dr. Jessé suava por todos os poros. Passou o lenço na cara, deu um berro com os meninos que ainda se demoravam na porta e que saíram em disparada. Sentou-se de novo:

— Tá bom, hein? E escrevi de repente, ontem de noite... Esses dias passados não pude porque o compadre e a comadre estavam em casa, eu tinha que fazer sala...

— Dizem que para dona Ester não era preciso — falou uma professora. — Que o doutor Virgílio fazia o dia todo...

— Também se fala de tudo... — protestou a professora magra. — Terra atrasada é assim mesmo... — ela viera da Bahia e não se acostumava com Tabocas.

Outra professora, que era grapiúna, se sentiu ofendida:

— Pode ser atrasada para quem quer chamar descaração de progresso. Se é progresso ficar no portão até dez horas da noite agarrada com rapazes, então, graças a Deus, Tabocas é muito atrasada mesmo.

Era uma alusão a um namoro da professora com um rapaz, também da Bahia, empregado de uma casa exportadora, namoro escandaloso que toda Tabocas comentava. A professorinha reagiu:

— Isso é comigo? Pois bem, namoro como quero, fique sabendo. E não dou ousadia pra ninguém. A vida é minha, pra que se metem? Converso até a hora que bem quiser... Prefiro isso a ficar solteirona como você... Não nasci pra vitalina.

Dr. Jessé se meteu:

— Calma, calma... Tem coisas de que se fala com razão, mas tem coisas que exageram sem motivo. Então só porque um moço visita uma senhora casada e lhe empresta uns livros pra ler, já é para se fazer escândalo? Isso é atraso, sim...

Todas concordaram que era atraso. Aliás, segundo a subdiretora, não se dizia nada de mais. Só se notava a insistência do advogado em ficar quase o dia inteiro na casa do médico, conversando na sala com dona Ester. A professora que protestara quando a outra falou do atraso de Tabocas acrescentou que "esse doutor Virgílio não respeitava mesmo as famílias de Tabocas. Tinha uma mulher da vida habitando numa rua de famílias e era um escândalo toda vez que se despediam. Ficavam aos beijinhos na porta da rua, toda a gente vendo". As professoras riram muito excitadas. O próprio dr. Jessé pediu detalhes. A professora moralista, que morava perto de Margot, se estendeu:

— É uma imoralidade. A gente até peca, como eu já disse ao padre Tomé. Peca sem querer. Peca com os olhos e os ouvidos. Pois a tal mulher chega na porta vestida com uma bata meio aberta na frente, quase nua, e se agarra no pescoço do doutor Virgílio e ficam que nem cachorro a se beijarem e a dizerem coisas.

— Que é que dizem? — quis saber a baiana, seu corpo magro se movendo em gestos nervosos, os olhos num espasmo ao ouvir aquela descrição. — Que é que dizem?

A professora se vingou:

— E não é atraso contar?

— Deixe de ser tola... O que dizem?

— É "meu cachorrinho" pra cá, "minha gatinha" pra lá... "Meu cãozinho de luxo" — abaixou a voz, cobriu o rosto com vergonha do médico —, "minha eguinha puladora".

— O quê? — fez a subdiretora ruborizada.

— Assim mesmo... Uma imoralidade...

— E numa rua de famílias... — reclamou outra.

— Pois é. Ao meio-dia vem até gente de outras ruas pra assistir. É um teatro... — disse, resumindo tudo.

Dr. Jessé bateu com a mão na testa, se recordando:

— O teatro... Hoje é dia de ensaio e eu nem me lembrava... Tenho que comer mais cedo, senão vai atrasar tudo.

Saiu correndo pelo grupo escolar, agora já deserto de crianças, o silêncio pelos pátios e pelas salas de aulas. Só a voz das professoras comentando a vida do dr. Virgílio ainda se prolongava até a porta da rua:

— ...uma indecência...

Dr. Jessé comeu às pressas, respondeu à pergunta da esposa sobre a saúde de Ribeirinho, um cliente amigo, puxou as orelhas de um dos filhos, se tocou para a casa de Lauro onde ia ensaiar o Grupo de Amadores Taboquenses, que tinha uma representação marcada para breve. Já circulava pelo povoado e até por Ferradas um volante anunciando:

Sábado, 10 de junho
Teatro São José
será levada à cena a importante peça em
quatro atos, intitulada:

>VAMPIROS SOCIAIS<

aguardem programas
pelo Grupo de Amadores Taboquenses
SUCESSO! SUCESSO! SUCESSO!

Havia a política, havia a família, havia a medicina, havia as roças e as casas para alugar, havia o grupo escolar, havia tudo isso com que se preocupar, mas a grande, a real paixão do dr. Jessé Freitas era o Grupo de Amadores Taboquenses. Levara anos ideando a sua fundação. Sempre surgiam dificuldades. Primeiro teve que vencer, com encarniçada luta, a recusa das moças locais a tomarem parte numa representação teatral. E só a vencera porque chegara a Tabocas, vinda do Rio, onde estudava, a filha de um comerciante rico. Esta é que animara a mais algumas a "deixarem de besteiras" e a entrarem para o grupo de amadores. Mas ainda assim dr. Jessé tivera que conseguir autorização dos pais e não fora fácil. Quando conseguia era sempre acompanhada do final comentário materno:

— Só deixo porque é o senhor quem pede, doutor...

Outras recusavam peremptoriamente:

— Esse negócio de teatro não é para moça direita...

Mas, afinal, o grupo se formara, e representara a primeira peça, um drama escrito pelo professor Estanislau: *A queda da Bastilha*. Foi um sucesso enorme. As mães das artistas não cabiam em si de orgulho. Houve até algumas que brigaram na discussão sobre qual das filhas representara melhor. E dr. Jessé começou a ensaiar outra peça, essa sua, de caráter histórico nacional, sobre Pedro II. Foi representada em benefício das obras da matriz, quando esta ainda se estava construindo. Apesar de que a representação teve que lamentar um incidente surgido entre dois artistas em cena, foi também um êxito, que solidificou definitivamente o prestígio do Grupo de Amadores Taboquenses. O grupo passara a ser um orgulho de Tabocas, e cada vez que um habitante do povoado ia a Ilhéus não deixava de falar nos Amadores para ferir os habitantes da cidade que, se bem tivessem um bom teatro, não tinham nenhum grupo de artistas. O sonho atual do dr. Jessé era levar o grupo a Ilhéus, dar ali uma representação. Contava com o sucesso de *Vampiros sociais*, peça que ele também escrevera, para convencer as mães de permitirem que as suas filhas fossem representar na cidade vizinha.

Ensaiou largas horas. Fazia as moças e os rapazes repetirem os gestos longos, a voz trêmula, a declamação afetada. Aplaudia a um, reclamava com outro, suava pelo rosto todo e estava feliz.

Só quando saiu do ensaio se lembrou novamente da mata do Sequeiro Grande, de Teodoro, de Ester, de dr. Virgílio. Pegou a maleta onde os originais da peça se misturavam com medicamentos e correu para a casa do advogado. Mas este estava em casa de Margot e dr. Jessé se tocou para lá.

O sino da igreja bateu as nove horas e as ruas estavam desertas. Os "amadores" se recolhiam, as mães acompanhando as filhas. Um bêbedo falava sozinho numa esquina. Num botequim, homens discutiam política. Mais que os lampiões de querosene, a lua cheia iluminava a rua.

Dr. Virgílio estava em pijama. A voz de Margot vinha do quarto querendo saber quem era. Dr. Jessé descansou a maleta numa cadeira da sala:

— Consta que o coronel Teodoro vem aí. O senhor avise ao compadre Horácio. Ninguém sabe o que é que ele quer aqui...

— Fazer arruaça, na certa...

— E há uma coisa mais grave.

— Diga.

— Dizem que Juca Badaró mandou chamar um agrônomo para medir a mata do Sequeiro Grande e tirar um título de propriedade...

Dr. Virgílio riu, satisfeito de si mesmo:

— Pra que é que eu sou advogado, doutor? A mata já está registrada, com medição e tudo, no cartório de Venâncio como propriedade do coronel Horácio, de Braz, de Maneca Dantas, da viúva Merenda, de Firmo, de Jarde e... — levantou a voz — do doutor Jessé Freitas... O senhor tem que ir lá amanhã assinar...

Explicou o caxixe, a cara do médico se abriu num sorriso:

— Parabéns, doutor... Essa é de mestre...

Virgílio sorriu modesto:

— Custou dois contos de réis convencer o escrivão. O mais foi fácil. Vamos ver agora o que eles fazem. Vão chegar tarde...

Dr. Jessé ficou um momento silencioso. Era um golpe de mão cheia. Horácio se adiantara aos Badarós, agora era legalmente dono da mata. Ele e os seus amigos, entre os quais o dr. Jessé. Esfregou as mãos gordas uma na outra:

— Trabalho bem-feito... Não há outro advogado aqui como o senhor... E, com essa, vou saindo, vou deixar os dois — apontava para o quarto onde Margot esperava — sozinhos... Isso não são horas de conversar... Boa noite, doutor.

Quando chegara vinha pensando em falar com Virgílio sobre os comentários que andara ouvindo sobre ele e Ester. Pensava em lhe aconselhar mesmo a, em Ilhéus, não procurar muito a casa de Horácio. Na cidade as línguas eram tão maliciosas quanto no povoado. Mas agora não dizia nada, tinha medo de ofender o advogado, de o magoar. E hoje, por nada desse mundo, Jessé queria magoar o dr. Virgílio, que dera um golpe tão sério nos Badarós.

Virgílio o acompanhou até a porta. Dr. Jessé desceu rua abaixo, não encontrava ninguém no seu caminho a quem dar a notícia, alguém de confiança. Legalmente os Badarós estavam perdidos. O que é que podiam fazer agora? Chegou até o botequim. Espiou da porta. Um dos homens que bebia perguntou:

— Procura alguém, doutor?

Ali tampouco havia quem merecesse tomar conhecimento de tamanha notícia. Respondeu com uma pergunta:

— Sabe onde anda Tonico Borges?

— Já foi dormir — informou um. — Encontrei faz pouco com ele, ia pros lados da casa da rapariga...

Dr. Jessé fez uma careta de contrariedade. Tinha que guardar a grande notícia até o dia seguinte. Continuou a andar, com seu passo ligeiro e curto de homem gordo. Mas, antes de chegar em casa, ainda parou um momento para reconhecer de quem era o cacau trazido por uma tropa de uns quinze burros que entrava povoado adentro, num chocalhar de guizos, a voz do tropeiro despertando os vizinhos:

— Xô, burro desgraçado! Toca pra frente, Canivete.

8

O HOMEM CHEGOU AFOBADO NA LOJA DE FERRAGENS:

— Seu Azevedo! Seu Azevedo!

O empregado atendeu:

— Seu Azevedo está lá dentro, seu Inácio.

O homem entrou loja adentro. Seu Azevedo fazia contas repassando as folhas de um grande livro. Voltou-se:

— Que é que há, Inácio?

— O senhor ainda não sabe?

— Diga logo, homem... Coisa séria?

Inácio tomou fôlego. Viera quase correndo.

— Acabei de saber agorinha mesmo. Vosmicê não imagina, vai cair de costas.

Seu Azevedo largou o lápis, o papel e o livro de vendas a crédito. Esperou com impaciência.

— É o maior caxixe que já vi falar... Doutor Virgílio molhou as mãos de Venâncio e registrou no cartório dele um título de propriedade das matas de Sequeiro Grande em nome do coronel Horácio e mais cinco ou seis: Braz, doutor Jessé, coronel Maneca, não sei mais quem.

Seu Azevedo se levantou na cadeira:

— E a medição? Quem fez? Não vale esse registro...

— Tá tudo legal, seu Azevedo. Tudo legalzinho, sem faltar uma vírgula. O moço é um advogado bamba. Arranjou tudo direitinho. A medição já havia, uma velha que tinha sido mandada tirar faz muito tempo pelo finado Mundinho de Almeida quando andou abrindo roça pra aqueles lados. Nunca chegou a se registrar porque o coronel Mundinho esticou as canelas. Mas Venâncio tinha o documento da medição...

— Não sabia disso...

— Não se alembra que o coronel Mundinho até mandou buscar um agrônomo na Bahia para fazer a medição e veio um barbudo, cachaceiro como ele só?

— Agora, sim, me lembro.

— Pois doutor Virgílio desencavou a medição, o resto foi fácil, foi só fazer uma rasura nos nomes e registrar tudo no cartório. Diz por aí que Venâncio recebeu dez contos pelo trabalho...

Seu Azevedo sabia dar valor à informação:

— Inácio, muito obrigado, esse é um favor que eu não vou esquecer. Você é um amigo direito. Agora mesmo vou comunicar a Sinhô Badaró. E ele é reconhecido, você sabe...

Inácio sorriu:

— Diga ao coronel Sinhô que eu tou à disposição dele... Pra mim não há outro chefe nessa zona. Eu soube do acontecido vim direitinho aqui...

Se despediu, seu Azevedo ficou um momento matutando. Depois tomou da pena, se debruçou sobre a mesa, escreveu com sua letra difícil uma carta a Sinhô Badaró. Mandou o empregado chamar um homem. Este chegou minutos depois. Era um mulato escuro, descalço mas de esporas, um revólver saindo por baixo do paletó rasgado:

— Às ordens, seu Azevedo...

— Militão, você vai montar no meu cavalo e tocar a toda pra fazenda dos Badarós, entregar essa carta a Sinhô. De minha parte. É de toda urgência.

— Vou por Ferradas, seu Azevedo?

— Por Ferradas, é muito mais perto...

— Diz-que há ordem do coronel Horácio de não deixar homens dos Badarós passar por lá...

— Isso é conversa... Ou é que você tá com medo?

— Vosmicê já me viu com medo? Só queria saber...

— Pois então. Sinhô vai lhe recompensar bem pois é uma notícia importante...

O homem recebeu a carta. Antes de sair em busca do cavalo, perguntou:

— Tem resposta?

— Não.

— Entonces até mais ver, seu Azevedo.

— Boa viagem, Militão.

Da porta o homem voltou a cabeça:

— Seu Azevedo!

— O que é?

— Se eu ficar na estrada, por Ferradas, vosmicê olhe por minha mulher e meus filhos...

9

DON'ANA BADARÓ NA VARANDA DA FAZENDA CONVERSAVA COM O HOMEM que acabara de desmontar:

— Foi a Ilhéus, Militão. Só volta daqui a três dias...

— E seu Juca?

— Também não está... É coisa urgente?

— Penso que é, sinhá-dona. Seu Azevedo mandou que eu me tocasse sem parar, que cruzasse por Ferradas por ser mais perto... E Ferradas tá em pé de guerra...

— Como você fez?

— Cortei por detrás do lazareto, ninguém me viu...

Don'Ana rodava a carta na mão. Tornou a perguntar:

— Será coisa urgente?

— Acho que é, sinhá-Don'Ana. Seu Azevedo me disse que era de muita importância e de muita pressa. Até me mandou no cavalo dele.

Don'Ana se decidiu, abriu a carta, decifrou as garatujas de Azevedo. Seu rosto se fechou:

— Bandidos!

Ia entrando com a carta na mão. Mas lembrou-se do portador:

— Militão, sente aqui na varanda. Vou lhe mandar uma pinga...

Gritou:

— Raimunda! Raimunda!

— O que é, madrinha?

— Sirva uma cachaça a seu Militão aqui na varanda...

Entrou para a sala, andou de um lado para outro, parecia um dos irmãos Badarós quando estes pensavam ou discutiam. Terminou por sentar na cadeira alta de Sinhô, o rosto fechado na preocupação da notícia. O pai e o tio estavam em Ilhéus e esse era um caso que não podia esperar. Que devia fazer? Mandar a carta pro pai? Só chegaria em Ilhéus no dia seguinte, tudo se demoraria. De repente lembrou-se, levantou, voltou para a varanda. Militão bebia seu cálice de cachaça.

— Tá muito cansado, Militão?

— Não, sinhá. Foi uma corridinha. Oito léguas pequenas...

— Então você vai montar de novo e dar um pulo nas Baraúnas. Vai levar um recado meu pro coronel Teodoro. Diga a ele que venha aqui conversar comigo imediatamente. E você volte com ele...

— Às ordens, sinhá Don'Ana.

— Que ele venha logo que possa. Que é coisa séria...

Militão montou. Acariciou o cavalo, se despediu:

— Boa tarde, sinhá...

Ela ficou da varanda olhando o homem que partia. Estava tomando responsabilidades. Que diria Sinhô quando soubesse? Voltou a ler a carta de seu Azevedo e concluiu que tinha feito bem em mandar chamar Teodoro. Murmurou mais uma vez:

— Bandidos! E esse advogadozinho... Merece um tiro...

O gato veio e se enroscou nas suas pernas. Don'Ana baixou a mão e o acariciou suavemente. Seu rosto não tinha nenhuma dureza, era um pouco melancólico, os fundos olhos negros, a boca de lábios sensuais. Vista assim na varanda, Don'Ana Badaró parecia uma tímida menina do campo.

10

NO GRUPO ESCOLAR TUDO ANDOU MUITO BEM. DR. JESSÉ TINHA conseguido que alguns comerciantes fechassem suas lojas e armazéns para comemorar o Dia da Árvore. No grupo escolar, onde o professor Estanislau lera seu discurso e uns meninos declamaram, havia pouca assistência além das professoras e das crianças, mas a praça da matriz estava cheia. No grupo dr. Jessé presidiu a sessão, os meninos lhe ofereceram um ramalhete de flores. Marcharam para a praça onde já esperavam os dois colégios particulares da localidade: o de Estanislau e o de dona Guilhermina, professora célebre pela rudeza com que tratava seus discípulos. Dr. Jessé marchava na frente do grupo, empunhando seu ramalhete de flores.

A praça estava repleta de gente. Mulheres com os vestidos de festa, moças que espiavam os namorados, alguns comerciantes, os empregados das casas que haviam fechado naquele dia. Todos queriam aproveitar a inesperada diversão surgida no ritmo triste da vida de Tabocas. O grupo formou defronte dos colégios particulares. O professor Estanislau, que tinha uma velha diferença com dona Guilhermina, se aproximou dos seus alunos para lhes impor silêncio. Desejava que eles se comportassem pelo menos tão bem como os da rival, que estavam sérios e calados sob o olhar de bruxa da mestra. Junto a um buraco recentemente aberto, no meio da praça, haviam colocado um cacaueiro novo, de pouco mais de um ano. Era a árvore para ser plantada na solenidade. O subdelegado viajara, os Badarós o haviam chamado a Ilhéus, e por isso a força policial — oito soldados — não comparecera. Mas a Euterpe 3 de Maio — que fora fardada com dinheiro de Horácio — estava presente com seus instrumentos musicais. E foi a ela que coube iniciar o ato, tocando o hino nacional. Os homens tiraram os chapéus, fez-se silêncio. Os meninos dos três colégios cantaram a letra. O sol queimava de tão quente. Alguns homens abriam guarda-sóis para se resguardar.

Quando a música terminou, dr. Jessé chegou bem para o centro da praça e começou seu discurso. De todos os lados pediam silêncio. As professoras iam entre os alunos reclamando ordem e menos barulho. Mas não obtinham grandes resultados. Só havia mesmo silêncio entre os discípulos de dona Guilhermina, que se mantinha rígida, as mãos cruzadas na frente, metida num vestido branco, engomado e duro. Quase ninguém conseguia ouvir o que dr. Jessé dizia e pouca gente o conseguia ver, pois como não haviam armado tribuna ele discursava mesmo do chão. Ainda assim, quando ele acabou, aplaudiram muito. Alguns cavalheiros vieram cumprimentá-lo. Ele apertava as mãos, que lhe eram estendidas, modesto e comovido. Foi o primeiro a reclamar silêncio para que pudessem ouvir a poesia da professora Irene. A voz fraca da professora se esganiçou nos versos:

Bendita seja a semente que fecunda a terra...

Os meninos chamavam os vendedores de queimados quase aos gritos. Riam, conversavam, discutiam, trocavam pontapés. As professoras prometiam castigos para o dia seguinte. A professora Irene suspendia um braço, baixava, suspendia o outro:

Árvore bendita que dá sombra e fruta...

O tropel dos cavalos aumentou e eles irromperam na praça da matriz. Era o coronel Teodoro das Baraúnas, à frente de doze homens armados. Entraram dando uns tiros para o ar, os cavalos pisando o capim da praça. Teodoro atravessou entre os colégios, os meninos corriam, corriam as mulheres e os homens. Parou bem em frente ao grupo reunido em torno à árvore. A professora Irene engoliu o verso que ia dizer, ainda estava com o braço levantado. Teodoro tinha um revólver na mão:

— Que fuá é esse? Tão plantando uma roça aqui na praça?

Jessé explicou a comemoração em palavras trêmulas. Teodoro riu, pareceu concordar:

— Então plantem logo. Quero ver...

Apontou o revólver, os cabras chegaram mais para perto, seguravam as repetições. Jessé e mais dois homens plantaram o cacaueiro. É verdade que a cerimônia foi muito diversa da que o dr. Jessé imaginara. Não tivera mesmo solenidade nenhuma, apenas empurraram às pressas o cacaueiro dentro do buraco, cobriram-no com a terra que se acumulava ao lado. Restava pouca gente na praça, a maioria correra.

— Já está? — perguntou Teodoro.

— Já...

— Agora vou orvalhar ele... — riu Teodoro.

E, de cima mesmo do cavalo, abriu a braguilha, puxou o sexo, urinou em cima do cacaueiro. Mas não acertava direito, a urina respingava em todo mundo. A professora Irene tapou os olhos com a mão. Antes de acabar Teodoro deu um jeito com a mão, o resto da urina caiu em cima do dr. Jessé. Depois chamou pelos seus homens, saíram num galope pela rua central. Os assistentes que não tinham podido fugir ficaram sem gestos, olhando uns para os outros. Uma professora limpava o rosto onde caíram uns pingos de urina. Outra se assombrava:

— Ora, já se viu?

Teodoro atravessou a rua dando tiros. Ao final, fazendo esquina com um beco, ficava o cartório de Venâncio. Ali pararam, saltaram dos cavalos, Venâncio e os empregados só tiveram tempo de escapulir pelos fundos. Teodoro chamou por um dos seus homens, este chegou com uma garrafa, começou a derramar querosene no chão e nas estantes pejadas de papéis. Quando terminou jogou a garrafa ao acaso.

— Mete fogo... — ordenou Teodoro.

O cabra riscou um fósforo, a chama andou pelo chão, se elevou por uma estante, encontrou uma folha de papel, engordou nos documentos arquivados no cartório. Teodoro saiu com o cabra, agora os seus homens guardavam a esquina, esperando que o fogo tomasse corpo. Teodoro vestia um paletó branco sobre a calça de brim cáqui, tinha um solitário enorme no dedo mínimo. O fogo subiu pela casa em labaredas vermelhas. Na rua ia juntando gente. Teodoro ordenou aos cabras que montassem. Com as patas dos cavalos espalharam os curiosos mais próximos. Na rua iam aparecendo homens de Horácio, armados. Teodoro dobrou a esquina com os seus capangas, procurando a estrada de Mutuns. Quando eles cruzaram, a gente encheu a rua, Venâncio apareceu arrancando os cabelos, os homens de Horácio correram com as armas. Da esquina atiravam, os cabras de Teodoro respondiam. Estes iam abrindo caminho entre o povo que chegava, correndo pelo beco para ver o incêndio. Antes que Teodoro se perdesse no começo da estrada, um dos seus homens caiu baleado. O cavalo continuou a correr sem cavaleiro, junto com o resto da comitiva. Os homens de Horácio andaram para o ferido e terminaram com ele a facão.

O MAR

1

O HOMEM DE COLETE AZUL NÃO RESPONDEU. FICAVA MIUDINHO com o enorme colete azul desabando sobre as calças de brim pardo, mais pardas ainda da sujeira.

Ia uma noite lírica lá fora. A poesia da noite chegava até o balcão seboso da venda através dum pedaço de luar que caía sobre as pedras da rua, das estrelas entrevistas pelas portas abertas, do longínquo som de um violão que alguém tocava ao mesmo tempo que uma voz de mulher, morna voz soturna, cantava certa música sobre amores perdidos numa distante mocidade. Talvez mais que o luar e que as estrelas, que o cheiro pecaminoso dos jasmineiros no sobrado próximo, que as luzes do navio iluminado, talvez mais que tudo isso, a voz morna da mulher que cantava na noite perturbou os corações cansados dos homens que dormiam sentados em caixotes ou encostados no balcão.

O de anelão falso repetiu a pergunta, já que o homem de colete azul não respondia:

— E você, seu lesma, nunca teve uma mulher...?

Mas foi o loiro quem falou:

— Ora, uma mulher... Dezenas de mulheres em todos os portos. Mulher é bicho que não falta para marinheiro. Eu, por mim, tive às dúzias... — fazia um gesto com as mãos, abrindo e fechando os dedos.

A prostituta cuspiu por entre os dentes podres, olhou com interesse o loiro marinheiro:

— Coração de marinheiro é como as ondas do mar que vão e vêm. Bem que conheci José de Santa. Um dia foi embora seu calado num navio que nem era dele...

— Ora — continuou o marinheiro —, um marítimo não pode ancorar mesmo em carne de mulher nenhuma. Um dia vai embora, a doca fica vazia, vem outro e atraca. Mulher, meu bem, é bicho mais traiçoeiro que temporal de vento.

Agora um pedaço de luar forcejava entrar pela porta, iluminando o chão de tábuas grossas. O de anelão falso cutucou o outro com a faca de partir carne-seca:

— Fala, lesma. Não é verdade que é direitinho uma lesma? Vocês já viram alguém tão parecido com uma lesma? Tu já teve mulher?

A prostituta riu às gargalhadas, passou o braço pelo pescoço do marinheiro loiro e riram juntos então. O de colete azul bebeu o resto da cachaça que estava no copo, limpou a boca com a manga do paletó e contou:

— Daí vocês não sabem onde foi, foi muito longe daqui, noutro porto, noutra terra bem maior. Foi num botequim, me lembro o nome: Novo Mundo.

O de anelão pediu mais cachaça dando um murro na mesa.

— Eu conhecia a amiga dela, estavam as duas mais um rapaz, eu tomava um trago com um companheiro e tava se conversando das ruindades da vida. Diz-que não há paixão de primeiro olhar, bem que é mentira...

A prostituta apoiou com a cabeça e apertou um pouco mais o braço forte do marinheiro loiro. A voz da mulher que cantava encheu de súbito a cena suja da venda:

Partiu para nunca mais voltar.

Ficaram ouvindo. O de anelão sorvia a cachaça em pequenos tragos como se fosse um licor caro, enquanto esperava, o rosto ansioso, que o homem do colete azul continuasse.

— Que importa? — disse este e limpou a boca com a manga do paletó.

— A lua está grande e bonita. Há muito tempo não vejo ela assim — sussurrou a prostituta, se chegando mais para o loiro.

— Conta! Conta o resto... — pediu o de anelão falso.

— Pois foi. Como eu tinha falado, tava sentado com um amigo virando um trago. E ele tava se queixando da vida, a patroa dele andava com umas mazelas, o arame apertado, muito curto. Tava triste, eu também já tava ficando triste, foi quando ela entrou. Vinha com outra, eu já disse?

— Disse, sim — esclareceu o marinheiro loiro, que começava a se interessar pela história. Também o espanhol, dono da venda, se encostou no balcão para ouvir. A voz da mulher que cantava vinha em surdina do fundo misterioso da noite. O de colete azul agradeceu, com um gesto, ao marinheiro loiro e continuou:

— Pois foi. Vinha com a outra e um fulano. A outra eu conhecia, me dava com ela desde outros tempos. Mas, gentes!, quase não vi a conhecida, só via mesmo ela.

— Era morena? — perguntou o de anelão falso, que tinha uma queda pelas morenas.

— Morena? Não. Não era morena, nem loira também, mas, é engraçado, parecia uma estrangeira, gente de outra terra.

— Sei como é... — falou o loiro que era marinheiro de um cargueiro que varava o mar largo. O de colete azul agradeceu com outro gesto.

A prostituta murmurou, muito chegada ao marinheiro:

— Tu sabe tudo... — sorriu. — Vê como a lua está... Grande, grande e tão amarela...

— Como esse moço disse... — o de colete azul apontou o marinheiro com o beiço. — Parecia embarcadiça de um navio vindo de longe. Não sei mesmo como cheguei perto, parece que foi o amigo que estava comigo que se chegou para falar com a outra. Daí, a outra disse quem nós era, ficou conversando com a gente... O que foi que conversou juro que não sei... Só vi ela e ela não falou, só que ria, uns dentes brancos, brancos, que nem areia da praia... Vai o meu amigo, falava, contava as tristezas dele. A outra falava também, penso que consolava. Verdade, não sei. Ela e o fulano tavam calados mas ela ria — sorriu lembrando e sorrindo falou — e ria depressa, tão depressa nunca vi ninguém rir. Os olhos dela... — parou se recordando. — Não sei como eram os olhos dela... — abanava as mãos. — Mas, parecia a mulher de uma história que o negro Astério contava a bordo do navio sueco, aquele que afundou na barra dos Coqueiros...

O de anelão falso passou o pé na réstia de luar, cuspiu, perguntou:

— E o porreta que tava com ela era dono dessa embarcação tão maneira?

— Sei lá... Não tinha porte não... Parecia mais amigo, sei lá... Só sei mesmo que ela ria, ria, os dentes brancos, o rosto branco, os olhos...

Agora metia os dedos pelos bolsos do colete azul, sem jeito para as mãos, até que resolveu emborcar o copo de cachaça.

— E depois? — quis saber o de anelão.

— Pagaram, foram embora os três. Também fui embora, voltei ao botequim tantas vezes... Uma vez vi ela de novo. Vinha de longe, tenho certeza. De muito longe, não era daquela terra...

— Tão bonita a lua... — disse a rameira e o marinheiro reparou que ela tinha os olhos tristes. Ela queria dizer outra coisa mas não encontrou as palavras.

— De longe, quem sabe se do fundo do mar? Só sei mesmo que veio e foi embora. É só mesmo o que sei. Ela nem reparou em mim. Mas até hoje me lembro do jeito dela rir, dos dentes, da brancura dela. E o vestido — quase gritou de alegria ao se recordar do novo detalhe —, o vestido de mangas abertas...

Emborcou o copo, esticou o beiço, não estava mais alegre. A voz da mulher que cantava na noite lírica ia sumindo devagarinho:

Partiu para nunca mais voltar.

— E depois? — perguntou novamente o de anelão falso.

O de colete azul não respondeu e a prostituta não sabia se ele estava olhando para a lua ou para alguma coisa que ela não via, lá, mais além da lua e das estrelas, mais além do céu, mais além da noite tão tranquila. Também nunca soube por que lhe deu aquela vontade de chorar. E, antes que as lágrimas viessem, partiu com o loiro marinheiro para a festa da noite de luar.

O espanhol se encostou no balcão para ouvir as aventuras do de anelão falso, mas o de colete azul agora estava de novo indiferente, fitando a lua amarela no céu. O de anelão parou a história de uma cabrocha, que contava com grandes gestos, virou-se para o espanhol, apontou o de colete azul:

— Não parece direitinho uma lesma?

2

NA NOITE DA CONVERSA NO CAIS, A CIDADE DE ILHÉUS DORMIA SEU SONO inquieto, cortado de boatos que chegavam de Ferradas, de Tabocas e de Sequeiro Grande. Começara a luta entre os Badarós e Horácio. Os dois semanários que se publicavam na cidade trocavam descomposturas violentas, cada qual fazia o elogio dos seus chefes, arrastava no lodo a vida dos chefes contrários. O melhor jornalista era aquele que sabia xingar com mais violência. Não se respeitava nada, nem a família, nem a vida privada.

Manuel de Oliveira, o diretor de *O Comércio*, o jornal dos Badarós, estava peruando o jogo de pôquer, sentado por detrás de Juca. Os outros parceiros eram o coronel Ferreirinha, Teodoro das Baraúnas, e o capitão João Magalhães. Fora Ferreirinha, que o conhecia desde que haviam viajado juntos da Bahia para Ilhéus, que apresentara o capitão a Juca.

— Um moço educado... — dissera. — Muito rico, viaja por desfastio... Capitão reformado. De engenharia...

Juca Badaró tinha vindo por um assunto da mata do Sequeiro Grande. É que o dr. Roberto, o agrônomo, não estava em Ilhéus, havia viajado para a Bahia, e Juca tinha pressa em fazer a medição da mata para poder registrar a propriedade. Quando ouviu falar que havia um engenheiro na cidade pensou que o problema estava resolvido. Ferreirinha fez as apresentações. Juca foi logo propondo:

— Capitão, muito prazer em conhecê-lo. Tenho um negócio pro senhor ganhar dinheiro...

João Magalhães se interessou, talvez aquela fosse a oportunidade que ele tanto procurava. Viera para Ilhéus em busca de dinheiro, mas de dinheiro grande, não apenas do que lhe deixavam as mesas de pôquer. Procurou ser gentil com Juca:

— O prazer é todo meu. Aliás, eu já conheço o senhor. Viemos da Bahia no mesmo navio... Apenas não houve ocasião de sermos apresentados...

— Isso mesmo... — recordou Ferreirinha. — Você também vinha no navio, Juca. Só que tava muito ocupado com uma dona que vinha também... — bateu com a mão na barriga de Juca e riu.

Juca lamentou que não se houvessem conhecido antes e entrou no assunto que lhe interessava:

— Capitão, o que se passa é o seguinte: nossa fazenda faz divisa com uma mata que não é de ninguém, mas é mais da gente que de qualquer pessoa porque nós é quem primeiro entrou nela. A mata do Sequeiro Grande. Agora nós quer derrubar ela pra plantar cacau. Vem daí, um chefe de jagunço que tem aqui, um tal de Horácio da Silveira, quis fazer um trabalho sujo: arranjou uma medição velha e registrou a mata no nome dele e de uns amigos dele... Mas não teve nada porque a gente desfez o caxixe em dois tempos.

— Ouvi falar... Incêndio, num cartório, não foi? Trabalho corajoso, bem-feito. Fiquei admirado... — o capitão João Magalhães acompanhava suas palavras de gestos expressivos. — Foi o senhor? Se foi, meus parabéns. Gosto de homens decididos.

— Não. Foi o compadre Teodoro, o dono das Baraúnas. É um homem de brio e de coragem...

— Tá se vendo...

— Agora nós tamos procurando um engenheiro agrônomo pra fazer a medição da mata. Mas, por desgraça, o doutor Roberto viajou e é o único que há aqui que sirva. Os outros dois são uns covardes, não quiseram se meter. Então, se passou que eu ouvi que o senhor é engenheiro e vim consultar se o senhor quer fazer a medição. A gente paga bem... E quanto à vingança de Horácio não tenha medo, a gente lhe garante.

O capitão João Magalhães riu superior:

— Ora, pelo amor de Deus... Falar de medo a mim? Sabe em quantas revoluções já tomei parte, coronel? Mais de uma dúzia... Agora não sei é se eu posso, legalmente — frisava o termo —, fazer a medição. Eu não sou engenheiro agrônomo. Sou engenheiro militar. Não sei se tem valor...

— Antes de vir lhe falar eu consultei meu advogado e ele disse que sim, que o senhor podia. Que os engenheiros militares podem exercer...

— Não estou tão certo assim... Demais, meu título não é registrado na Bahia. Só no Rio. O cartório não vai aceitar medição minha...

— Isso não tem importância... A gente arranja com o escrivão. Por isso não...

João Magalhães ainda duvidava. Não era nem militar nem engenheiro, sabia bem era jogar qualquer espécie de jogo, sabia era trabalhar com um baralho e também ganhar a confiança dos demais. Mas desejava uma oportunidade maior, desejava fazer um dinheiro grande, não viver na dependência eterna das mesas de jogo, um dia com muito, no outro sem um tostão. Afinal, que perigo corria? Os Badarós estavam por cima na política, todas as possibilidades de ganhar a luta eram deles, e, se eles a ganhassem, a propriedade da mata do Sequeiro Grande não seria nunca discutida. E, mesmo que viessem a saber que a medição era ilegal, feita por um charlatão, ele já estaria longe, gozando noutras terras o dinheiro recebido. Valia a pena arriscar. Enquanto pensava, olhava Juca Badaró que, diante dele, impaciente, batia com o rebenque na bota. João Magalhães falou:

— A verdade é que eu sou de fora e não queria me meter em encrencas daqui... Se bem, a verdade é que simpatizo muito com a causa do senhor e do seu irmão. Principalmente depois do incêndio do cartório. Esses atos de coragem me conquistam... Enfim...

— Pagamos bem, capitão. O senhor não vai se arrepender.

— Não estou falando em dinheiro... Se fizer é por simpatia...

— Mas é que a gente tem que acertar isso também. Negócio é negócio, apesar do favor a gente ficar devendo sempre...

— Isto é verdade...

— Quanto o senhor pede pelo trabalho? Vai ter que passar uns oito dias na fazenda...

— E os instrumentos? — perguntou João Magalhães para ganhar tempo e poder calcular quanto devia pedir. — Os meus ficaram no Rio...

— Não tem nada. Consigo os do doutor Roberto com a mulher dele.

— Se é assim... — pensou. — Bem, eu não venho aqui para trabalhar, venho a passeio... Deixe ver: oito dias na fazenda, vou ter que perder o navio de quarta-feira... — falou diretamente para Juca. — Eu ia para a Bahia quarta-feira — voltou a murmurar. — Talvez não alcance mais o negócio de madeiras no Rio a tempo de fechá-lo... Um transtorno... Enfim... — falou para Juca novamente que esperava nervoso, amiudando os golpes do rebenque na bota. — Vinte contos, creio que não é muito...

— É muito dinheiro... — fez Juca Badaró. — Daqui a oito dias chega doutor Roberto e faz o serviço por três contos...

João Magalhães fez um gesto com o rosto expressando sua completa indiferença, como a dizer que então esperassem...

— É muito dinheiro... — repetiu Juca Badaró.

— Veja: três contos lhe cobra o agrônomo. Mas ele tem o título registrado na Bahia, vive disso, só volta daqui a oito dias, se voltar. Eu vou arriscar minha carreira profissional, posso até ser processado e perder meu título e até minha patente... Demais estou a passeio, vou perder o navio e talvez um grande negócio de centenas de contos... Se fico é mais por simpatia que pelo dinheiro...

— Reconheço isso, capitão. Mas é muito dinheiro. Se o senhor quer dez contos, é trato feito, vamos amanhã mesmo...

João Magalhães propôs um acordo:

— Quinze contos...

— Seu capitão, eu não sou sírio nem mascate. Posso pagar os dez contos e é pela pressa que eu pago. Se o senhor quer, pode receber hoje mesmo e amanhã a gente embarca...

João viu que não adiantava discutir:

— Bem, já que vou fazer o favor, faço completo. Está certo.

— Vou lhe ficar devendo a vida toda, capitão. Eu e meu irmão. O senhor pode contar com a gente pro que quiser...

Antes de se despedir perguntou:

— Quer receber agora mesmo? Se quer, vamos até em casa...

— Ora, por quem me toma... Quando o senhor quiser pagar... Não há pressa...

— Então podíamos nos encontrar hoje à noite...

— O senhor joga pôquer?

Ferreirinha aplaudiu entusiasmado:

— Boa ideia... Fazemos uma mesinha no cabaré.

— Tá certo — disse Juca. — Lhe levo o dinheiro lá. E depois vou ganhar ele no jogo e fica de graça a medição...

João Magalhães pilheriou também:

— Eu é que vou ganhar mais dez pacotes e cobrar os vinte que queria... Venha forrado, seu Juca Badaró...

— Falta um parceiro — avisou Ferreirinha.

— Eu levo Teodoro — resolveu Juca.

E agora estavam ali, na sala dos fundos do cabaré de Nhozinho, jogando aquele pôquer. Juca Badaró cada vez gostava mais do capitão. Era um tipo dos dele, conversador, experiente em mulheres, contador de anedotas picantes, vivido. O jogo se dividia entre os dois, Teodoro e Ferreirinha perdiam, Teodoro perdia muito dinheiro. Juca ganhava algum, João Magalhães ganhava muito. O cacife era alto, Manuel de Oliveira foi à sala de danças chamar Astrogildo, um outro fazendeiro, para vir apreciar o tamanho das apostas. Ficaram os dois peruando:

— Seus cento e sessenta mais trezentos e vinte... — dizia Teodoro.

— Já está perdendo mais de dois contos... — murmurou Manuel de Oliveira a Astrogildo. — Nunca vi peso igual.

Juca Badaró pagou para ver. Teodoro mostrou uma trinca de noves. A de Juca era de dez:

— Na cabeça, compadre...

Recolheu as fichas. Nhozinho entrava muito cheio de cumprimentos e pilhérias. Trazia uma rodada de uísque. Manuel de Oliveira tomou seu copo. Peruava o jogo para pegar esses biscates: um uísque, uma ceia, uma ficha perdida no bacará ou na roleta.

— Bom uísque... — disse.

O capitão João Magalhães estalou a língua, aprovando:

— Melhor que esse só mesmo um que me vendiam no Rio, que vinha de contrabando... Um néctar...

Teodoro pedia silêncio. Toda a gente dizia que Teodoro não sabia perder, o que era uma pena já que ele jogava muito e de toda classe de jogo. Diziam também que ele podia estar muito rico se não fosse esse vício. Nos dias que ganhava pagava bebida para todo mundo, dava dinheiro a mulheres, fazia ceias com champanha no cabaré. Mas quando perdia se punha impossível, reclamava contra tudo.

— Pôquer se joga é calado — protestou.

Ferreirinha deu cartas. Todos foram ao jogo. Manuel de Oliveira saboreava seu uísque sentado atrás da cadeira de Juca Badaró. Nem reparava no jogo, dedicado totalmente à bebida. Por detrás de Teodoro, em pé, o coronel Astrogildo seguia o pôquer. No seu rosto, que se apertava de desaprovação, João Magalhães lia o jogo de Teodoro. Este pediu duas cartas, Astrogildo fez uma careta de desacordo, João Magalhães então não pediu nenhuma se bem só tivesse um par vagabundo. Teodoro largou as cartas em cima da mesa:

— Quando quero passar um *bluff* encontro um de jogo feito...

Os outros correram também, João recolheu as fichas.

Nhozinho apareceu querendo saber se desejavam alguma coisa mais. Teodoro o correu de maus modos:

— Vá amolar a mãe...

Ia a todas as mãos e perdia sempre. Certa hora, quando ele abandonou um par de ases para pedir uma carta para flush, Astrogildo não se conteve e comentou:

— Também assim você só tem mesmo que perder... Isso não é jogar pôquer, é jogar dinheiro fora... Desmanchar um jogo desse...

Teodoro pulou da cadeira, queria brigar:

— E você o que é que tem com isso, seu filho da puta? O dinheiro é meu ou é seu? Por que não se mete na sua vida?...

Astrogildo replicava:

— Filho da puta é você, seu valente de merda... — e sacava o revólver querendo atirar.

Juca Badaró e Ferreirinha se meteram. João Magalhães procurava aparentar calma, não demonstrar o medo que sentia. Manuel de Oliveira nem se movia da cadeira, saboreando seu uísque indiferente. Aproveitou a confusão para derramar no seu copo metade da bebida do copo de Ferreirinha, que ainda estava cheio.

Tinham tomado o revólver de Astrogildo, também o de Teodoro. Juca Badaró pedia calma:

— Dois amigos... Que besteira é essa... Deixe as balas pra gastar com Horácio e os homens dele...

Teodoro voltou a sentar, ainda reclamando contra os perus. Lhe davam azar, dizia. Astrogildo, um pouco pálido, se sentou também, desta vez ao lado de João Magalhães. Jogaram mais umas mãos, Ferreirinha propôs que fossem dançar um bocado na sala da frente. Contaram as fichas, João Magalhães ganhava quase três contos, Juca Badaró tinha um lucro de conto e tanto. Antes que saíssem Juca fez um apelo a Teodoro e Astrogildo:

— Vamos acabar com isso... Isso é coisa mesmo de jogo... A gente fica de cabeça quente...

— Ele me ofendeu — disse Astrogildo.

Teodoro ofereceu a mão, o outro apertou. Saíram para a sala da frente mas Teodoro não demorou, disse que estava com dor de cabeça, foi para casa. Ferreirinha comentou:

— Esse vai morrer assim por uma besteira... De um tiro sem porquê...

Juca o desculpava:

— Tem seus repentes mas é um homem bom...

A sala do cabaré estava animada. Um negro velho se rebentava em cima de um piano ainda mais velho que ele, enquanto um sujeito de cabeleira loira fazia o que podia com um violino.

— Orquestra ruinzinha... — falou Ferreirinha.

— Infame... — reforçou Manuel de Oliveira.

Pares dançavam uma valsa, muito agarrados. Mulheres de diversas idades estavam espalhadas pelas mesas. Em geral se bebia cerveja, numa ou noutra mesa havia copos de uísque e gim. Nhozinho veio servir. Juca Badaró tinha antipatia aos dois garçons do cabaré porque eram ambos pederastas. Era sempre servido pelo próprio dono. E, como ele costumava fazer despesas grandes, Nhozinho servia muito humilde, gastando mesuras. Ferreirinha saiu dançando com uma mulher muito nova, não devia ter mais de quinze anos. Fazia pouco que aparecera na prostituição e Ferreirinha era doido por meninas assim, "verdinhas e tenras", como explicou a João Magalhães. Uma mulher velhusca veio se sentar ao lado de Manuel de Oliveira:

— Paga um pra mim, Manu? — perguntou apontando o uísque.

Manuel de Oliveira consultou Juca Badaró com os olhos. Como esse aprovasse, chamou por Nhozinho e mandou autoritário:

— Baixe depressa um uísque aqui para a dama...

A orquestra parou, Ferreirinha começou a contar um caso que se passara com ele, fazia tempos:

— Aqui a gente tem que ser de tudo, seu capitão. O senhor, que é engenheiro militar, vai fazer serviço de agrônomo... E eu, que sou lavrador e ignorante, já tive que ser até médico operador...

— Operador?

— Pois assim foi. Um trabalhador da minha fazenda engoliu um osso de cotia, o bicho atravessou no estômago do desgraçado, ia matando ele. Não podia fazer suas necessidades, não dava tempo também de trazer pra cidade. Não tive outro jeito, operei eu mesmo...

— Mas como?

— Arranjei um arame comprido e grosso, dobrei a ponta como um anzol, lavei com álcool primeiro, virei o homem de bunda pra cima e sapequei o arame no cu do desinfeliz. Deu trabalho, saiu um bocado de sangue mas o osso saiu também e até hoje o homem tá vivo...

— Formidável, hein!

— Esse Ferreirinha...

— O pior foi a fama depois, seu capitão. Vinha gente de longe me procurar pra se tratar... Se eu desse de botar consultório arruinava muito médico bom...

Riu, riram todos com ele. Juca Badaró falou:

— A gente tem mesmo que ser tudo. Tem tabaréu daqui, capitão, que dá lição em advogado...

— Terra de futuro... — elogiou João Magalhães.

Manuel de Oliveira combinava encontros com a prostituta velha. Juca Badaró só tinha olhos para Margot, que estava noutra mesa com dr. Virgílio. Astrogildo acompanhou o seu olhar, pensou que ele estivesse mirando o advogado:

— Esse é o tal doutor Virgílio que fez o caxixe da medição...

— Já sei — respondeu Juca. — Conheço ele.

João Magalhães olhou também e cumprimentou Margot com a cabeça. Juca Badaró quis saber:

— O senhor conhece ela?

— Se conheço... Se dava muito com uma pequena que eu tinha na Bahia, de nome Violeta. Tá com doutor Virgílio há dois anos.

— É bonita... — fez Juca Badaró.

João Magalhães compreendeu que ele estava interessado na mulher. Via nos olhos que ele punha, na voz com que dizia que ela era bonita. Pensou em tirar partido:

— É um bom pedaço... Muito minha amiga...

Juca virou-se para ele. João Magalhães disse num tom de indiferença, como que ao acaso:

— Ela se hospeda em casa de Machadão. Amanhã, quando ela tiver só, vou lhe fazer uma visita. Não gosto de ir quando está o doutor, porque ele é muito ciumento. Ela é muito dada, boa menina...

— Amanhã o senhor não vai poder, capitão. De manhãzinha sai para a roça. No trem das oito da manhã...

— É verdade. Então vou quando voltar...

Astrogildo comentava:

— É um mulherão!

Na mesa próxima Margot e Virgílio conversavam animadamente. Ela estava agitada, movia os braços e a cabeça.

— Estão discutindo... — disse Juca.

— Vivem brigando... — informou a velha que estava com Manuel de Oliveira.

— Como é que tu sabe?

— Machadão me contou... É cada escândalo...

Mandaram vir mais uísque. A orquestra tocou, Margot e Virgílio saíram dançando, mas ainda na dança discutiam. No meio da música Margot largou o braço de Virgílio e sentou-se. O advogado ficou um momento sem saber o que fazer, mas logo chamou o garçom, pagou a despesa, tomou o chapéu que estava numa cadeira e saiu.

— Estão brigando... — disse Juca Badaró.

— Desta vez parece coisa séria... — falou a mulher.

Margot agora olhava a sala procurando aparentar indiferença. Juca Badaró curvou-se na cadeira, falou baixinho para João Magalhães:

— O senhor quer me fazer um favor, capitão?

— Às ordens...

— Me apresente a ela...

João Magalhães olhou o fazendeiro com profundo interesse. Fazia planos. Desta terra do cacau sairia rico.

3

NA NOITE LÍRICA DE LUA CHEIA, VIRGÍLIO SEGUIA PELO LEITO DA ESTRADA de ferro. Seu coração ia aos pulos, já nem se lembrava da cena violenta com Margot no cabaré. Quando, por um minuto, pensou nela foi para encolher os ombros, com indiferença. Era melhor que aquilo terminasse de uma vez. Ele a quisera levar para casa, dissera que tinha um negócio que o prenderia fora até muito tarde, por isso não podia ficar com ela. Margot, que já andava desconfiada, com a pulga atrás da orelha, não aceitou desculpas: ou ele ia com ela para casa ou ela ficaria no cabaré e estaria tudo acabado entre eles. Sem saber mesmo por quê, ele procurara convencê-la de que existia um negócio importante, de que ela devia ir para casa e dormir. Ela se negara, terminara brigando e ele saíra sem sequer se despedir. Talvez agora ela estivesse sentada na mesa de Juca Badaró, com a presença dele Margot o havia ameaçado:

— Que me importa? Homem não me falta. É só ver os olhos que Juca Badaró tá me botando...

Aquilo não o molestava. Era melhor assim, que ela se fosse com outro, seria a melhor das soluções. Quando pensou nisso, sorriu. Como as coisas mudavam com o tempo! Se um ano antes ele pensasse em Margot com outro homem era capaz até de perder a cabeça e fazer uma besteira. Certa vez, na Pensão Americana, na Bahia, ele fez um escândalo, brigou e acabou na polícia, só porque um rapaz qualquer dissera uma piada a Margot. Agora se sente até aliviado ao saber que Juca Badaró está interessado nela, que vive de olho espichado para as carnes de sua amante. Sorriu novamente: Juca Badaró só tinha motivos para odiá-lo, Virgílio era o advogado de Horácio. E, no entanto, sem o saber, Juca lhe estava prestando um grande favor.

Mas, no leito da estrada, procurando acertar o passo pela distância dos dormentes, ele já não pensava em Margot. Nessa noite seus olhos enxergavam a beleza do mundo: a lua cheia se derramando sobre a terra, as estrelas enchendo o céu da cidade, os grilos que cantavam no matorral em torno. Um trem de carga apitou ao longe e Virgílio abandonou o leito da estrada. Ia junto aos fundos das casas, grandes quintais silenciosos. Num portão um casal se amava. Virgílio se desviou para que não o conhecessem. Num portão mais adiante Ester o esperava.

A casa nova de Horácio em Ilhéus, "o palacete", como o chamava toda gente, ficava na cidade nova, construções que nasciam na praia, derrubando os coqueirais. Todas estas casas davam os fundos para a estrada de ferro. Uma companhia se organizara, comprara os terrenos plantados de coqueiros e os vendia em lotes. Aí Horácio, depois de casado, construíra seu sobrado, um dos melhores de Ilhéus, os tijolos feitos especialmente na olaria da fazenda, cortinas e móveis mandados vir do Rio de Janeiro. Nos fundos do palacete, Ester está esperando, trêmula de medo, ansiosa de amor.

Virgílio apressa o passo. Já está atrasado, a briga com Margot fizera com que ele saísse depois da hora. O trem de carga passa por ele iluminando tudo com seus holofotes poderosos. Virgílio para, esperando que ele se vá, e toma de novo pelo leito da estrada. Dera trabalho convencer a Ester que o viesse esperar no portão, para poderem falar tranquilamente. Ela tinha medo das empregadas, das más-línguas de Ilhéus, e tinha medo de que um dia Horácio viesse a saber. O caso de amor deles dois até então não passara de um namoro de longe, palavras trocadas rapidamente, uma carta que ele escrevera, longa e ardente, um bilhete de resposta de Ester com duas ou três palavras apenas: "Te amo, mas é impossível", apertos de mão no cruzar de portas, olhares fundos de desejo. E pensavam que, como era tão pouco, ninguém tinha ainda se dado conta, não imaginavam sequer que todo Ilhéus comentava o caso considerando-os amantes, rindo de Horácio. Depois da carta, quando Horácio voltara para a fazenda, ele fizera uma visita a Ester. Era uma verdadeira loucura desafiar assim o poder de murmuração da cidade. Ester o disse, pedindo que ele fosse embora. E, para que ele fosse, ela prometera se encontrar com ele, na noite seguinte, no portão. Ele quisera beijá-la, ela fugira.

O coração de Virgílio está como o de um adolescente enamorado. Pulsa com a mesma rapidez, sente a beleza da noite com a mesma intensidade. Ali é o portão dos fundos do palacete de Horácio. Virgílio se aproxima trêmulo e comovido.

O portão está semiencostado, ele empurra e entra. Sob uma árvore, envolta numa capa, banhada pela lua, Ester o espera. Corre para ela, toma-lhe das mãos:

— Meu amor!

O corpo dela treme, se abraçam os dois, as palavras são inúteis ao luar.

— Quero te levar comigo, embora. Para longe daqui, para longe de todos, construir outra vida.

Ela chora mansamente, sua cabeça no peito dele. Dos cabelos dela vem um perfume que completa a beleza e o mistério da noite. O vento traz o ruído do mar que está do outro lado e se confunde com o choro dela.

— Meu amor!

E o primeiro beijo tem todo o mistério do mundo, toda a beleza da noite, grande como a vida e como a morte.

— Meu amor!

— É impossível, Virgílio. Tem meu filho. A gente não pode fazer isso...

— Nós levamos ele também... Vamos para longe, para outras terras... Onde ninguém conheça a gente...

— Horácio irá atrás da gente até no fim do mundo...

Mais que as palavras, os beijos loucos de amor sabem convencer. A lua dos namorados se debruça sobre eles. Nascem estrelas no céu da cidade de Ilhéus. Ester pensa em soror Angélica: voltavam os tempos em que era possível sonhar. E realizar os sonhos também. Fechou os olhos sob as mãos de Virgílio no seu corpo.

Debaixo da capa, Virgílio encontrou nuinho o corpo de Ester. Cama de luar, lençol de estrelas, suspiros da hora da morte que são os suspiros e os ais da hora extrema do amor.

— Vou contigo, meu amor, para onde tu quiseres...

Completou morrendo nos braços dele:

— Até para a morte...

4

O CAPITÃO JOÃO MAGALHÃES SORRIA DA OUTRA MESA. MARGOT sorriu também. O capitão levantou-se, veio apertar sua mão:

— Sozinha?

— Pois é...

— Brigaram?

— Tá tudo terminado.

— De verdade? Ou é como das outras vezes?

— Desta vez se acabou. Não sou mulher pra sofrer desfeitas...

João Magalhães tomou um ar conspirativo:

— Pois eu, como amigo, te digo, Margot, que isso é um alto negócio para ti. Sei de gente daqui, cheia de dinheiro, que está de orelha murcha por você. Agora mesmo...

— Juca Badaró... — atalhou ela.

O capitão João Magalhães fez com a cabeça que sim:

— Tá pelo beiço...

Margot estava cansada de saber:

— De hoje que sei disso... Desde o navio ele deu em cima de mim. Eu não topei, tava mesmo enrabichada com Virgílio...

— E agora?

Margot riu:

— Agora é outra conversa. Quem sabe...

O capitão tomou um ar protetor, deu conselhos:

— Deixe de ser boba, menina, trate de encher seu pé-de-meia enquanto é moça. Esse negócio de amante pobre, minha filha, só serve para mulher casada com homem rico...

Ela se deixava convencer:

— Eu fui boba mesmo. Na Bahia tava assim — juntava os dedos num gesto — de gente rica atrás de mim. Tu sabe...

O capitão apoiou com a cabeça. Margot se lamentava:

— E eu, feito trouxa, atrás de Virgílio. Me soquei nessas brenhas, vivia remendando meia em Tabocas... Agora, acabou...

— Tu quer ser apresentada a Juca Badaró?

— Ele pediu?

— Tá doidinho...

O capitão João Magalhães voltou-se na cadeira, chamou com o dedo. Juca Badaró se levantou, abotoou o paletó, veio sorrindo. Quando ele saía da mesa Astrogildo comentou para Manuel de Oliveira e Ferreirinha:

— Isso vai terminar em barulho...

— Tudo em Ilhéus termina em barulho... — respondeu o jornalista.

Juca chegava junto à mesa, João Magalhães quis fazer as apresentações mas Margot não deu tempo:

— Nós já nos conhecemos. Uma vez o coronel me marcou de beliscão.

Juca riu também:

— E vosmicê fugiu, nunca mais pus os olhos em cima de sua carnação... Sabia que andava por Tabocas, mas tendo ido lá não lhe vi. Diz-que tava casada, eu respeitei...

— Se divorciou ... — anunciou João Magalhães.

— Brigou?

Margot não queria dar grandes explicações:

— Me deixou por um negócio, não sou mulher pra se trocar por negócios...

Juca Badaró riu de novo:

— Ilhéus inteiro sabe que negócio é esse...

Margot franziu o rosto:

— Que é?

Juca Badaró não tinha papas na língua:

— É a mulher de Horácio, a dona Ester... O doutorzinho anda metido com ela...

Margot mordeu os lábios. Houve um silêncio, aproveitado por João Magalhães para se retirar e voltar para a sua mesa. Margot perguntou:

— É verdade?

— Não sou homem pra mentiras...

Ela então riu largamente e perguntou com a voz afetada:

— Não me oferece nada para beber?

Juca Badaró chamou por Nhozinho:

— Baixe champanhe...

Quando encheram as taças, ele disse pra Margot:

— Uma vez lhe fiz uma proposta no navio. Se arrecorda?

— Me lembro, sim.

— Tou fazendo ela de novo. Boto casa pra vosmicê, lhe dou de tudo. Só que mulher minha é minha só e de mais ninguém...

Ela viu o anel no dedo dele, tomou-lhe a mão, elogiou:

— Bonito!

Juca Badaró tirou o anel, enfiou num dedo de Margot:

— É pra vosmicê...

Saíram bêbedos os dois pela madrugada, eles e mais Manuel de Oliveira, que, mal vira o espocar das garrafas de champanhe, se chegara para a mesa e bebera mais que os dois juntos. Ia um frio matinal pelo cais de Ilhéus. Margot cantava, o jornalista fazia coro, Juca Badaró dava pressa pois tinha de sair no trem das oito. Os pescadores já chegavam das suas pescarias do alto-mar.

5

UMA ORDENANÇA MUNICIPAL PROIBIA QUE AS TROPAS DE BURROS QUE traziam cacau chegassem até o centro da cidade. As ruas centrais de Ilhéus eram calçadas todas elas e duas o eram de paralelepípedos, num sinal de progresso que inchava de vaidade o peito dos moradores. As tropas paravam nas ruas próximas à estação e o cacau entrava na cidade em carroças puxadas por cavalos. Era depositado nos grandes armazéns próximos ao porto. Aliás, uma grande parte do cacau que chegava a Ilhéus para ser embarcado não descia mais no lombo dos burros: vinha pela estrada de ferro ou baixava em canoas, desde Banco da Vitória, pelo rio Cachoeira que desembocava no porto.

O porto de Ilhéus era a preocupação maior dos moradores. Naquele tempo existia apenas uma ponte onde atracar os navios. Quando coincidia chegar mais de um navio na mesma manhã, a mercadoria de um deles era desembarcada em canoas. Porém já se fundara uma sociedade anônima para beneficiar e explorar o porto de Ilhéus, falava-se em construir mais pontes de atracação e grandes docas. Falava-se também, e muito, em melhorar a entrada perigosa da barra, em fazer vir dragas que a aprofundassem.

Ilhéus nascera sobre ilhas, o corpo maior da cidade numa ponta de terra, apertado entre dois morros. Ilhéus subira por esses morros — o do Unhão e o da Conquista — e invadira também as ilhas vizinhas. Numa delas ficava o arrabalde de Pontal onde a gente rica da cidade tinha suas casas de veraneio. A população crescia assustadoramente desde que a lavoura do cacau se estendera. Por Ilhéus saía para a Bahia quase toda a produção do sul do Estado. Havia apenas um outro porto — Barra do Rio de Contas — e esse era um porto pequeniníssimo, onde só os barcos a vela davam calado. Os moradores de Ilhéus sonhavam em exportar algum dia o cacau diretamente, sem ter que mandá-lo para a Bahia. Era um assunto que já estava sempre nos jornais: o aprofundamento da barra, que não dava passagem a navios de grande calado. O jornal da oposição o aproveitava para atacar o governo, o jornal governista usava dele também noticiando de quando em vez que o "muito digno e operoso prefeito municipal estava em negociações com os governos estadual e federal para conseguir, finalmente, uma solução satisfatória para a questão do porto de Ilhéus". Mas a verdade é que o assunto nunca ia adiante, o governo estadual punha travas, protegendo a renda do porto da Bahia. Mas a questão das obras do porto servia para encher, quase com as mesmas palavras, as plataformas governamentais de ambos os candidatos à prefeitura: o governista e o da oposição. Mudavam somente o estilo: a plataforma do candidato dos Badarós era escrita pelo dr. Genaro, a do candidato de Horácio se devia à pena, muito mais brilhante, do dr. Rui.

Em Ilhéus podia se medir a fortuna dos coronéis pelas casas que possuíam. Cada qual levantava uma casa melhor e aos poucos as famílias iam se acostumando a demorar mais na cidade que nas fazendas. Ainda assim essas casas passavam fechadas grande parte do ano, habitadas somente por ocasião das festas de igreja. Era uma cidade sem diversões, apenas os homens tinham o cabaré e os botequins onde os ingleses da estrada de ferro matavam a sua melancolia bebendo uísque e jogando dados e onde os grapiúnas trocavam discussões e tiros. Às mulheres restavam como únicas diversões as visitas de família a família, os comentários sobre a vida alheia, o entusiasmo posto nas festas da igreja. Agora, com o início da construção do colégio das freiras, algumas senhoras se haviam organizado para conseguir fundos para as obras. E realizavam quermesses e bailes, onde faziam coletas. A igreja de São Jorge, padroeiro da terra, grande e baixa, sem beleza arquitetônica mas rica em ouro no seu interior, dominava uma praça onde se plantara um jardim. Existia também a igreja de São Sebastião, próxima ao cabaré, em frente ao mar. E no morro da Conquista estava na frente do cemitério a capela de Nossa Senhora da Vitória, dominando a cidade desde o alto. Existia também um culto protestante que servia aos ingleses da estrada e ao qual haviam aderido uns quantos moradores. O mais, em matéria religiosa, eram as várias "sessões espíritas" nas ruas de canto, proliferando cada dia mais. Aliás, a cidade de Ilhéus, com os seus povoados e as suas fazendas de cacau, tinha má fama no Arcebispado da Bahia. Muito se comentava ali a falta de religiosidade dos habitantes, as missas desertas de homens, a prostituição sendo enorme, a falta de sentimentos religiosos verdadeiramente assombrosa: uma terra de assassinos. Era pequeno o número de padres da cidade e do município em relação ao número de advogados e médicos. E vários desses padres se convertiam, com o correr do tempo, em fazendeiros de cacau, pouco se preocupando com a salvação das almas. Citava-se o caso do padre Paiva, que levava sob a batina um revólver e não se perturbava se acontecia um barulho perto dele. O padre Paiva era caudilho político dos Badarós em Mutuns, nas eleições trazia levas de eleitores, diziam que ele prometia verdadeiros pedaços do paraíso e muitos anos de vida celestial aos que quisessem votar com ele. Era vereador em Ilhéus e não se interessava o mais mínimo pela vida religiosa da cidade. Já o cônego Freitas se interessava. Certa vez fizera um sermão que ficara célebre porque comparava o dinheiro gasto pelos coronéis no cabaré, com as mulheres de má vida, com o pouco dinheiro coletado para as obras do colégio das freiras. Fora um sermão violento e apaixonado mas sem nenhum resultado prático. A igreja vivia das mulheres e estas viviam dela, das missas, das procissões, das festas de Semana Santa. Misturavam o comentário da vida alheia com o enfeitar os altares, com o fazer novas túnicas para as imagens dos santos.

A cidade ficava entre o rio e o mar, praias belíssimas, os coqueiros nascendo ao largo de todo o areal. Um poeta que certa vez passara por Ilhéus e dera uma conferência a chamara de "cidade das palmeiras ao vento", numa imagem que os jornais locais repetiam de quando em vez.

A verdade, porém, é que as palmeiras apenas nasciam nas praias e se deixavam balançar pelo vento. A árvore que influía em Ilhéus era a árvore do cacau, se bem não se visse nenhuma em toda a cidade. Mas era ela que estava por detrás de toda a vida de São Jorge dos Ilhéus. Por detrás de cada negócio que era feito, de cada casa construída, de cada armazém, de cada loja que era aberta, de cada caso de amor, de cada tiro trocado na rua. Não havia conversação em que a palavra cacau não entrasse como elemento primordial. E sobre a cidade pairava, vindo dos armazéns de depósito, dos vagões da estrada de ferro, dos porões dos navios, das carroças e da gente, um cheiro de chocolate que é o cheiro de cacau seco.

Existia outra ordenança municipal, que proibia o porte de armas. Mas muito poucas pessoas sabiam que ela existia e, mesmo aqueles poucos que o sabiam, não pensavam em respeitá-la. Os homens passavam, calçados de botas ou de botinas de couro grosso, a calça cáqui, o paletó de casimira, e por baixo deste o revólver. Homens de repetição a tiracolo atravessavam a cidade sob a indiferença dos moradores. Apesar do que já existia de assentado, de definitivo, em Ilhéus, os grandes sobrados, as ruas calçadas, as casas de pedra e cal, ainda assim restava na cidade um certo ar de acampamento. Por vezes, quando chegavam os navios abarrotados de imigrantes vindos do sertão, de Sergipe e do Ceará, quando as pensões de perto da estação não tinham mais lugar de tão cheias, então barracas eram armadas na frente do porto. Improvisavam-se cozinhas, os coronéis vinham ali escolher trabalhadores. Dr. Rui, certa vez, mostrara um daqueles acampamentos a um visitante da capital:

— Aqui é o mercado de escravos...

Dizia com um certo orgulho e certo desprezo, era assim que ele amava aquela cidade que nascera de repente, filha do porto, amamentada pelo cacau, já se tornando a mais rica do estado, a mais próspera também. Existiam poucos ilheenses de nascimento que já tivessem importância na vida da cidade. Quase todos os fazendeiros, médicos, advogados, agrônomos, políticos, jornalistas, mestres de obras eram gente vinda de fora, de outros estados. Mas amavam estranhamente aquela terra venturosa e rica. Todos se diziam grapiúnas e, quando estavam na Bahia, em toda parte eram facilmente reconhecíveis pelo orgulho com que falavam.

— Aquele é um ilheense... — diziam.

Nos cabarés e nas casas de negócios da capital eles arrotavam valentia e riqueza, gastando dinheiro, comprando do bom e do melhor, pagando sem discutir preços, topando barulhos sem discutir o porquê. Nas casas de rameiras, na Bahia, eram respeitados, temidos e ansiosamente esperados. E também nas casas exportadoras de produtos para o interior os comerciantes de Ilhéus eram tratados com a maior consideração, tinham crédito ilimitado.

De todo o Norte do Brasil descia gente para essas terras do sul da Bahia. A fama corria longe, diziam que o dinheiro rodava na rua, que ninguém fazia caso, em Ilhéus, de prata de dois mil-réis. Os navios chegavam entupidos de emigrantes, vinham aventureiros de toda espécie, mulheres de toda idade, para quem Ilhéus era a primeira ou a última esperança.

Na cidade todos se misturavam, o pobre de hoje podia ser o rico de amanhã, o tropeiro de agora poderia ter amanhã uma grande fazenda de cacau, o trabalhador que não sabia ler poderia ser um dia chefe político respeitado. Citavam-se os exemplos e citava-se sempre a Horácio que começara tropeiro e agora era dos maiores fazendeiros da zona. E o rico de hoje poderia ser o pobre de amanhã se um mais rico, junto com um advogado, fizesse um caxixe bem-feito e tomasse sua terra. E todos os vivos de hoje poderiam amanhã estar mortos na rua, com uma bala no peito. Por cima da justiça, do juiz e do promotor, do júri de cidadãos, estava a lei do gatilho, última instância da justiça em Ilhéus.

A cidade por aquele tempo começava a se abrir em jardins, o município contratara um jardineiro famoso na capital. O jornal da oposição atacara, dizendo que "muito mais que de jardins Ilhéus precisava de estradas". Mas mesmo os oposicionistas mostravam orgulhosos aos visitantes as flores que cresciam nas praças antes plantadas de capim. E quanto às estradas, os homens e os burros as iam abrindo no seu passo em busca de caminho para trazer o seu cacau até o porto de Ilhéus, até o mar dos navios e das viagens. Era assim o porto de São Jorge dos Ilhéus que começava a aparecer nos mapas econômicos mais novos coberto por uma planta de cacau.

6

O JORNAL DA OPOSIÇÃO, *A FOLHA DE ILHÉUS*, QUE SAÍA AOS SÁBADOS, RESSUMAVA naquele número uma violência inaudita. Era dirigida por Filemon Andreia, um ex-alfaiate que viera da Bahia para Ilhéus, onde abandonara a profissão. Constava na cidade que Filemon era incapaz de escrever uma linha, que mesmo os artigos que assinava eram escritos por outros, ele não passava de um testa de ferro. Por que ele terminara diretor do jornal da oposição ninguém sabia. Antes fazia trabalhos políticos para Horácio, e, quando este comprou a máquina impressora e as caixas de tipos para o semanário, toda a gente se surpreendeu com a escolha de Filemon Andreia para diretor.

— Se ele mal sabe ler...

— Mas tem um nome de intelectual... — explicou dr. Rui. — Soa bem... É uma questão de estética... — enchia a boca para pronunciar — Filemon Andreia! Nome de grande poeta! — concluía.

A gente de Ilhéus responsabilizava em geral o dr. Rui pelos artigos de *A Folha de Ilhéus*. E se formavam verdadeiros grupos torcedores quando, por época das eleições, *A Folha de Ilhéus* e *O Comércio* iniciavam uma daquelas polêmicas cheias de adjetivos insultuosos. De um lado o dr. Rui, com seu estilo palavroso e de frases redondas e empoladas, do outro Manuel de Oliveira e por vezes dr. Genaro. Manuel de Oliveira era profissional de imprensa. Trabalhara em vários jornais da Bahia até que Juca Badaró, que o conhecera nos cabarés da capital, o contratara para dirigir *O Comércio*. Era mais ágil e mais direto, quase sempre fazia mais sucesso. Quanto aos artigos do dr. Genaro, eram cheios de citações jurídicas, o advogado dos Badarós era geralmente considerado o homem mais culto da cidade, falava-se com admiração das centenas de livros que ele possuía. Ademais levava uma vida muito reservada, vivendo com seus dois filhos sem quase sair de casa, sem aparecer nos botequins, sem ir ao cabaré. Era abstêmio, e, quanto a mulheres, diziam que Machadão ia uma ou duas vezes por mês à sua casa e dormia com ele. Machadão já estava velha, viera para a cidade quando ela apenas começava a crescer, fora a grande sensação feminina de Ilhéus há vinte anos passados. Agora tinha uma casa de mulheres, não fazia mais a vida. Abria exceção apenas para o dr. Genaro que, segundo ela, não se acostumava com outra mulher.

Talvez fosse por isso que o artigo de fundo de *A Folha de Ilhéus*, que ocupava quase toda a primeira página do pequeno semanário da oposição, neste sábado, chamava o dr. Genaro de "jesuíta hipócrita". E ele era, nesse dia, o menos atacado de todos os amigos dos Badarós. O artigo se devia ao incêndio do cartório de Venâncio em Tabocas. *A Folha de Ilhéus* condenava de uma maneira violenta aquele "ato de barbarismo que depunha contra os foros de terra civilizada de que gozava o município de Ilhéus no conceito do país". O coronel Teodoro reunia em torno a seu nome, nas colunas do semanário, uma magnífica coleção de substantivos e adjetivos insultantes: "bandido", "ébrio habitual", "jogador de profissão e tendências", "alma sádica", "indigno de habitar uma terra culta", "sedento de sangue". Ainda assim restava para os Badarós. Juca aparecia como "conquistador barato de mulheres fáceis", como "despudorado protetor de rameiras e bandidos" e a Sinhô o jornal fazia as acusações de sempre: "caxixeiro", "chefe de jagunços", "dono de fortuna mal adquirida", "responsável pela morte de dezenas de homens", "chefe político sem escrúpulos".

O artigo reclamava justiça. Dizia que legalmente não havia como discutir a propriedade da mata do Sequeiro Grande. Que a mata fora medida e o seu título de propriedade registrado no cartório. E que não era propriedade de um só e, sim, de diversos lavradores. Havia entre eles dois fazendeiros fortes, é verdade. Mas a maioria — continuava o jornal — eram pequenos lavradores. O que os Badarós desejavam era se apossar da mata para eles só, prejudicando assim não só os legítimos proprietários como também o progresso da zona, a subdivisão da propriedade que "era uma tendência do século como se podia comprovar com o exemplo da França". Afirmava que o coronel Horácio, progressista e adiantado, ao resolver derrubar e plantar de cacau a mata do Sequeiro Grande, pensara não somente nos seus interesses particulares. Pensara também no progresso do município e associara à sua empresa civilizadora todos os pequenos lavradores que limitavam com a mata. Isso se chamava ser um cidadão útil e bom. Como pensar em compará-lo com os Badarós, "ambiciosos sem escrúpulos", que olhavam apenas os seus interesses pessoais? *A Folha de Ilhéus* terminava seu artigo anunciando que Horácio e os demais legítimos proprietários do Sequeiro Grande iriam recorrer aos tribunais e que, quanto ao que sucedesse se os Badarós tentassem impedir a derrubada e o plantio da mata, eles, Badarós, eram os responsáveis. Eles haviam iniciado o uso da violência. A culpa era deles pelo que viesse depois. O artigo terminava com uma citação em latim: *alea jacta est*.

Os leitores habituais das polêmicas ficaram excitadíssimos. Além de que se anunciava uma polêmica de violência sem precedentes, notavam que este artigo não era do dr. Rui, conheciam o estilo deste de longe. Dr. Rui era muito mais retórico, muito bom num discurso no júri mas sem a mesma força no jornal. E este artigo revelava um homem mais enérgico, de raciocínio mais claro e adjetivos mais duros. Não tardou que se soubesse que o autor do artigo era o dr. Virgílio, o novo advogado do partido, que residia em Tabocas mas que estava em Ilhéus naqueles dias. Fora o próprio dr. Rui, a quem alguns haviam dado os parabéns pelo artigo, quem revelara a identidade do autor. Acrescentava que Virgílio era diretamente interessado no assunto, já que fora ele o autor do registro da mata do Sequeiro Grande no cartório que Teodoro incendiara. As más-línguas não deixaram de dizer que ele estava interessado era na esposa de Horácio. E gozavam de antemão a maneira como, sem dúvida, *O Comércio*, na sua edição de quinta-feira, comentaria esse aspecto da vida íntima do advogado e de Horácio.

Mas, para surpresa geral, *O Comércio*, na sua resposta ao artigo, resposta que não pecava pela serenidade, desconheceu o assunto familiar que a cidade comentava. Aliás, no início do seu artigo, *O Comércio* anunciava aos seus leitores que não iria usar da "linguagem de esgoto" do "pasquim" que tão vilmente atacara os Badarós e os seus correligionários. Nem tampouco se envolver na vida privada de quem quer que fosse, como era hábito do "sujo órgão da oposição". Em relação a essa última afirmativa não a cumpriu senão a meias, já que rememorava toda a vida de Horácio, "esse ex-tropeiro que enriquecera ninguém sabe como", misturando casos públicos como o processo pela morte dos três homens ("escapou da justa condenação devido à chicana de advogados que desmoralizavam a profissão, mas não escapou da condenação pública") com coisas muito pessoais como a morte de sua primeira esposa ("os misteriosos casos familiares de parentes desaparecidos subitamente e enterrados à noite"). E, quanto à questão da linguagem, aí então *O Comércio* não cumpria absolutamente a promessa feita. Horácio era tratado de assassino para baixo. O dr. Rui era o "cachaceiro inveterado", o "cão de fila que latia e não sabia morder", o "mau pai de família que vivia nos botequins sem se preocupar com os filhos e a esposa". Mas quem levava os adjetivos mais violentos era o dr. Virgílio. Manuel de Oliveira começara o trecho sobre o advogado dizendo que "desejara molhar sua pena num esgoto para escrever o nome do dr. Virgílio Cabral". Com essas palavras iniciava *O Comércio* uma "resumida biografia" do advogado, que não era tão resumida assim. Vinha dos tempos de acadêmico, relembrava as farras de Virgílio na Bahia, "a cara mais conhecida em todos os prostíbulos da capital", as suas dificuldades para terminar o curso: "tendo que viver das migalhas caídas da mesa deste corvo que é Seabra". Margot entrava em cena, se bem seu nome não aparecesse. Dizia o trecho:

> Não foram, no entanto, somente políticos de má fama que encheram a pança do estudante malandro e desordeiro. Uma elegante cocote foi vítima dos seus hábitos de chantagista. Tendo enganado a jovem beleza, o estudante salafrário viveu às custas dela e, às custas deste dinheiro adquirido na cama, o dr. Virgílio Cabral conseguiu seu título de bacharel em direito. Não é preciso acrescentar que, depois de formado e de estar a serviço do tropeiro Horácio, o mal-agradecido abandonou a sua vítima, aquela boa e bela criatura que o ajudara, aos vaivéns da sorte.

O artigo enchia página e meia, apesar de *O Comércio* ser bastante maior que *A Folha de Ilhéus*. Examinava demoradamente o caso do cartório de Venâncio. Explicava ao público o "inominável caxixe" que era registrar um título de propriedade à base de uma velha medição já sem valor legal e que, ademais, fora rasurada para substituir o nome de Mundinho de Almeida pelo de Horácio e "seus sequazes". E atribuía o incêndio do cartório ao próprio Venâncio, "falso servidor da justiça que, ao lhe pedir o coronel Teodoro para ver a medição, preferiu incendiar seu cartório destruindo assim as provas da sua vileza". Apresentava os Badarós como uns santos, incapazes de fazer mal a uma mosca. Avisava que os "insultos miseráveis" do "pasquim oposicionista" estavam longe de atingir o bom nome de pessoas tão conceituadas como os Badarós, o coronel Teodoro e "esse ilustre luminar da ciência do direito que é o dr. Genaro Torres, orgulho da cultura grapiúna". Por último se referia às "ameaças de Horácio e seus cães de fila". O público julgaria, no futuro, de quem partiram primeiro aquelas ameaças de fazer correr sangue e pesaria as responsabilidades "na balança da justiça popular". Porém, que Horácio soubesse que as suas "fanfarronadas ridículas" não metiam medo a ninguém. Os Badarós estimavam lutar com as armas do direito e da justiça, mas sabiam também — afirmava *O Comércio* — lutar com qualquer arma que o "desleal adversário" escolhesse. Em qualquer terreno os Badarós sabiam dar o merecido a gente "da laia desses bandidos sem consciência e desses advogados sem escrúpulos". E, respondendo ao *alea jacta est*, o artigo de *O Comércio* terminava também com uma citação latina: *Quousque tandem Tropeirus, abutere patientia nostra?* Essa citação fora a colaboração do dr. Genaro ao artigo de Manuel de Oliveira.

Ilhéus se deliciava pelas esquinas.

7

QUANDO, CALÇADO DE BOTAS ENLAMEADAS, A BARBA CRESCIDA, o capitão João Magalhães voltou da mata do Sequeiro Grande, diversos sentimentos desencontrados andavam dentro dele. Fora para passar oito dias, levara quinze, demorando-se na fazenda dos Badarós mesmo depois de terminado o serviço. Se arranjara de qualquer maneira com os instrumentos do agrônomo — com o teodolito, a trena, o goniômetro, a baliza —, instrumentos que ele nunca havia visto antes na sua vida de jogador de profissão. O cálculo real da medição das terras se devia muito mais aos trabalhadores que o haviam acompanhado e a Juca Badaró do que a ele, que só fizera apoiar tudo que os outros afirmavam, rabiscando cálculos sobre quadrados e triângulos. Haviam passado dois dias na mata, os negros carregando os instrumentos, Juca a acompanhá-lo exibindo seu conhecimento da terra:

— Capitão, boto a mão no fogo que no mundo inteiro não há terra igual a essa para o plantio do cacau...

João Magalhães se curvava, enchia a mão com a terra úmida:

— É de primeira, sim... Bem adubada ela vai ser ótima...

— Nem precisa estrume nenhum... Isto é terra nova, terra forte, seu capitão. As roças aqui vão carregar como nunca carregou roça nenhuma.

João Magalhães ia aprovando, não se metia muito pela conversa no receio de dizer besteira. Juca Badaró continuava, mata adentro, fazendo o elogio das terras onde as árvores cresciam agrestes.

Porém, mais que a bondade das terras do Sequeiro Grande, interessara ao capitão a figura morena de Don'Ana Badaró. Já em Ilhéus ele ouvira falar nela, diziam que fora Don'Ana quem dera ordens a Teodoro para que incendiasse o cartório de Venâncio. Em Ilhéus se falava de Don'Ana como de uma moça estranha, pouco chegada às conversas das comadres, pouco amiga das festas de igreja (apesar da mãe tão religiosa), pouco amiga de bailes e namorados. Raras pessoas se lembravam de havê-la visto dançando e nenhuma delas saberia citar o nome de um namorado seu. Vivera sempre mais interessada em aprender a montar a cavalo, a atirar, a saber dos mistérios da terra e das plantações. Olga comentava com as vizinhas o desprezo com que Don'Ana tratava os vestidos que Sinhô mandava buscar na Bahia ou no Rio, vestidos caros, realizados por costureiros de fama. Don'Ana não se preocupava com eles, queria era saber dos potros novos que haviam nascido na fazenda. Sabia o nome de todos os animais que a família possuía, mesmo dos burros de carga. Tomara a si a contabilidade dos negócios dos Badarós e era a ela que Sinhô se dirigia cada vez que necessitava de uma informação. A esposa de Juca dizia sempre que "Don'Ana deveria ter nascido homem".

João Magalhães não pensou o mesmo. Talvez tivessem sido os olhos dela, que lhe lembravam outros olhos adorados, que primeiro ganharam sua atenção. Enquanto a cumprimentava, requintando nas palavras, ele se perdeu na contemplação daqueles olhos meigos, onde, de súbito, surgiam fulgurações intensas, iguais àqueles outros olhos que o fitaram com tanto desprezo um dia. Depois esqueceu mesmo os olhos da moça que ficara no Rio de Janeiro, quando, com o correr dos dias, fez mais intimidade com Don'Ana. Não havia outra conversa na casa dos Badarós, naqueles dias, que a mata do Sequeiro Grande e os propósitos de Horácio e sua gente. Faziam conjeturas, levantavam hipóteses, calculavam possibilidades. Que faria Horácio quando soubesse que os Badarós estavam medindo a mata e iam registrar a medição e retirar um título de propriedade? Juca não tinha dúvidas: Horácio tentaria entrar na mata imediatamente, enquanto faria correr no foro de Ilhéus um processo pela posse da terra, baseado no registro feito no cartório de Venâncio. Sinhô duvidava. Encontrava que, estando Horácio sem apoio do governo, como oposicionista que era, tentaria primeiro legalizar a situação com um caxixe qualquer, antes de recorrer à força. De Ilhéus, Juca trouxera as últimas novidades: o caso escandaloso de Ester com o dr. Virgílio, objeto de murmurações da cidade toda. Sinhô não acreditava:

— Isso é conversa de quem não tem o que fazer...

— Se ele até deixou a mulher que tinha, Sinhô. É um fato. Estou bem informado... — e ria para João Magalhães lembrando Margot.

João Magalhães se envolvia naquelas discussões e conversas, tomava parte nelas como se fosse um homem dos Badarós, igual a Teodoro das Baraúnas, na noite que o coronel dormiu lá. Se sentia como um parente. E cada vez que Don'Ana o olhava e pedia, respeitosamente, a "opinião do capitão", João Magalhães se extremava em insultos à gente de Horácio. Certa vez em que notou mais doces e interessados os olhos dela, ele pôs mesmo à disposição dos Badarós o "seu conhecimento militar, de capitão que tomara parte em umas oito revoluções". Estava ali, estava às ordens. Se houvesse luta podiam contar com ele. Era homem para o que quisessem. Disse, e fitou Don'Ana e sorriu para ela. Don'Ana correu para dentro, subitamente tímida e envergonhada, enquanto Sinhô Badaró agradecia ao capitão. Mas esperava que não fosse preciso, que tudo se resolvesse em paz, que não tivesse que correr sangue. É verdade que ele estava se preparando — dizia — mas com esperanças que Horácio desistisse de disputar com ele a posse da mata. Recuar não recuaria, era chefe da família, sabia das suas responsabilidades, demais tinha compromissos com amigos, gente como o compadre Teodoro das Baraúnas que estava se sacrificando por ele. Se Horácio fosse para adiante, ele iria também. Mas ainda tinha esperanças... Juca encolhia os ombros, para ele era certo que Horácio tentaria entrar na mata à força e que muito sangue seria derramado antes que os Badarós pudessem plantar em paz seu cacau nessas terras. O capitão João Magalhães novamente se pôs à disposição:

— Para o que quiserem... Não gosto de arrotar valentia: mas estou acostumado com essas encrencas...

Naquele dia, ele só viu Don'Ana Badaró quando chegou a hora noturna da leitura da Bíblia. Ela foi recebida com uma gargalhada de Juca, que a apontava com o dedo:

— Que é que há? É o fim do mundo?

Sinhô olhou também. Don'Ana estava séria, o rosto fechado em severidade. Tanto trabalhara com a ajuda de Raimunda para fazer aquele penteado parecido com um que Ester exibira em Ilhéus numa festa, e agora se riam dela... Vestia um dos vestidos de sair, que ficava estranho na sala da casa-grande da fazenda. Juca continuava a rir, Sinhô não entendia o que se passava com a filha. Só João Magalhães se sentia feliz, e se bem percebesse o ridículo da figura de Don'Ana ataviada como para um baile, se pôs sério também e dobrou os olhos numa languidez agradecida. Mas ela não olhava ninguém e pensava que todos estavam rindo dela. Por fim suspendeu os olhos e quando viu que o capitão a mirava enternecidamente, teve forças para dizer a Juca:

— De que tá rindo? Ou pensa que é só sua mulher que pode se vestir bem e se pentear?

— Minha filha, que palavras são essas? — repreendeu Sinhô, admirado da veemência dela mais ainda que dos trajes.

— O vestido é meu, foi o senhor quem me deu. Ponho ele quando quero, não é para ninguém se rir...

— Parece um espantalho... — gozou Juca.

Então João Magalhães resolveu intervir:

— Está muito elegante... Parece uma carioca, assim se vestem as moças no Rio... Juca está é brincando.

Juca Badaró olhou o capitão. Primeiro pensou em brigar, seria que aquele sujeito estava tentando lhe dar uma lição de boa educação? Mas depois refletiu que devia ser obrigação dele, como visita, ser gentil com a moça. Encolheu os ombros:

— Gosto é gosto, não se discute...

Sinhô Badaró pôs fim à discussão:

— Leia, minha filha...

Mas ela saiu correndo para dentro, não queria chorar na vista dos outros. Foi nos braços de Raimunda que deixou que os soluços abafados saíssem do seu peito. E nessa noite foi o capitão João Magalhães quem, profundamente pensativo, leu os trechos da Bíblia para Sinhô Badaró, que o olhava pelo rabo do olho, como que a medi-lo e a examiná-lo.

No outro dia, quando o capitão levantou-se e saiu num passeio matinal, já encontrou Don'Ana no curral, ajudando a pejar as vacas que davam leite para a casa-grande. Cumprimentou-a e se aproximou. Ela suspendeu o rosto, largou por um momento o peito da vaca, falou:

— Ontem eu fiz um papel triste... O senhor deve estar pensando um bocado de coisas... Tabaroa quando se mete a moça da cidade é sempre assim... — e riu mostrando os dentes brancos e perfeitos.

O capitão João Magalhães sentou-se na cancela:

— A senhora estava linda... Se estivesse num baile, no Rio, não haveria outra mulher tão bonita... Lhe juro.

Ela o olhou, perguntou:

— Não gosta mais assim como eu sou todos os dias?

— Para falar a verdade, sim — e o capitão estava falando a verdade. — Assim é como eu gosto. É uma beleza...

Então Don'Ana ergueu-se, tomou do balde com leite:

— O senhor é um homem direito... Gosto de quem fala a verdade... — e o fitou nos olhos e era a maneira dela declarar seu amor.

Raimunda apareceu rindo risadinhas curtas de cumplicidade, recebeu os baldes que Don'Ana segurava, saíram as duas. João Magalhães falou em voz baixa para as vacas do estábulo:

— Parece que vou me casar... — olhou a fazenda em torno, a casa-grande, o terreiro, as roças de cacau, com um ar de proprietário. Mas lembrou-se de Juca e de Sinhô, dos jagunços que se juntavam na fazenda, e se estremeceu.

Pela fazenda ia um movimento fora do comum. Os trabalhadores partiam todas as manhãs para as roças, a colher cacau, outros pisavam cacau mole nos cochos ou dançavam sobre o cacau seco nas barcaças, cantando suas tristes canções:

Vida de negro é difícil
É difícil como quê...

Lamentos que o vento levava, gemidos sob o sol nas roças de cacau, no trabalho da manhã à noite:

Eu quero morrer de noite
Bem longe, numa tocaia...
Eu quero morrer de açoite
Dos bordados de tua saia...

Os trabalhadores gemiam seus cantos nos dias de trabalho, seus cantos de servidão e de amor impossível, mas, ao mesmo tempo, se reunia na fazenda uma outra população. Parecidos com os trabalhadores no físico e na rudeza da voz, na maneira de falar e no modo de se vestir, esses homens que chegavam diariamente à fazenda, abarrotando as casas de trabalhadores, vários dormindo já nos depósitos de cacau, outros espalhados pela varanda da casa-grande, eram os jagunços que vinham, mandados por Teodoro, recrutados por Juca, mandados pelo cabo Esmeraldo de Tabocas, ou por seu Azevedo, pelo padre Paiva, de Mutuns, guardar a fazenda dos Badarós e esperar os acontecimentos. Alguns chegavam montados, eram poucos. Os mais vinham a pé, a repetição no ombro, o facão no cinto. Chegavam e na varanda da casa-grande esperavam ordens de Sinhô Badaró, enquanto sorviam o copo de cachaça que Don'Ana mandava servir. Eram, em geral, homens calados, de poucas palavras, de idade quase sempre indefinida, negros e mulatos, de quando em vez um loiro, contrastando com os outros. Sinhô e Juca os conheciam a todos e Don'Ana também. Aquele espetáculo se repetia diariamente. João Magalhães calculava que uns trinta homens haviam chegado na fazenda depois dele. E se perguntava o que sairia daquilo tudo, como andariam os preparativos na fazenda de Horácio. Se sentia interessado, preso àquela terra como se de repente houvesse botado raízes nela. Agora seus projetos de viagem se esfumaçavam, não via como sair de Ilhéus, não via por que seguir adiante.

Foi assim, cheio desses pensamentos, que chegou a Ilhéus. No trem, ao lado de Sinhô Badaró que dormira a viagem toda, ele refletira largamente. Na véspera se despedira de Don'Ana na varanda:

— Vou embora amanhã.

— Já sei. Mas vai voltar, não vai?

— Se você deseja eu volto...

Ela o olhou, fez que sim com a cabeça, correu para dentro sem lhe dar tempo ao beijo que ele tanto esperara e desejara. No outro dia não a vira. Fora Raimunda quem lhe dera o recado:

— Don'Ana manda dizer a vosmicê que na festa de São Jorge ela vai em Ilhéus... — e lhe deu uma flor que ele agora trazia na carteira.

No trem vinha pensando. Procurou refletir seriamente e chegou à conclusão que estava se metendo em funduras. Primeiro aquela história de medir terras, de assinar documentos. Não era nem engenheiro, nem capitão, aquilo podia lhe dar uma complicação com processo e cadeia. Era o bastante para ele arribar no primeiro navio, já tinha ganho dinheiro suficiente para vários meses sem preocupações. Mas o pior era esse namoro com Don'Ana. Juca já desconfiava da coisa, dissera umas piadas, rira, parecia estar de acordo. Lhe avisara que quem casasse com Don'Ana teria que andar direitinho senão era capaz até de apanhar da esposa. E Sinhô o olhava como que a estudá-lo, certa noite perguntara muito por sua família, suas relações no Rio, o estado dos seus negócios. O capitão João Magalhães se enfiou numa monumental série de mentiras. Agora, no trem, aquilo tudo lhe dava medo, seus olhos instintivamente procuravam de quando em vez o cano do parabélum que aparecia sob o paletó de Sinhô. Pensando bem, o que ele devia fazer era ir embora, embarcar para a Bahia, e mesmo lá não demorar por causa daquela história de medição de terras. Não podia voltar ao Rio, mas tinha todo o Norte à sua disposição, os usineiros de açúcar de Pernambuco, os donos de seringais, da Amazônia. Tanto em Recife, como em Belém ou em Manaus, poderia mostrar suas habilidades no pôquer e continuar a viver sua vida sem maiores complicações que a desconfiança de um parceiro de jogo, a expulsão de um cassino, ou um chamado à polícia sem consequências. E, no trem, o capitão João Magalhães decidiu que embarcaria no primeiro navio. Tinha uns quinze ou dezesseis contos livres, era o bastante para se divertir uns tempos. Mas, quando Sinhô Badaró despertou e ele viu os seus olhos, recordou os de Don'Ana e compreendeu que a moça jogava um papel nesse assunto. Sempre procurara pensar no caso de uma maneira cínica, vendo apenas a possibilidade de entrar, pelo casamento, na família dos Badarós, na fortuna dos Badarós. Mas agora sentia que não era apenas isso. Sentia falta dela, do jeito brusco que ela tinha, ora meiga, ora severa, trancada na sua virgindade sem beijos e sem sonhos de amor. Ela viria à festa de São Jorge, em Ilhéus, mandara lhe dizer. Por que não esperá-la e decidir da sua partida depois da festa que estava próxima? Até lá não havia perigo. O perigo estaria em Sinhô Badaró mandar pedir no Rio informações sobre ele. Então não escaparia, com certeza, da vingança daquela gente rude e sensível, seria feliz se escapasse com vida. Olha o cano do revólver. Mas os olhos de Sinhô Badaró trazem Don'Ana para junto dele... O capitão João Magalhães está sem saber o que decidir. O trem apita, entrando na estação de Ilhéus.

À noite foi visitar Margot, trazia um recado de Juca para ela. Margot mudara de casa, saíra da pensão de Machadão e alugara uma casa pequena, onde vivia sozinha, com uma empregada que cozinhava e arrumava. De Tabocas haviam chegado suas coisas e ela agora passeava sua elegância pelas ruas de Ilhéus, atravessando com a sombrinha rendada por entre as murmurações do povo. Toda gente já sabia que Juca Badaró estava com ela. As opiniões se dividiam quanto à maneira como o caso se concretizara. A gente dos Badarós afirmava que Juca a tomara de Virgílio, enquanto a gente de Horácio garantia que Virgílio já a havia deixado. Depois do artigo de *O Comércio* as murmurações cresceram e os eleitores dos Badarós apontavam na rua a "mulher que pagara os estudos do dr. Virgílio". Margot triunfava. Juca mandara abrir crédito para ela nas lojas, os comerciantes se curvavam melosos.

Margot ofereceu uma cadeira na sala de jantar, o capitão sentou. Aceitou o café que a criada trazia, deu-lhe o recado de Juca. Ele iria na semana seguinte, queria saber se ela precisava de alguma coisa. Margot crivou o capitão de perguntas sobre a fazenda. Também ela se sentia como dona da propriedade dos Badarós. Parecia ter esquecido Virgílio inteiramente, só falou nele uma vez para perguntar a João se ele havia lido o artigo de *O Comércio*:

— Quem me faz, me paga... — afirmou.

Depois fez o elogio de Manuel de Oliveira, "um sujeito batuta, de tutano na cabeça". E completava:

— Demais, é um pândego... Divertido como ele só. Sempre vem aqui me fazer companhia... É tão engraçado...

O capitão João Magalhães desconfiou dos elogios, quem sabe se Margot, na ausência de Juca, não estava se deitando com o jornalista? E, como se sentia parecido com ela, aventureiros e estranhos os dois no meio daquela gente da terra, se sentiu obrigado a lhe dar um conselho:

— Me diz uma coisa? Tu tem algum chamego com esse Oliveira?

Ela negou, mas sem força:

— Não vê logo...

— Eu estou querendo te dar um conselho... Tu não quer contar, não faz mal, eu mesmo não quero saber. Mas vou te dizer: cuidado com os Badarós. Não é gente para brinquedo... Se tu tem amor à pele não pense em enganar um Badaró... Não é gente para brincadeira...

Dizia a Margot, parecia querer convencer a si mesmo:

— É melhor desistir do que pensar em enganar eles...

8

PERTO DO PORTO, NUM SOBRADO, ESTAVA A CASA EXPORTADORA ZUDE, IRMÃO & CIA. Embaixo era depósito de cacau, no andar superior ficavam os escritórios. Uma das três ou quatro firmas que começavam a se dedicar à exportação de cacau, que se iniciara fazia poucos anos. Antes a produção, ainda pequena, era toda consumida no país. Mas, com o crescimento da lavoura, alguns comerciantes da Bahia e alguns estrangeiros, suíços e alemães, fundaram firmas para a exportação de cacau. Entre elas estava a dos irmãos Zude, dois exportadores de fumo e de algodão. Criaram uma seção para o cacau. Abriram a filial em Ilhéus e mandaram para ela Maximiliano Campos, um velho empregado, já de cabelos brancos, com muita experiência. Nesse tempo eram as casas exportadoras que se curvavam ante os coronéis, os empregados e gerentes se dobrando em mesuras e cortesias, os proprietários oferecendo almoços aos fazendeiros quando estes viajavam à capital, levando-os aos cabarés e às casas de mulheres. Ainda eram pequenas as casas exportadoras de cacau, em geral eram apenas seções de grandes casas exportadoras de tabaco, café, algodão e coco.

Por isso, quando Sinhô Badaró terminou de subir as escadas de Zude, Irmão & Cia. e abriu a porta do escritório do gerente, Maximiliano Campos se levantou apressadamente, veio lhe apertar a mão:

— Que boa surpresa, coronel!

Oferecia-lhe a melhor cadeira, a sua, e sentava-se modestamente numa das cadeiras de palhinha:

— Há quanto tempo não aparecia! Eu o fazia na propriedade, tratando da safra...

— Estava por lá... Trabalhando.

— E como vão as coisas, coronel? Que me diz da safra desse ano? Parece que deixa a do ano passado longe, hein? Nós, aqui, já compramos até este mês mais cacau que durante todo o ano passado junto. E isso que alguns fazendeiros fortes, como o senhor, ainda não venderam suas safras...

— Por isso vim... — disse Sinhô.

Maximiliano Campos se tornou ainda mais cortês:

— Resolveu não esperar preços mais altos? Acho que o senhor faz bem... Não acredito que o cacau dê mais de catorze mil-réis a arroba esse ano... E olhe que, por catorze mil-réis, é melhor plantar cacau que dizer missa cantada... — riu com a comparação.

— Pois eu acho que dá mais, seu Maximiliano. Acho que vai dar quinze mil-réis pelo menos, no fim da safra. Quem puder guardar seu cacau, vai ganhar dinheiro muito... A produção não chega pra quem quer. Diz-que só nos Estados Unidos...

Maximiliano Campos balançou a cabeça:

— É verdade que se coloca quanto cacau haja... Mas isso de impor preços, coronel, ainda são os gringos que impõem. O nosso cacau ainda não é nada em vista do cacau da Costa d'Ouro. É a Inglaterra quem faz o preço. Quando os senhores tiverem plantado essa terra toda, tiverem derrubado toda essa mataria que ainda há, pode ser que então a gente possa impor os nossos preços nos Estados Unidos...

Sinhô Badaró se levantou. A barba cobria-lhe a gravata e o peito da camisa:

— Pois isso é que vou fazer, seu Maximiliano. Vou derrubar a mata do Sequeiro Grande e plantar ela de cacau. Daqui a cinco anos tou lhe vendendo cacau dessas terras... E aí a gente pode impor os preços...

Maximiliano já sabia. Quem em Ilhéus não sabia ainda dos projetos dos Badarós a respeito da mata do Sequeiro Grande? Mas todos sabiam também que Horácio tinha idênticos propósitos. E Maximiliano falou no assunto. Sinhô Badaró esclareceu:

— A mata é minha, agora mesmo venho de registrar o título de propriedade no cartório de Domingos Reis. É minha e ai de quem quiser se meter nela...

Dizia com convicção e Maximiliano Campos recuou diante do dedo estendido de Sinhô Badaró. Mas este riu e propôs conversarem de negócios:

— Quero vender minha safra. Desde agora vendo doze mil arrobas... Hoje está marcando catorze mil e duzentos réis por arroba... São cento e setenta contos de réis. Tá de acordo?

Maximiliano fazia contas. Suspendeu a cabeça, tirou os óculos:

— E o pagamento?

— Não quero dinheiro agora. Quero é que o senhor abra o crédito desse dinheiro para mim. Vou precisar para empregar na derruba da mata e no plantio das roças... Vou retirando toda semana...

— Cento e setenta contos e quatrocentos mil-réis... — anunciou Maximiliano terminando as contas.

Conversaram os detalhes do negócio. Os Badarós vendiam seu cacau a Zude, Irmão & Cia. há anos. E para nenhum dos seus clientes do sul da Bahia a casa exportadora tinha tantas atenções como para os irmãos Badarós.

Sinhô se despedia. Voltaria no dia seguinte para assinar o contrato de venda. Ainda no escritório, disse:

— Dinheiro para derrubar a mata e plantar cacau! E também para lutar, se for preciso, seu Maximiliano! — estava sério, alisando a barba com a mão, o olhar duro.

Maximiliano não encontrou o que dizer, perguntou:

— E a menina Don'Ana como vai?

O rosto de Sinhô perdeu toda a dureza, se abriu num sorriso:

— Tá uma moça... E bonita! Não tarda a casar...

Maximiliano Campos acompanhou o coronel escada abaixo, só o deixou na calçada da rua, num longo aperto de mão:

— Muitos votos de felicidade para toda a família, coronel!

Sinhô Badaró andou para o centro da rua, a mão no chapéu, retribuindo as saudações que recebia de todos os lados. Homens atravessavam a rua para vir cumprimentá-lo.

9

OS SINOS REPICAVAM NA TARDE FESTIVA DO DIA DE SÃO JORGE. ERA A FESTA MAIOR de Ilhéus, a festa do padroeiro da cidade. O prefeito, no ato realizado pela manhã na Intendência Municipal, relembrara aquele Jorge de Figueiredo Correia que fora donatário da capitania dos Ilhéus e que plantara ali os primeiros engenhos rudimentares, engenhos de açúcar que logo os índios destruíram. E, com ele, comparou os que vieram depois, trazendo a planta do cacau. Dr. Genaro falara também num discurso repleto de citações em língua estrangeira que a maior parte da gente não entendera.

Nessas comemorações oficiais os correligionários de Horácio não haviam tomado parte. Mas agora estavam todos, vestidos de fraque negro, atravessando as ruas da cidade, em caminho da catedral, de onde sairia a procissão de São Jorge, que percorreria as ruas mais importantes de Ilhéus.

O cônego Freitas buscara sempre passar por cima das divergências políticas dos grandes coronéis. Não se envolvia nelas, se dava com os Badarós e com Horácio, com o prefeito de Ilhéus e com o dr. Jessé. Se fazia uma subscrição em benefício das obras do colégio das freiras, tirava duas cópias para que assim nem Sinhô Badaró nem Horácio tivesse que assinar em segundo lugar. Tanto um como outro ficava satisfeito em receber o papel limpo de firmas, pensando cada um que era o primeiro a pôr o seu nome. Essa hábil política fazia com que, em torno da Igreja, governo e oposição se encontrassem unidos. Ao demais, o cônego Freitas era bastante liberal, nunca fizera questão de que a maioria dos grandes coronéis fossem membros da Loja Maçônica. É verdade que ajudou Sinhô Badaró no combate que este moveu contra a maçonaria (que elegera Horácio para grão-mestre) mas sem aparecer, sempre por detrás do pano. Sua única luta aberta era contra o culto dos ingleses, a Igreja protestante. No mais, ia se equilibrando. Nas novenas de Santo Antônio, se a senhora de Horácio patrocinava a primeira, a senhora Juca Badaró e Don'Ana patrocinavam a última. E os dois rivais se esmeravam no luxo de foguetes e bombas nas noites em que as esposas apadrinhavam as novenas. No mês de maio ele entregava a um a missa cantada, a outro o cuidado do altar. Quando podia jogava com a rivalidade e, quando via interesse, procurava harmonizar.

Em frente à praça onde ficava a matriz os homens abotoados nos fraques negros esperavam a passagem apressada das mulheres que penetravam na igreja. Passou Ester pelo braço de Horácio, muito elegante num daqueles vestidos que lhe lembravam o tempo de estudante no colégio das monjas na Bahia. Virgílio a viu passar, sacou o chapéu de coco para saudar. Horácio balançou a mão, dando adeus, Ester bateu com a cabeça.

A gente em torno cochichou entre si, em sorrisos mordazes. Logo depois passaram Sinhô e Juca Badaró. Sinhô dava o braço a Don'Ana. Juca vinha ao lado da esposa. Foi a vez do capitão João Magalhães, que, ao contrário de quase todos, usava fraque cinzento, num escândalo de distinção, tirar a cartola e dobrar-se na saudação. Don'Ana escondeu o rosto no leque, Sinhô levou a mão ao chapéu, Juca gritou:

— Olá, capitão!

— Tão namorando... — disse uma moça.

Dr. Jessé vinha apressado, suando muito, quase correndo na rua. Parou um minuto para falar com Virgílio, saiu depressa. Dr. Genaro vinha grave e solene, em passos cadenciados, olhando para o chão. O prefeito passou, passaram Maneca Dantas, dona Auricídia e os filhos. Teodoro das Baraúnas vestia como sempre. Apenas, em vez de botas e culote cáqui, levava uma calça branca, perfeitamente engomada. No dedo, o solitário enorme brilhava. Margot passou também, mas não entrou na igreja, ficou num canto da praça conversando com Manuel de Oliveira. As mulheres a espiavam pelo rabo dos olhos, comentando os seus vestidos e os seus modos.

— É a nova amante de Juca Badaró... — disse alguém.

— Disse que antes era do doutor Virgílio...

— Agora ele tem coisa melhor.

Riam. Homens de pés descalços estavam mais afastados. A multidão sobrava da igreja, sobrava da praça, se espalhava pelas ruas. O cônego

Freitas e outros dois padres saíram pela porta. Começaram a ordenar a procissão. Primeiro saiu um andor com o Menino Jesus, uma imagem pequena. Era levado por crianças vestidas de branco, quatro meninos escolhidos entre os de melhores famílias. Ia, entre eles, um filho de Maneca Dantas. O andor tomou para a rua em frente da matriz, adiante ia a banda de música. Atrás marchavam, fardados, os colégios, sob o olhar das professoras. Quando houve espaço, saiu o andor da Virgem Maria, já bastante maior, levado por moças da cidade. Uma delas era Don'Ana Badaró. Ao passar, olhou para João Magalhães e sorriu. O capitão a achou parecida com a Virgem do andor, apesar dela ser morena e a imagem ser de porcelana azul. A banda de música e os meninos dos colégios andaram mais para a frente, os homens, nas calçadas, estavam todos de chapéu na mão. Vestidas de branco, nos pescoços fitas azuis de congregações, saíram, atrás do andor da Virgem, as alunas das freiras. E saíram também as senhoras. A mulher de Juca vinha pelo braço do marido, Ester vinha com uma amiga, a esposa de Maneca Dantas, dona Auricídia, que achava tudo lindo. Fizeram espaço e saiu o andor de São Jorge, grande e rico. O santo era enorme, montado no seu cavalo, matando o dragão. Traziam-no, nos varais da frente, Horácio e Sinhô Badaró. E, nos de trás, dr. Genaro e dr. Jessé. Estes conversavam entre si, como amigos. Mas Horácio e Sinhô nem se fitavam, iam sérios, o olhar em frente, os passos simétricos. Vestiam os quatro uma bata vermelha sobre os fraques negros.

Atrás vinha o cônego Freitas e mais dois padres que o ladeavam. E vinha toda gente importante da cidade: o prefeito, o delegado, o juiz, o promotor, alguns advogados e médicos, os agrônomos, coronéis e comerciantes. Vinham Maneca Dantas e Ferreirinha, Teodoro e dr. Rui. E por detrás se juntou a multidão, velhas beatas, mulheres do povo, os pescadores da colônia Z.21, os trabalhadores da rua, gente de pé no chão. Mulheres levavam os sapatos na mão, cumpriam promessas feitas ao santo.

A banda de música atacou um dobrado, a procissão partiu vagarosa e ordenada.

Quase ao mesmo tempo o dr. Virgílio e o capitão João Magalhães deixaram a calçada onde estavam e foram se colocar, eles também, atrás do altar da Virgem. Juca Badaró e Virgílio se cumprimentaram friamente, o capitão se chegou, oferecendo uns queimados que havia comprado. Don'Ana Badaró desequilibrou o andor ao olhar para trás quando ouviu a voz do capitão. As outras riram baixinho.

Um grupo de homens se formara em torno de Margot para ver a

procissão passar. Quando o andor de São Jorge atravessou diante deles, Sinhô Badaró e Horácio de passos acertados um pelo outro, alguém comentou:

— Quem diria... O coronel Horácio e Sinhô Badaró juntos, um ao lado do outro... E doutor Jessé com doutor Genaro... Só mesmo milagre.

Manuel de Oliveira esqueceu por um momento que era diretor do jornal dos Badarós e disse:

— Cada um deles tá rezando para que o santo o ajude a matar o outro... Tão rezando e ameaçando...

Margot riu, os outros riram também. E se juntaram todos à procissão, que, como uma serpente descomunal, se movia lentamente nas ruas estreitas de Ilhéus. Os foguetes espocavam no ar.

A LUTA

1

DE ONDE VINHA MESMO AQUELE PINICAR DE VIOLA NA NOITE SEM LUA? Era uma canção triste, uma melodia nostálgica que falava em morte. Sinhô Badaró não se demorara nunca em refletir sobre a tristeza das músicas e das letras das melodias que cantavam, na terra do cacau, os negros, os mulatos e os brancos trabalhadores. Mas agora, trotando no seu cavalo negro, ele sentia que a música o penetrava e se recordou, não sabe por quê, daquelas figuras do quadro que enfeitava a sala da sua casa-grande. A música devia vir de dentro de uma roça, de uma casa qualquer, perdida nos cacaueiros. Era uma voz de homem que cantava, Sinhô não sabia por que os negros perdiam uma parte da noite pinicando os violões quando era tão curto o tempo que tinham para dormir. Mas a música o acompanhava por todas as voltas da estrada, por vezes era apenas um murmúrio, de súbito se elevava como se estivesse muito próxima:

Minha sina é sem esperança...
É trabalhar noite e dia...

Atrás de si, Sinhô Badaró ouvia o trotar dos burros onde vinham os capangas. Eram três: o mulato Viriato, Telmo, um alto e magro, de tiro certo e voz efeminada, e Costinha, o que matara o coronel Jacinto. Vinham conversando entre si, a brisa da noite trazia até Sinhô Badaró uns restos de diálogo:

— O homem meteu a mão na porta, foi um alvoroço...

— Atirou?

— Não deu tempo...

— História com mulher dá sempre em desgraça...

Se o negro Damião estivesse ali, Sinhô o chamaria e ele viria a seu lado e Sinhô contaria para ele alguns dos seus projetos, que o negro ouviria calado, aprovando com sua imensa cabeça. Mas Damião andava maluco pelas estradas do cacau, rindo e chorando que nem uma criança, e fora preciso que Sinhô usasse de toda a sua energia para que Juca não mandasse liquidar o negro. Certa vez ele passara pelas proximidades da fazenda, choramingando, e os que o viram disseram que estava irreconhecível, magro e coberto de lama, os olhos fundos, murmurando coisas sobre meninos mortos e caixões brancos de anjos. Era um negro bom e até hoje Sinhô Badaró não compreende por que ele errou a pontaria na noite em que atirou em Firmo. Será que já estava maluco? A música, que voltou na curva da estrada, trouxe novamente a lembrança daquela tarde. Sinhô Badaró se lembrou do quadro da sala de visitas: a camponesa e os pastores, a paz azul, as flautas que tocavam. Devia ser uma música mais alegre, com palavras doces de amor. Uma música para dançar, a moça tinha um pé no ar num gesto de baile. Não seria uma música como essa que parecia música para enterro:

Minha vida é de penado
Cheguei e fui amarrado
Nas grilhetas do cacau...

Sinhô Badaró procura enxergar para os lados da estrada. Deve ser de alguma casa de trabalhador nas proximidades. Ou será algum homem que vai andando no atalho, a viola no ombro, encurtando o caminho com a sua música? Faz bem quinze minutos que ela acompanha a comitiva, falando da vida nessas terras, do trabalho e da morte, do destino da gente presa ao cacau. Mas os olhos de Sinhô Badaró, olhos acostumados à escuridão da noite, não divisaram nenhuma luz na redondeza. Só os olhos de presságio de um corujão que piou gravemente. Devia ser algum homem que vinha por algum atalho, o que cantava. Estaria encurtando o caminho com sua música, estava aumentando o caminho de Sinhô Badaró que ia para a fazenda. Essas eram estradas de perigo, agora não havia mais sossego nesses caminhos em redor da mata do Sequeiro Grande. Naquela tarde, quando ele dera ordens para o negro Damião derrubar Firmo, ele ainda tinha esperanças. Mas agora era tarde. Agora a luta estava declarada, Horácio ia entrar pela mata do Sequeiro Grande, preparava homens, fazia correr um processo em Ilhéus, disputando a posse das terras. Naquela tarde a moça dos campos europeus bailava num pé só, todavia Sinhô Badaró tinha esperanças. A voz do homem que canta — decididamente vem por um atalho — se aproxima, aumenta em volume, aumenta em tristeza:

Quando eu morrer
Me levem numa rede balançando...

Agora passariam as redes na estrada, seria uma cena que se repetiria em muitas noites. E o sangue pingaria delas e regaria a terra. Essa não era uma terra para bailes e pastores azuis, de boinas encarnadas. Era uma terra negra, boa para o cacau, a melhor do mundo. Sobe a voz, mais próxima ainda, sua canção de morte:

Quando eu morrer
Me enterrem na beira da estrada...

Havia cruzes sem nomes pela estrada. Homens que haviam caído, de bala ou de febre, sob o punhal também, nas noites de crime ou de doença. Mas os cacaueiros nasciam e frutificavam, seu Maximiliano dissera que, no dia em que todas as matas estivessem plantadas, eles imporiam seus preços nos mercados norte-americanos. Teriam mais cacau que os ingleses, em Nova York se saberia do nome de Sinhô Badaró, dono das fazendas de cacau de São Jorge dos Ilhéus. Mais rico que Misael... Na beira de uma estrada repousaria Horácio, com cruzes sem nome estariam Firmo e Braz, Jarde e Zé da Ribeira. Eles tinham querido assim, Sinhô Badaró preferia que fosse como na oleogravura, como um baile, todos alegres, os homens com suas flautas no campo azul. A culpa era de Horácio... Por que se metia em terras que não eram suas, só podiam ser dos Badarós, ninguém pensaria em disputar com eles?... Horácio é que quisera, pela vontade dele, Sinhô Badaró, seria uma festa, a moça com o pé no ar iniciando um bailado sobre as flores da campina... Um dia ia ser como naquelas terras da Europa... Sinhô Badaró derrama um sorriso sobre a barba, também ele vê o futuro, como as cartomantes e os profetas. Na curva da estrada, onde ela se ramifica com o atalho, surge o homem com a viola:

Quando eu morrer
Me enterrem por baixo dum cacaueiro...

Mas o som da cavalhada, que trota na estrada, cala a voz do músico. E agora Sinhô Badaró sente falta dela. Já não vê a moça bailando nas terras do cacau, as matas plantadas, os preços ditados desde Ilhéus. Ele vê é o homem que anda, os dedos ainda no violão, os pés vencendo a estrada enlameada. Sai para um lado, dando passo a Sinhô Badaró e aos seus cabras.

— Boa noite, patrão...

— Boa...

Os cabras respondem em coro:

— Boa viagem...

— Que Nosso Senhor acompanhe a vosmicês...

Agora a música se afasta, o homem pinica sua viola cada vez mais longe, em breve não se ouvirá sua voz cantando tristezas, se lamentando da vida, pedindo que o enterrem debaixo de um cacaueiro. Dizem que é aquele visgo do cacau mole que prende os homens ali. Sinhô Badaró não sabe de ninguém que tenha voltado. Conhece muitos que se lamentam, assim como esse negro, se lamentam dia e noite, nas casas, nos botequins, nos escritórios, no cabaré, que dizem que essa terra é desgraçada, é mesmo uma terra infeliz, é o fim do mundo, sem diversões e sem alegria, onde se mata gente por um nada, onde hoje se é rico e amanhã se é mais pobre que Jó. Sinhô Badaró conhece muitos, já ouviu essas conversas dezenas de vezes, já viu homens venderem suas roças, juntarem o dinheiro e jurarem na beira da estrada que nunca mais voltariam. Partiam para Ilhéus para esperar o primeiro navio que saísse para a Bahia. Na Bahia tinham de um tudo, cidade grande, comércio de luxo, casa de conforto, teatro e bonde de burro. Lá tinha de um tudo, o homem estava com o dinheiro no bolso, pronto para gozar a vida. Mas antes do navio sair o homem voltava, o visgo do cacau está pegando na sola dos seus pés, e ele vinha e enterrava de novo o seu dinheiro num pedaço de terra para plantar cacaueiro... Alguns chegavam a ir, embarcavam, cortavam as ondas do mar, e aonde chegavam não falavam noutra terra que nessas terras de Ilhéus. E, era certo, tão certo quanto ele se chamar Sinhô Badaró, que, passados seis meses ou um ano, o homem voltava, sem dinheiro, para recomeçar a plantar cacau. Diziam que era o visgo do cacau mole que agarra nos pés de um e nunca mais larga. Diziam as canções cantadas nas noites das fazendas...

Entram por entre os cacaueiros. Estão na roça da viúva Merenda, nos costados da mata do Sequeiro Grande. Tinham dito a Sinhô Badaró que ela tinha feito acordo também com Horácio. Nem por isso ele quisera deixar de aproveitar o atalho, que encurtava seu caminho de quase meia légua. Se ela estava com Horácio, pior para ela e para os dois filhos que ela tinha. Porque então aquelas roças passariam a se juntar às roças novas que os Badarós iam plantar nas matas de Sequeiro Grande. Dentro de cinco anos ele, Sinhô Badaró, entraria nos escritórios de Zude, Irmão & Cia. e lhes venderia cacau colhido nas roças novas. Assim o dissera e assim o faria. Não era homem de duas palavras. Mesmo que a moça tivesse que terminar seu bailado recém-iniciado no quadro da sala da casa-grande. Depois então ela bailaria sobre um campo amarelo do ouro do cacau maduro, que era bem mais bonito que aquele azul do quadro. Bem mais bonito...

O primeiro tiro foi logo acompanhado de muitos outros. Sinhô Badaró só teve tempo de levantar o cavalo que recebeu a descarga no peito e caiu de lado. Os seus jagunços desmontavam, se atrincheiravam por detrás dos burros deitados. Sinhô Badaró procurava livrar a perna que estava presa por baixo do cavalo agonizante. Seus olhos pesquisavam a escuridão e foi ele quem, ainda deitado, localizou os jagunços de Horácio na tocaia, atrás de uma jaqueira perto do atalho.

— Tão detrás da jaqueira... — disse.

Agora havia um silêncio total depois das primeiras descargas. Sinhô Badaró conseguiu livrar a perna, levantou-se em toda a altura, um tiro furou seu chapéu. Disparou o parabélum, gritou para seus homens:

— Vamos acabar com eles!

A cabeça de um dos assaltantes apareceu por detrás da jaqueira acertando a pontaria. Telmo disse ao lado de Sinhô Badaró, com sua voz efeminada:

— O meu já tá, patrão... — elevou a repetição, a cabeça do homem atrás da jaqueira balançou como um fruto maduro e caiu. Sinhô Badaró avançou atirando, agora estavam ele e seus homens por trás de uns cacaueiros, e podiam ver os homens que estavam na tocaia. Eram cinco, contando com o que morrera. Os dois filhos de Merenda e mais três capangas de Horácio. Sinhô Badaró carregava a arma, por detrás dele Viriato atirou. Foram andando pelos cacaueiros, o plano de Sinhô era tomar a retaguarda dos que estavam na tocaia. Mas estes perceberam e acharam que era melhor romper fogo para evitar a manobra do coronel. Tiveram que se afastar um pouco das jaqueiras e Sinhô Badaró queimou um. O homem se torceu com o tiro, a mão para cima, o pé no ar, Viriato acabou com ele:

— Descansa, fio da mãe... Isso não é hora de dançar...

Sinhô, no meio de todo o barulho, se lembrou da moça do quadro, dançando num pé só. Não era hora de dançar. Viriato tinha razão. Foram andando mais. Um tiro acertou no ombro de Costinha, o sangue molhou a ponta das calças de Sinhô Badaró.

— Não é nada ... — disse Costinha. — Só arranhou — e ainda atirava.

Continuaram o cerco, os três homens que restavam na tocaia viram que não adiantava. Ainda estava em tempo, se meteram pela roça. Sinhô descarregou o parabélum na direção em que eles iam. Depois andou até o cavalo negro, passou a mão sobre o seu pescoço ainda morno. O sangue corria do peito do cavalo, fazia poça no chão. Telmo se aproximou, começou a tirar a sela do animal morto. Viriato trouxe o burro em que vinha montado, e que se afastara um pouco com o tiroteio, e nele Sinhô Badaró montou. Telmo levava no peitoral do seu burro os arreios do cavalo. E na sua garupa, Viriato levava a Costinha que apertava a ferida com a mão.

Iam a passo pela estrada. Sinhô Badaró ainda segurava o parabélum na mão. Seu olhar, quase triste, se afundou na escuridão em torno. Mas agora não vinha música nenhuma, voz que cantasse as desgraças dessa terra. Não havia luta, tampouco, que iluminasse os cadáveres junto aos cacaueiros. Atrás, Telmo se vangloriava, com sua voz fina, que parecia de mulher:

— Acertei foi na cabeça do peste...

A luz de uma vela, que a saudade de mãos piedosas havia acendido, iluminava uma cruz recente na estrada. Sinhô Badaró pensou que se fossem iluminar todas as cruzes que iam se levantar de agora em diante as estradas da terra do cacau ficariam mais iluminadas que mesmo as ruas de Ilhéus. Se entristeceu de todo. "Não é tempo para dança, moça, mas eu não tenho culpa, não."

2

E OS BARULHOS, COMEÇADOS NESSA NOITE, NÃO PARARAM MAIS ATÉ que a mata do Sequeiro Grande se transformou em roças de cacau. Depois a gente desta zona, de Palestina a Ilhéus, mesmo a gente de Itapira, ia contar o tempo em função desta luta:

— Isso aconteceu antes dos barulhos do Sequeiro Grande...

— Foi dois anos depois de acabada a luta do Sequeiro Grande ...

Foi a última grande luta da conquista da terra, a mais feroz de todas, também. Por isso ficou vivendo através dos anos, as suas histórias passando de boca em boca, relatadas pelos pais aos filhos, pelos mais velhos aos mais jovens. E nas feiras dos povoados e das cidades, os cegos violeiros cantavam a história daqueles barulhos, daqueles tiroteios que encheram de sangue a terra negra do cacau:

Foi praga de feiticeiro
Em noite de feitiçaria...

Os cegos são poetas e os cronistas dessas terras. Pela sua voz esmoler, nas cordas das suas violas, perdura a tradição das histórias do cacau. A multidão das feiras, os homens que vêm para vender sua farinha, seu milho, suas bananas e laranjas, os homens que vêm para comprar, se reúnem em torno aos cegos para ouvirem as histórias do tempo do começo do cacau, quando era também o começo do século. Jogam níqueis nas cuias ao pé do cego, a viola geme, a voz conta dos barulhos do Sequeiro Grande, daquelas mortandades passadas:

Nunca se viu tanto tiro,
Tanto defunto na estrada.

Homens se acocoram no chão, o rosto sorridente, outros se apoiam nos bordões, os ouvidos atentos à narração do cego. A viola acompanha os versos, surgem diante dos homens aqueles outros homens que abriram a floresta no passado, que a derrubaram, que mataram e morreram, que plantaram cacau. Ainda vivem muitos dos que tomaram parte nos barulhos do Sequeiro Grande. Alguns figuram nesses versos que os cegos cantam. Mas os ouvintes quase não relacionam os fazendeiros de hoje aos conquistadores de ontem. É como se fossem outros seres, tão diferentes eram os tempos! Antes aqui era a mata, fechada de árvores e de mistério, hoje são roças de cacau, abertas no amarelo dos frutos parecendo de ouro. Os cegos cantam, são histórias de espantar:

Eu vou contar uma história,
Uma história de espantar.

Uma história de espantar, a história da mata do Sequeiro Grande. Na mesma noite em que os irmãos Merenda e os três cabras de Horácio haviam atacado a Sinhô Badaró no atalho, nessa mesma noite Juca partiu à frente de dez homens e cometeu uma série de estrepolias na redondeza. Começaram matando os dois irmãos Merenda, dizem que na própria vista da mãe, para dar exemplo. Depois entraram pela roça de Firmo, largaram fogo numa plantação de mandioca, e só não mataram o lavrador porque ele não estava em casa, andava por Tabocas:

— Já escapou duas vezes — dissera Juca. — A terceira não vai escapar.

Depois tinham ido na roça de Braz e aí o fogo comeu, Braz resistiu com seus homens e Juca Badaró teve que se retirar deixando um cabra morto, e sem saber quantos haviam caído do lado de Braz. Um era certo: fora Antônio Vítor quem o derrubara e Juca vira o homem rolar. Antônio Vítor afirmava que tinha derrubado outro, mas não havia certeza.

Vinte anos depois, os cegos percorreriam as feiras dos povoados novos, de Pirangi e Guaraci, nascidos nos terreiros da mata do Sequeiro Grande, cantando detalhes da luta:

Fazia pena, dava dó,
Tanta gente que morria.
Cabra de Horácio caía
E caía dos Badaró...
Rolava os corpo no chão,
Dava dor no coração
Ver tanta gente morrer,
Ver tanta gente matar.

Os homens andavam atrás de jagunços, recrutando os que tinham melhor pontaria, os de coragem comprovada. Narram que Horácio mandou gente no sertão buscar jagunços de fama, que os Badarós não mediam dinheiro quando era para pagar a um atirador de tiro certeiro. As noites passaram a ser cheias de medo, de mistério e de surpresas. Qualquer caminho, por mais largo que fosse, era estrada insegura para os viandantes. Ninguém, mesmo os que não tinham nada a ver com a mata do Sequeiro Grande, com Horácio e com os Badarós, se atrevia a viajar por estas estradas do cacau sem ser acompanhado por um cabra pelo menos. Foi nesse tempo que os comerciantes de ferragens, que eram os que vendiam armas, haviam enriquecido. Menos seu Azevedo, de Tabocas, que se arruinou fornecendo repetições para os Badarós e só salvou alguma coisa devido à sua habilidade política. Agora tinha uma quitanda em Ilhéus, contando ele também, na sua velhice pobre, aquelas histórias aos moços estudantes da cidade:

Se largou foice e machado,
Se pegou repetição...
Loja de arma enricou,
A gente toda comprou,
Se vendeu como um milhão.

Cantavam os cegos, vinte anos depois. Contavam os feitos dos Badarós, a coragem deles, de Sinhô e de Juca:

Homem macho era Sinhô,
O chefe dos Badaró...
Uma vez, ele ia só,
Com cinco homem acabou,
Juca não era menos,
Coragem nele sobrava,
E Juca não respeitava
Nem os grandes, nem os pequenos.

Mas contavam também da coragem da gente de Horácio, dos homens que iam com ele, de Braz, o sobre todos corajoso, que ferido com três balas matara ainda assim dois homens:

Braz, de nome Brasilino
José dos Santos, se chamava,
Com ele fiava fino,
Mesmo do chão atirava,
Tando ferido, matava!

Retratavam Horácio, desde a sua fazenda, dando suas ordens aos homens, mandando-os pelos caminhos que cercavam a mata do Sequeiro Grande:

Horácio as ordens dava,
Era Sua Senhoria,
Cabra saía pra estrada,
Pra fazer estrepolia...

Os rimances da luta do Sequeiro Grande iam desfiando as figuras e os feitos, as inquietações também. Dizia das esposas:

Mulher casada não havia
Só se fosse na Bahia...
Por aqui já se dizia:
"Casada era só projeto
— Mesmo as que tinha neto —
De viúva no outro dia".

Os homens das feiras que ouvem, vinte anos depois, nos povoados plantados sobre a terra onde fora a mata do Sequeiro Grande, soltam exclamações de admiração, riem se divertindo, comentam em frases curtas. Pela voz do cego desfila ante eles este ano e meio de lutas, de homens morrendo, de homens matando, a terra adubada com sangue. E quando os cegos terminam:

Eu já contei uma história,
Uma história de espantar!

eles derrubam mais algumas moedas na cuia do narrador, e saem entre comentários: "Foi coisa de feiticeiro". Assim diz o rimance, assim eles o dizem hoje também. Foi coisa de feiticeiro, em noite de feitiçaria. A praga do negro Jeremias era distribuída, naquele tempo das lutas, pelas estradas, de fazenda em fazenda, na voz do negro Damião, magro e sujo, doido manso choramingando pelos caminhos do cacau.

3

AINDA NÃO HAVIAM SEQUER ESFRIADO OS COMENTÁRIOS NASCIDOS da tocaia contra Sinhô Badaró e da morte dos irmãos Merenda, quando Ilhéus foi sacudida pelo incidente entre o dr. Virgílio e Juca Badaró, no cabaré da cidade. Aliás, naquele ano e meio os acontecimentos se sucederam com tanta rapidez que dona Iaiá Moura, solteirona que zelava por um altar da igreja de São Sebastião, disse à sua amiga dona Lenita Silva, que zelava pelo altar em frente:

— Se passa tanta coisa, Lenita, que a gente nem tem tempo de falar direito sobre nenhuma delas... Tá tudo muito depressa...

A verdade é que tanto Horácio como os Badarós tinham pressa. Um e outro desejavam derrubar a mata quanto antes e quanto antes plantá-la de cacaueiros. A luta comia dinheiro, as folhas de pagamento se elevavam nos sábados a alturas nunca vistas antes, os jagunços recebendo em dia, o preço das armas aumentando. Tanto os Badarós como Horácio tinham pressa e, por isso, aqueles meses foram tão cheios que as beatas não davam conta dos fatos a comentar. Ainda estavam falando de um quando sucedia outro que lhes reclamava a atenção. O que se passava também com os dois jornais. Acontecia, por vezes, Manuel de Oliveira estar escrevendo um artigo descompondo Horácio por uma arruaça de seus cabras e receber a notícia de outra muito maior. A violência de *O Comércio* e de *A Folha de Ilhéus* não conheceu limites nesse ano. Já não havia adjetivos insultuosos que não estivessem gastos e foi uma festa na redação de *O Comércio* no dia que o dr. Genaro mandou buscar no Rio (as livrarias da Bahia não o tinham à venda) um grande dicionário português, editado em Lisboa, especializado em termos quinhentistas. Foi quando, para gáudio e admiração dos moradores, *O Comércio* passou a chamar Horácio e seus amigos de "fuão", "mequetrefe", "vilão", "flibusteiro", e outros adjetivos dessa idade. *A Folha de Ilhéus* respondeu caindo no calão nacional, no qual o dr. Rui era uma autoridade. O processo que Horácio fazia correr no foro de Ilhéus continuava sem solução. "Correr no foro" era a mais inadequada das expressões jurídicas quando se tratava de um processo de gente da oposição contra gente do governo, como era o caso atual. O juiz estava ali para defender os interesses dos Badarós. E, se não o fizesse bem, o menos que podia lhe acontecer era o governador do Estado transferi-lo para uma cidadezinha qualquer do sertão, falta de todo conforto, perdida e esquecida de todos, onde ele vegetaria anos e anos. Já o juizado de Ilhéus, ao contrário, era caminho para a Suprema Corte do estado, para trocar o título de juiz pelo de desembargador, título muito mais sonoro e muito melhor pago. Não adiantava a força que dr. Virgílio e dr. Rui faziam, bombardeando o juiz com petições, requerimentos e pedidos de vistoria. O processo marchava, segundo Horácio, "a passos de cágado", e ele confiava muito mais em tomar as terras à força que pela lei. E fazia com que — ao contrário do processo — os acontecimentos andassem depressa. Também aos Badarós interessava que marchassem o mais rápido possível. As eleições se aproximavam, seriam no ano seguinte, e muita gente dizia que era quase certo o rompimento entre o governo do estado e o governo federal devido à questão da sucessão presidencial. E se o governo do estado caísse, os Badarós passariam a ser oposição, já não haviam de contar com o juiz, então o processo de Horácio "correria" realmente.

Tudo isso se comentava pelos botequins, pelas esquinas, nas casas de Ilhéus, e até nos navios que paravam no porto, entre os estivadores que os carregavam e os marinheiros que iam seguir viagem. Nas cidades distantes, em Aracaju e em Vitória, em Maceió e no Recife, se falava nessas lutas de Ilhéus como se falava nas lutas do Padre Cícero, em Juazeiro do Ceará.

Virgílio havia ido à Bahia e conseguira, de um desembargador que apoiava a oposição, um parecer favorável a Horácio no caso da posse das terras do Sequeiro Grande. E o juntara aos autos do processo e o dr. Genaro quebrava a cabeça em cima dos livros de direito para "esmagar o parecer", como prometera ao juiz que estava aterrorizado com aquela intromissão de um desembargador num processo que ainda se encontrava em primeira instância. Porém, mais que o parecer do desembargador, o que deve ter levado Juca Badaró a provocar o dr. Virgílio foi, sem dúvida, a série de artigos que este havia escrito no diário oposicionista da Bahia sobre as lutas em Ilhéus. Os artigos de *A Folha de Ilhéus* não incomodavam o mais mínimo aos Badarós. Mas aqueles artigos num jornal diário da Bahia tiveram repercussão mesmo fora do estado e, se bem os diários do governo houvessem defendido Sinhô Badaró, o governador lhe fizera saber que era bom evitar qualquer publicidade sobre "esses incidentes" num momento em que o governo estadual não se encontrava em muito boa harmonia com o federal. Horácio tivera conhecimento do fato e Virgílio andava nas ruas de Ilhéus como um vitorioso.

Certa noite, ele foi ao cabaré. Há muito que não aparecia, suas noites agora eram nos braços de Ester, loucas noites de amor e de delírio, a carne dela despertada em sensualidade, se educando nos requintes que ele aprendera com Margot. Mas Horácio estava em Ilhéus, e Virgílio ficou sem ter aonde ir. Já se acostumara em não estar em casa à noite, e se dirigiu ao cabaré para tomar um uísque. Ia com Maneca Dantas, o coronel havia chegado com Horácio. Virgílio o convidara:

— Vamos dar um pulo no cabaré?

Maneca Dantas riu, pilheriou:

— O senhor quer desviar um pai de família do bom caminho, doutor? Tenho esposa e filhos, não ando nesses lugares...

Riram os dois, subiram as escadas. Na sala do fundo Juca Badaró jogava com João Magalhães e outros amigos. Nhozinho dizia, em tom de segredo, aos amigos que "era um pôquer brabo, cacife tão alto ele nunca tinha visto". Virgílio e Maneca Dantas foram para a sala de dança, onde o pianista e o violinista tocavam as músicas em voga. Sentaram-se, pediram uísque, e Virgílio viu logo Margot que estava numa mesa com Manuel de Oliveira e outros amigos dos Badarós. O jornalista — que não brigava com ninguém, afirmando que ele "era um profissional da imprensa e que aquilo que escrevia no jornal era a opinião dos Badarós e nada tinha que ver com a sua, particular — eram coisas distintas" — cumprimentou Virgílio. O advogado respondeu, cumprimentando a todos. Margot sorriu para ele, achou-o belo, lembrou-se de outras noites, apertou o lábio num gesto inicial de desejo. Nhozinho trouxe a garrafa de uísque.

— Esse é do bom... Escocês... Só sirvo dele aos fregueses escolhidos. Não é para todo mundo...

— Qual é a proporção de água? — pilheriou Maneca Dantas.

Nhozinho jurou que era incapaz de misturar o uísque e quanto mais aquele, um uísque realmente... — juntava os dedos, levava-os assim até os lábios e soltava sobre eles um beijo estalado, demonstrando com essa mímica a bondade do uísque. Depois quis saber por que o dr. Virgílio não aparecia há tanto tempo... Ele sentira falta. Virgílio resumia os motivos por que deixara de vir ao cabaré:

— Ocupações, Nhozinho, ocupações!

Nhozinho se retirou, mas Manuel de Oliveira, que vira a garrafa de uísque, se aproximou para perguntar ao dr. Virgílio notícias de outro jornalista que era amigo comum dos dois e que trabalhava na Bahia, no diário da oposição:

— Viu o Andrade por lá, doutor? — perguntou após apertar a mão de Virgílio e a de Maneca Dantas.

— Jantamos juntos uma vez.

— E, como vai?

— Ah! o mesmo de sempre. Bebendo desde que acorda até que deita. Continua com os mesmos hábitos... É formidável!

Manuel de Oliveira lembrou:

— Ainda escreve os sueltos inteiramente bêbedo?

— Caindo...

Maneca Dantas pedia a Nhozinho outro copo, servia o jornalista. Agradecendo a gentileza, Manuel de Oliveira lhe explicou:

— É um colega, coronel. A melhor pena da Bahia... Jornalista está ali, completo. Mas bebe de fazer medo. Quando acorda, mesmo antes de limpar os dentes, emborca, ou "saboreia", como ele diz, um copo de cachaça. E continua... Na redação nunca ninguém viu o Andrade com o corpo bem equilibrado. Mas a cabeça, coronel, essa é sempre a mesma... Cada tópico... Um primor... — emborcou o copo, mudou de assunto. — Bom uísque...

Aceitou a nova dose, com o copo cheio, despediu-se, ia voltar para a sua mesa. Mas antes disse a Virgílio:

— Tem uma conhecida sua na nossa mesa que está com saudades — olharam pra Margot. — Diz que gostaria de dançar uma valsa com o senhor...

Piscou o olho, foi andando:

— Quem foi rei, sempre é majestade...

Virgílio riu com o comentário. No fundo estava sem interesse nenhum. Viera ao cabaré para beber um pouco e conversar, não viera atrás de mulher. Muito menos de uma mulher que atualmente era amante de Juca Badaró, mantida por ele. Demais temia que Margot, com quem não voltara a falar desde aquela outra noite, nesse mesmo cabaré, começasse com recriminações. Não estava interessado nela, para que dançar então, reatar laços partidos? Deu de ombros, bebeu um trago de uísque. Mas Maneca Dantas estava interessado. Ele gostaria que a gente do cabaré visse Virgílio dançando com Margot. Assim saberiam que ela vivia louquinha pelo advogado, que só estava com Juca porque Virgílio a deixara. Não haveria mais quem dissesse que Juca a tomara do outro. Falou:

— A moça não tira os olhos do senhor, doutor...

Virgílio espiou, Margot sorriu, os olhos presos nele. Maneca Dantas perguntou:

— Por que não dança uma rodada com ela?

Ainda assim Virgílio refletia: "não valia a pena". Se moveu na cadeira, Margot na outra mesa pensou que ele ia se levantar para tirá-la e se pôs de pé. Isso o obrigou a decidir-se. Não tinha outro jeito que dançar. Era uma valsa lânguida, saíram os dois pela sala e logo a gente toda os olhou, as rameiras comentavam. Da mesa onde estava Margot um homem quis se levantar. Houve um princípio de discussão entre ele e Manuel de Oliveira. O jornalista procurava convencê-lo de algo, mas o homem, após ouvi-lo, se desprendeu da mão de Oliveira, que o segurava, e partiu para a sala de jogo.

A música da valsa se arrastava no piano velho. Virgílio e Margot dançavam sem trocar palavra mas ela ia de olhos cerrados, os lábios apertados.

Juca Badaró chegou da sala de jogo. Atrás dele vinham João Magalhães, o homem que o fora chamar, e os outros parceiros de pôquer. Da porta que comunicava as duas salas Juca ficou olhando, as mãos metidas no bolso, os olhos cintilando. Quando a música acabou, os homens que dançavam bateram palmas pedindo bis. Foi nesse momento que Juca Badaró atravessou a sala, tomou Margot por um braço, e a puxou para a mesa. Ela relutou um pouco, Virgílio se adiantou, ia falar, mas Margot impediu que ele dissesse qualquer coisa:

— Não se meta, por favor...

Virgílio ficou um minuto indeciso, olhava Juca que esperava, mas se lembrou de Ester... que lhe importava Margot? — cumprimentou a ex--amante sorrindo:

— Muito obrigado, Margot — e voltou para sua mesa onde Maneca Dantas estava de pé, a mão no revólver, na expectativa do barulho.

Juca Badaró arrastara Margot para a mesa onde discutiram os dois em voz alta, todo mundo ouvindo. Manuel de Oliveira procurava intervir, porém Juca Badaró o olhou de tal maneira que o jornalista achou melhor calar-se. A discussão azedou-se entre Juca e Margot, ela quis levantar-se, ele a sentou violentamente. Nas outras mesas havia um silêncio completo, até o pianista espiava. Juca voltou-se:

— Por que diabo não toca a merda desse piano? — gritou e o velhote se atirou em cima do piano e os pares saíram dançando.

Não demorou, Juca tomou Margot pela mão, arrastou-a consigo. Quando passavam em frente à mesa onde estavam Virgílio e Maneca, Juca disse para a mulher que ia quase de rastros:

— Vou lhe ensinar a respeitar macho, sua puta mal-acostumada... Parece que é a primeira vez que vive com um homem...

Disse para que Virgílio ouvisse e o advogado ia se levantando da mesa, tinha perdido a cabeça. Maneca Dantas é que o segurou, viu que ele ia morrer nas mãos de Juca se tentasse um gesto. Juca e Margot saíram pela escada, de dentro da sala se ouviu o som das bofetadas que ele dava na amante. Virgílio estava pálido. Maneca Dantas lhe explicava que não valia a pena.

O incidente não passou disso e no outro dia Virgílio o havia esquecido quase completamente. Já não pensava no assunto, Margot não lhe interessava. Tinha ido viver com Juca Badaró porque quisera, o plano de Virgílio era enviá-la para a Bahia, dar-lhe dinheiro para uns quantos meses. Ela preferira se meter com Juca na mesma noite do rompimento, se fazer amante dele, fornecera ao jornal dos Badarós detalhes sobre a vida de Virgílio como estudante. Se ela agora apanhava de Juca, se não podia dançar com quem quisesse, era culpa dela, ele, Virgílio, nada tinha com isso. E, de certa maneira, não deixava de dar razão a Juca. Se Margot ainda fosse sua amante, ele não haveria de gostar de vê-la dançando com o homem que a tivera antes. Por muito menos Virgílio fizera uma arruaça num cabaré da Bahia poucos anos atrás. Encontrava desculpa até mesmo para o insulto de Juca na saída. O coronel devia estar ciumento e perdera a cabeça. Virgílio se encontrava satisfeito com Maneca Dantas por tê-lo obrigado a sentar-se quando ele quase ia perdendo a cabeça e se metendo numa briga por causa de Margot. Não pretendia sequer negar o cumprimento a Juca se este o saudasse na rua. Não guardava raiva dele, compreendia o que se passara, e principalmente não se interessava em brigar com ninguém por causa de Margot.

Mas, de boca em boca, nos comentários da cidade, o incidente crescera. Uns diziam que Juca arrancara Margot dos braços do dr. Virgílio e a espancara na vista dele. Outros tinham uma versão mais dramática. Segundo estes Juca encontrara Margot aos beijos com o dr. Virgílio e sacara o revólver. Virgílio, porém, não lhe dera tempo a atirar, embolara com ele, tinham lutado pela posse da mulher. Essa versão era geralmente aceita. E até os que haviam assistido ao incidente narravam-no com grandes contradições: segundo uns, Juca saíra do cabaré para evitar que o dr. Virgílio tirasse Margot para dançar novamente e na passagem pedira desculpas ao advogado. A maioria, porém, achava o contrário: que Juca convidara Virgílio para brigar e este se acovardara.

Apesar de saber de como coisas carentes de toda a importância eram aumentadas em Ilhéus, Virgílio se admirou da seriedade que Horácio concedeu ao incidente. O coronel o mandara, no dia seguinte, convidar para jantar. Virgílio aceitou encantado, procurava mesmo um pretexto para ir à sua casa e assim estar um instante próximo a Ester, sentindo sua presença, ouvindo sua voz bem-amada.

Chegou pouco antes do jantar, na porta se encontrou com Maneca Dantas que fora também convidado. O coronel o abraçou e Horácio também o apertou nos seus braços quando entraram. Virgílio os encontrou muito graves, imaginou que alguma coisa nova houvesse acontecido pras bandas do Sequeiro Grande. Já ia perguntar que novidades havia, quando a criada anunciou que o jantar estava na mesa e Virgílio se esquecia de tudo porque ia ver Ester. Mas Ester o cumprimentou friamente, Virgílio notou nos seus olhos o vestígio de lágrimas recentes. A primeira coisa que lhe ocorreu foi que Horácio havia sabido alguma coisa entre ele e Ester e que o jantar não era mais que uma cilada. Fitou de novo Ester e se deu conta que ela não estava apenas triste, estava ofendida, zangada com ele. E o coronel Horácio estava amável, mais amável do que nunca. Não, não era, com certeza, nada em relação ao caso dele com Ester. Então, que diabo seria?

Horácio e Maneca Dantas gastaram quase toda a conversa do jantar. Virgílio se recordava de outro jantar, na fazenda, quando ele conhecera a Ester. Poucos meses se haviam passado e ela era dele, ele conhecia todos os segredos daquele corpo amado, tomara dele para si, lhe ensinara os mistérios mais doces do amor. Era sua mulher, não pensava noutra coisa senão em levá-la embora para longe daquelas terras de barulhos e mortes. Para o Rio de Janeiro, onde teriam sua casa, onde viveriam sua vida. Não era apenas um sonho. Virgílio esperava tão somente ganhar um pouco mais de dinheiro e a resposta de um amigo que, no Rio, procurava para ele uma colocação num escritório de advocacia ou um bom emprego público. Só Virgílio e Ester conheciam esse segredo, os seus detalhes planeados entre beijos na grande cama que ocupava quase todo o quarto de alcova. Imaginavam esse dia em que seriam um do outro totalmente, sem que o amor fosse cortado pelo medo, como o era nessas noites de agora, as carícias perturbadas pelo receio de que as empregadas desconfiassem que ele estava na casa. Sonhavam esse outro dia, quando ela pudesse ir ao lado dele nas ruas, seu braço passado pelo de Virgílio, mão na mão, um do outro para sempre. Enquanto Maneca Dantas e Horácio conversam sobre a safra, o preço do cacau, as chuvas, o cacau mole que se perdeu, Virgílio rememora esses momentos na cama, entre as carícias, em que planejavam a fuga, estudando os detalhes mais mínimos, terminando tudo em beijos alegres e demorados que acendiam a carne para o amor até que a madrugada expulsava Virgílio, em passos furtivos, da casa de Horácio.

Foi arrancado dos seus pensamentos quando, aproveitando um momento em que o diálogo entre Horácio e Maneca Dantas parara, Ester falou:

— Disse que o senhor ontem andou fazendo de cavaleiro andante, doutor Virgílio? — sorria, mas seu rosto estava triste.

— Eu? — fez Virgílio sustentando o garfo no ar.

— Ester tá falando é do barulho de ontem no cabaré... — disse Horácio. — Eu também andei sabendo.

— Mas se não houve barulho nenhum... — contou Virgílio.

E explicou o caso: se sentia infinitamente triste na véspera, saudade não sabia de quê — e olhava Ester —, e, tendo encontrado o coronel Maneca, este o convidou para irem ao cabaré...

Maneca Dantas atalhou, rindo:

— O senhor me arrastou, doutor. Conte a história direito...

Chegados no cabaré, estavam bebendo um uísque inocente quando veio falar com eles o Manuel de Oliveira. E na mesa dele estava uma mulher que Virgílio havia conhecido na Bahia, nos seus tempos de estudante. Dançaram uma valsa, quando ele pedia o bis Juca Badaró apareceu e carregou com a mulher. Ele não tinha nenhum interesse pela mulher e nem se teria importado se Juca não houvesse, ao passar por ele, dito umas palavras desagradáveis. Mas, ainda assim, o coronel Maneca Dantas o impedira de reagir, e Virgílio se achava agradecido ao coronel porque evitara que ele fizesse uma besteira por uma criatura que não lhe interessava absolutamente. Fora isso, mais nada. Invocava o testemunho de Maneca Dantas. Ester parecia indiferente às explicações, disse com uma voz afetada:

— E que tem demais? Cabaré é mesmo para rapaz solteiro, sem responsabilidades de família. O senhor faz bem em se divertir, não tem quem sofra por isso... Agora, o compadre Maneca é que não está direito... — e ameaçava com o dedo. — Tem esposa e filhos. Vou contar à comadre, hein? — ameaça sorrindo seu sorriso triste.

Maneca Dantas pediu, rindo muito, que ela não dissesse nada a dona Auricídia:

— É ciumenta de fazer medo...

Horácio encerrava o assunto:

— Deixe disso, mulher. Todo mundo tem direito de se divertir uma vez que outra, de matar as mágoas...

Agora Virgílio estava mais descansado. Já sabia o porquê da zanga de Ester, do ar forçado de indiferença, dos vestígios de lágrimas. O que não teria ela sabido através dessas incríveis solteironas da cidade, essas beatas sem o que fazer senão falar da vida alheia? E desejava tê-la nos braços para lhe explicar, em meio a mil carícias, que Margot não representava nada para ele, que dançara com ela quase por acaso. Sentia uma imensa ternura por Ester e mesmo certa vaidade de sabê-la triste por ciúmes. Na mesa, a criada servia o café.

Horácio convidou Virgílio a passar ao seu gabinete para conversarem um assunto. Maneca Dantas foi com eles, Ester ficou curvada sobre o crochê.

O gabinete era uma peça pequena onde o grande cofre de ferro era o móvel que mais chamava a atenção. Virgílio sentou-se, Maneca Dantas puxou a cadeira de braços:

— Essa é mais larga para minhas banhas...

Horácio ficou de pé, fazia um cigarro de palha. Virgílio esperava, pensava que se tratasse de algum detalhe jurídico do processo, sobre o qual Horácio quisesse a sua opinião. O coronel demorava na fabricação do cigarro, rolando o fumo lentamente na mão calosa, raspando a palha de milho com um canivete. Por fim falou:

— Gostei de como o senhor contou o caso a Ester. Senão ela ia ficar assustada, ela lhe estima muito, doutor. A pobre aqui não tem quase com quem conversar, tem uma educação muito diferente das outras mulheres daqui... Gosta de conversar, com o senhor os dois falam a mesma língua...

Virgílio baixou a cabeça e Horácio continuou, após acender o cigarro que terminara de fazer:

— Mas aqui para nós, doutor, esse negócio de ontem tem seu lado feio. O senhor sabe o que é que Juca Badaró anda dizendo por aí?

— Não sei e, pra lhe falar a verdade, coronel, não me interessa. Os Badarós não devem gostar de mim e eu reconheço que têm razão. Sou advogado do senhor e, demais, advogado do partido. É justo que eles falem mal de mim...

Horácio pôs o pé em cima de uma cadeira, estava quase de costas para Virgílio:

— Isso é com o senhor, doutor. Eu não gosto de me meter na vida dos outros. Só mesmo quando é um amigo como o senhor...

— Mas o que é que há? — quis saber Virgílio.

— O senhor não se dá conta doutor, que se o senhor não toma uma atitude, ninguém mais, me desculpe dizer, vai levar o senhor a sério nessas terras...

— Mas por quê?

— Juca Badaró anda dizendo a Deus e ao mundo que arrancou uma mulher dos braços do senhor, que lhe insultou e o senhor não reagiu. Que o senhor, me desculpe repetir, é um cagão.

Virgílio empalideceu mas logo se controlou:

— Quem assistiu ao incidente sabe que não houve nada disso. Eu já havia parado de dançar, esperava para ver se havia bis. Ainda assim, quando ele pegou no braço de Margot, eu quis intervir, foi ela quem pediu que eu não me metesse. Depois, quando ele disse aquela bobagem, foi o coronel Maneca quem me segurou...

Maneca Dantas interveio na conversa pela primeira vez:

— É claro, doutor. Se eu tivesse deixado o senhor levantar a mão a essa hora taria todo mundo voltando do seu enterro. Juca já tava levando a mão ao revólver. E aqui ninguém quer que o senhor morra...

Horácio disse:

— Seu doutor, eu vim pra essas terras era menino. Vai muitos anos que isso sucedeu... Não sei de ninguém que conheça Ilhéus melhor que eu. Ninguém quer que o senhor morra, o compadre falou direito, muito menos eu que gosto do senhor e preciso do senhor. Mas também não quero que o senhor fique desmoralizado por aqui, com fama de covarde... Por isso tou lhe falando.

Parou como se tivesse feito um longo discurso. Acendeu outro fósforo, ficou com ele na mão, queimando, olhava com a cabeça voltada para o advogado como esperando palavras suas.

— O que é que o senhor acha que eu devo fazer?

Horácio jogou no chão o fósforo que lhe queimava o dedo, a ponta de cigarro continuava apagada, pequena no lábio grosso:

— Tenho um cabra aí, homem de confiança. Na quinta-feira Juca Badaró vai subir para a fazenda, tou informado. Com cinquenta mil-réis o senhor resolve o assunto...

Virgílio não entendia direito:

— Como?

Foi Maneca Dantas quem explicou:

— Por cinquenta mil-réis o homem faz o serviço. Quinta-feira espera Juca na estrada, não há santo que salve ele... E, depois, ninguém mais se mete com o senhor...

Horácio animava:

— E não há perigo porque os Badarós vão dizer que fui eu quem mandou. Se houver processo é comigo... Mas, por isso não se preocupe...

Virgílio sentou-se:

— Mas isso não é coragem, coronel. Mandar um jagunço matar um homem, a sangue-frio, isso não é coragem... Se fosse eu me encontrar com Juca na rua, meter a mão no rosto dele, está certo... Mas mandar um cabra dar um tiro? Para mim isso não é coragem...

— Aqui é assim, doutor. E se o senhor pensa em fazer carreira aqui, deixe que eu chame o cabra... Senão não tem jeito. O senhor pode ser o melhor advogado do mundo, ninguém vai procurar o senhor...

— E mesmo tem o partido... — disse Maneca Dantas.

Virgílio sentou-se de novo. Refletia. Nunca esperara por aquilo. Sabia que Horácio tinha razão. Naquela terra mandar matar era coragem, fazia um homem respeitado. Sabia também que não havia nenhuma trampa naquilo tudo. Se houvesse algum embrulho com a justiça a culpa seria lançada em cima de Horácio. Mas, apesar disso tudo, ele não via motivo para mandar assassinar Juca Badaró. Horácio falava:

— Vou lhe dizer uma coisa, doutor, porque sou seu amigo. De qualquer maneira eu vou mandar liquidar Juca Badaró. Já tava disposto a isso, ele matou quatro homens meus... — emendou — ...isso é, seus homens mataram, mas aqui é como se ele tivesse matado. Tocou fogo numa plantação de Firmo e atacou a casa de Braz. Tá fazendo estrepolia demais, é melhor acabar de uma vez. Pra semana vou mandar derrubar o começo da mata, Juca Badaró não vai assistir...

Parou, mais uma vez acendeu o fósforo, pitou a ponta de cigarro. Olhou Virgílio, sua voz era pesada como socos:

— Só quero fazer um favor ao senhor. O senhor dá a ordem ao cabra, e todo mundo vai saber, mesmo que eu responda júri, que foi vosmicê quem mandou liquidar Juca Badaró. E ninguém se mete mais com o senhor, nem com mulher sua... Vão lhe respeitar...

Maneca Dantas bateu no ombro de Virgílio, para ele era a coisa mais simples do mundo:

— Não custa nada dizer cinco palavras...

Horácio concluiu:

— Gosto do senhor, doutor, é um homem de saber. Mas aqui, nessas terras, o saber só não adianta pra ninguém, seu doutor...

Virgílio baixou a cabeça. O coronel ia mandar matar Juca, mas queria que fosse ele quem desse a ordem ao jagunço, assim ele entraria para o rol dos homens valentes de Ilhéus... Pensou em Ester na outra sala, fazendo crochê, roída de ciúmes. Sonhava viver com ela, partir para outras terras, uma terra civilizada, onde a vida humana valesse alguma coisa. Ir para longe dali, daquelas matas, daqueles povoados, daquela cidade bárbara, daquela sala onde os dois coronéis lhe aconselhavam para seu bem — "para seu bem" — que ele mandasse matar um homem... Fugir com Ester e seriam outras as manhãs de cada dia, mais belas as tardes, as noites sem outros queixumes que os ais de amor. Noutras terras distantes...

A voz de Horácio voltava a atravessar o gabinete:

— Se resolva, doutor...

4

AS CHUVAS LONGAS DO INVERNO ERAM PESADAS, A ÁGUA CANTAVA NOS telhados, escorria pelos vidros da janela. O vento do mar sacudia as árvores do quintal derrubando as folhas e os frutos verdes. Ester fechou os olhos e viu a folha voando, rodando loucamente no ar, os pingos de chuva se acumulando sobre ela, fazendo-a pesada, derrubando-a no chão. Essa visão lhe deu frio e ainda mais sono e ela se apertou contra o amante, as pernas enfiadas por entre as dele, a cabeça no seu peito largo. Virgílio beijou os cabelos formosos da mulher, depois cobriu mansamente com os lábios os olhos de pálpebras cerradas. Ester estendeu o braço nu, cingiu a cintura do amante. O sono vinha chegando, cada vez mais pesado, o corpo cansado da violência da posse recém-terminada. Virgílio tentou conversar ainda, contar-lhe casos, a voz apressada e nervosa. Queria que ela não dormisse, que lhe fizesse companhia. Era meia-noite e a chuva não parava, cada vez mais forte, com ela vinha o sono que amolecia o corpo de Ester. Virgílio falava, relatava-lhe casos acontecidos com ele quando estudante na Bahia. Falou mesmo em outras mulheres que haviam passado em sua vida para ver se assim ela despertava, reagia contra o sono. Ester respondia por monossílabos, terminou por virar de barriga para baixo no colchão, o rosto escondido no travesseiro. Ainda murmurou:

— Conte, amor...

Mas ele logo viu que ela estava dormindo e então sentiu todo o vazio das palavras que dizia, frases sobre a vida na faculdade. Vazias, totalmente vazias de sentido e de interesse. As gotas de chuva escorriam pelo vidro da janela, Virgílio pensou que eram como lágrimas. Devia ser bom poder chorar, deixar que o sofrimento saísse pelos olhos, escorresse pelo rosto... Era assim que Ester fazia. Quando soubera que ele dançara com Margot no cabaré, ela deixara que as lágrimas corressem pelo rosto, e depois lhe fora muito mais fácil escutar as explicações de Virgílio, acreditar nelas. Muita gente era assim, se consolava com as lágrimas. Mas Virgílio não sabia chorar. Nem mesmo quando recebera na rua a notícia de que o pai morrera no sertão, de repente. E queria ao pai com loucura, sabia do sacrifício que custava ao velho mantê-lo nos estudos, sabia do orgulho que o pai sentia por ele. Nem nesse dia chorara. Ficara com um nó na garganta, parado na rua, onde o conhecido lhe entregara a carta da tia com a notícia. Um nó na garganta mas nenhuma lágrima nos olhos secos, terrivelmente secos, tão secos que ardiam. Nenhuma lágrima... Pelos vidros da janela escorrem as lágrimas da chuva, uma atrás da outra. Virgílio pensou que a noite chorava pelos mortos todos daquela terra. Eram muitos, só mesmo um temporal de chuva pesada para atender a tanta morte violenta! Que fazia ele naquela terra, por que viera para ali? Agora era tarde, havia Ester, só iria embora com ela. Quando viera, a ambição enchia-lhe o peito, via rios de dinheiro, uma cadeira no Parlamento, um futuro político, ele manejando toda essa zona fértil do cacau. Nos primeiros tempos só pensou nisso e tudo ia bem, tudo como ele desejara: ganhava dinheiro, os coronéis confiavam nele, tinha êxito como advogado, e a questão política marchava bem, o governo estadual se afastava cada vez mais do federal e era certo, para quem tivesse visão, que não ia poder se manter no poder nas próximas eleições. Ou talvez mesmo caísse antes. Havia, na Bahia, quem falasse em intervenção federal no Estado. Os seus chefes estavam no Rio tramando negociações, haviam sido recebidos pelo presidente da República, a situação se esclarecia cada vez mais, havia grandes possibilidades de que ele fosse candidato a deputado nas eleições do ano seguinte e, se houvesse a mudança política, não restavam dúvidas quanto à sua eleição...

Mas aparecera Ester e tudo aquilo deixou de ter importância. Só ela importava, seu corpo, seus olhos, sua voz, seus desejos, seu carinho por ele. Afinal podia também fazer carreira desde o Rio, este havia sido seu pensamento inicial quando se formara em direito. Se arranjasse um lugar num escritório de advocacia de boa clientela não tardaria a ir para adiante, aqueles tempos em Tabocas e Ilhéus de muito lhe haviam servido. Aprendera mais naquele ano e oito meses que nos cinco de faculdade. Costumavam dizer que "advogado de Ilhéus" podia advogar em qualquer lugar do mundo e era verdade. Ali todas as sutilezas da profissão se faziam necessárias, o conhecimento completo das leis e da maneira de burlar as leis. Em qualquer parte Virgílio teria, sem dúvida, grandes facilidades para triunfar, não era em vão que, em Ilhéus, o consideravam já um dos melhores advogados do foro. É claro que não seria tão fácil e tão rápido quanto ali, onde já tinha nome feito e carreira política iniciada... Rápido e fácil... Virgílio demorou nas duas palavras que pensara. Rápido, podia ser. Fácil não era... Seria fácil, por acaso, ter que mandar matar homens para se fazer respeitado? Para poder subir no conceito de todos, poder fazer carreira política? Não era fácil... Pelo menos para ele, Virgílio, educado noutra terra, noutros costumes, com outros sentimentos. Para os coronéis dali, para os advogados que haviam envelhecido naquela terra também, para eles era fácil, para Horácio, para os Badarós, para Maneca Dantas, para o dr. Genaro com toda sua cultura pernóstica e sua seriedade de homem que não frequentava casa de mulher da vida. Mandavam matar como mandavam podar uma roça ou tirar uma certidão de idade no cartório. Sim, para eles era fácil e Virgílio nunca se havia demorado em considerar o estranho desse fato. Só agora olhava com outros olhos para estes homens rudes das fazendas, esses advogados manhosos da cidade e dos povoados, que, calmamente, mandavam cabras esperar inimigos na estrada, por trás de uma árvore. Sua ambição, primeiro, o amor de Ester e o desejo de partir com ela, depois, fizeram com que ele nunca se lembrasse de refletir sobre o terrível daqueles dramas que eram o cotidiano daquela terra. Fora preciso que ele se visse obrigado a ter que mandar, ele também, matar um homem, para sentir a desgraça daquilo tudo, o terrível daqueles fatos, o quanto aquela terra pesava sobre os homens. Os trabalhadores nas roças tinham o visgo do cacau mole preso aos pés, virava uma casca grossa que nenhuma água lavava jamais. E eles todos, trabalhadores, jagunços, coronéis, advogados, médicos, comerciantes e exportadores, tinham o visgo do cacau preso na alma, lá dentro, no mais profundo do coração... Não havia educação, cultura e sentimento que lavassem. Cacau era dinheiro, era poder, era a vida toda, estava dentro deles, não apenas plantado sobre a terra negra e poderosa de seiva. Nascia dentro de cada um, lançava sobre cada coração uma sombra má, apagava os sentimentos bons. Virgílio não estava com ódio nem de Horácio, nem de Maneca Dantas, muito menos do negro que sorria quando ele lhe ordenara tocaiar Juca Badaró nessa noite de quinta-feira que tanto custa a passar. Tinha ódio era do cacau... Se revoltava porque se sentia dominado, porque não tivera forças para dizer não e deixar que Horácio sozinho fosse responsável pela morte de Juca. Não sabia mesmo como aquela terra, aqueles costumes, tudo que nascia junto com o cacau, se haviam apossado dele. Uma vez em Tabocas esbofeteara Margot, e foi quando se deu conta que havia outro Virgílio que ele não conhecia, não era o mesmo dos bancos acadêmicos, gentil e amável, ambicioso mas risonho, tendo pena das desgraças alheias, sensível ao sofrimento. Hoje era um homem rude, em que se diferenciava de Horácio? Era igual a ele, os sentimentos eram os mesmos. Quando conhecera a Ester pensava que ia salvá-la de um monstro, de um ser abjeto e torpe. Mas que diferença havia? Eram os dois assassinos, mandantes de capangas, viviam os dois em função do cacau, do ouro dos frutos dos cacaueiros.

A esta hora — pensa Virgílio — Juca já terá recebido o tiro e será apenas um cadáver a mais nas estradas do cacau. Não será como os outros enterrado junto a uma árvore, uma cruz tosca lembrando o acontecimento. Juca é fazendeiro importante, o corpo virá para Ilhéus, será enterrado com grande acompanhamento, dr. Genaro deitará discurso no cemitério, comparará Juca com figuras históricas. Talvez até o próprio Virgílio vá ao enterro, não é um fato novo nessas terras que o assassino acompanhe o caixão da vítima. De alguns contam que até pegaram na alça do caixão, o ar triste, a roupa negra de cerimônia. Não, ele não irá ao enterro de Juca, como poderá fitar o rosto de dona Olga? Juca não era um bom marido, vivia metido com mulheres, jogando pelos cabarés, mas ainda assim dona Olga há-de chorar e de sofrer. Como fitá-la na hora do enterro? Não, o que ele tinha a fazer era ir embora, viajar para longe, onde nada lhe recordasse Ilhéus, o cacau, as mortes. Onde nada lhe recordasse aquela noite na casa de Ester, no gabinete do coronel, quando Virgílio disse que chamassem o cabra. Por que dissera senão porque estava irremediavelmente ligado àquela terra, o desejo de levar Ester para longe não era mais que um sonho, que se adiava sempre? Ligado àquela terra, esperando ele também plantar roça de cacau, esperando no fundo que Horácio morresse naqueles barulhos do Sequeiro Grande e ele pudesse casar com Ester. Só agora também se dá conta de que esse foi um desejo que esteve sempre no seu coração, que esperou cada dia a notícia da morte do coronel, derrubado por uma bala de um homem dos Badarós... Enquanto planejava um emprego no Rio, ganhar mais dinheiro para partir, enquanto encontrava argumentos para demorar a fuga com Ester, estava apenas esperando aquilo que considerava fatal: que os Badarós mandassem matar Horácio e assim terminar com o problema. Certa vez pensara nisso e procurou depois esquecer esse momento. Pensara que se acontecesse Horácio morrer ele aconselharia a Ester a entrar num acordo com os Badarós para a divisão da mata do Sequeiro Grande e a terminação da luta. Naquela tarde enganara a si mesmo dizendo que pensava no fato como um acontecimento provável que não podia faltar nos seus cálculos de advogado da família. Mas agora, na cama, olhando as lágrimas da chuva que deslizam na janela, ele confessa que não tem feito nesses meses outra coisa que esperar a notícia da morte de Horácio, um tiro no peito, um cabra que foge... Sim, nada mais lhe resta que esta perspectiva. Agora não pode mais fugir daquela terra, agora está definitivamente ligado a ela, ligado por um cadáver, por Juca Badaró que ele mandou matar... Agora é esperar que, mais dia menos dia, chegue a vez do tiro de Horácio, do enterro dele. E então terá Ester e terá as propriedades e a mata do Sequeiro Grande também. Será rico e respeitado, chefe político, deputado, senador, o que quiser. Falarão mal dele nas ruas de Ilhéus, mas o cumprimentarão servilmente, se curvarão diante dele. Não havia outro jeito... Não adiantava pensar em fugir, em ir para longe, em recomeçar a vida. Para onde quer que fosse levaria consigo a visão de Juca Badaró caindo do cavalo, a mão tapando a ferida, visão que Virgílio vê refletida no vidro da janela onde a água corre. Vê através de seus olhos secos, sem lágrimas, pensa que seco está seu coração também, coberto pela sombra do cacau.

Não adianta mais pensar em fugir, agora seus pés estão presos ao visgo daquela terra, visgo de cacau mole, visgo de sangue também. Nunca mais será possível sonhar outra vida diferente. Agora ele era também um grapiúna, definitivamente um grapiúna. "Não é mais possível sonhar, Ester!"

Seus olhos secos, suas mãos trêmulas, seu coração doído. Ester ressona na noite fresca de chuva. Nessa noite de quinta-feira, na estrada de Ferradas, um homem derrubou Juca Badaró do seu cavalo. Virgílio se abraça à mulher, Ester semiadormecida sorri:

— Agora não, amor...

E a angústia aumenta, ele veste a roupa quase correndo, sente uma necessidade de deixar que a chuva caia sobre ele, sobre sua cabeça ardente, lave suas mãos sujas de sangue, lave seu coração manchado. Se esquece de descer em passos cuidados para não acordar as empregadas. E sai pelo quintal, no leito da estrada de ferro arranca o chapéu e deixa que a chuva escorra sobre o seu rosto, como se fosse as lágrimas que ele não chorou.

5

MAS NÃO HAVIA MOTIVO NEM PARA TAMANHA ANGÚSTIA DE VIRGÍLIO, nem para a alegria que dr. Jessé pensava descobrir no rosto de Horácio, que pousava naquela noite em sua casa, em Tabocas. O coronel, desde que os barulhos de Sequeiro Grande haviam começado, desistira de viajar à noite pelas estradas, apesar dos homens que o acompanhavam. Como não pudera seguir para a fazenda à tarde, alguns negócios o haviam retido em Tabocas, deixou para sair na manhã seguinte e se divertiu no fim da tarde assistindo às consultas do dr. Jessé.

Ficara no consultório do médico, que atendia aos enfermos. E, como quase todos eles eram conhecidos e eleitores seus, Horácio não estava perdendo tempo. Tinha uma frase para cada um, perguntava pelos negócios, pela vida, pela família. Sabia ser amável quando queria, e naquele dia se sentia particularmente alegre, alegria que aumentava à proporção que a tarde caía. Da janela do consultório, ele vira Juca Badaró, de botas e esporas, andando pelas ruas de Tabocas, saindo da loja de ferragens de Azevedo. Sorriu satisfeito, demorou olhando a figura nervosa do inimigo. A esta hora o cabra que ele mandara estaria andando para a tocaia no caminho de Ferradas. Custara a decidir o dr. Virgílio... Horácio gostava do advogado e estava certo de que lhe prestava um verdadeiro favor ao lhe dar a fama, sem os perigos, da liquidação de Juca Badaró. Saiu da janela para cumprimentar a mulher de Sílvio Mãozinhas, dono de uma pequena propriedade para os lados de Palestina, um dos braços fortes de Horácio naquela zona. A mulher vinha em busca do dr. Jessé, havia baixado da roça nesse dia, trazendo o marido que se consumia de febre. Paravam na casinha que possuíam do outro lado do rio. A mulher estava alarmada com o estado do marido. Fora preciso trazê-lo numa rede, Sílvio não aguentara montar.

Horácio acompanhou o dr. Jessé, ajudou a suspender o doente na cama enquanto o médico o examinava. Ofereceu seus préstimos à mulher, perguntou se ela não precisava de dinheiro. Dr. Jessé sabia que Horácio era amável com seus eleitores, com seus amigos, mas achava que nesse dia estava exagerando. Pois se o coronel até não quis sair, ficou ajudando a mulher a pôr o urinol para o doente, a mudar-lhe a roupa pegajosa de suor, a lhe dar remédios que haviam mandado buscar na farmácia! Ao sair, dr. Jessé puxou o coronel para um lado, lhe avisou:

— É um caso perdido...

— Não me diga...

O médico não tinha esperanças:

— Essa febre se não se atalha logo, não adianta. Ele não passa de hoje... E o senhor deve vir comigo e tomar um banho, lavar as mãos com álcool. Essa febre não brinca para pegar...

Mas Horácio rira e se demorara na casa de Sílvio até a hora do jantar, prometendo voltar depois. E só antes de sentar na mesa é que lavou as mãos, rindo dos receios do dr. Jessé, dizendo que a febre o respeitava. Dr. Jessé se demorou em explicações científicas, aquela febre desconhecida era uma das suas preocupações. Matava em poucos dias, não havia remédio para ela. Mas nada alterava a alegria de Horácio nessa noite.

Tão alegre estava que voltou à casa de Sílvio para ajudar ao doente. E foi ele quem veio correndo chamar o dr. Jessé na hora em que o homem entrou em agonia. No caminho avisou o padre. Quando chegaram Sílvio já estava morto, a mulher chorava pelos cantos. Horácio se lembrou que àquela hora Juca Badaró já estaria também morto, estirado na estrada, os olhos abertos e fixos como os de Sílvio. Ofereceu à viúva pagar as despesas do enterro e ajudou a mudar a roupa do morto.

Mas a verdade é que Horácio se alegrava sem motivo e Virgílio sofria também sem motivo. O motivo dessa alegria e desse sofrimento, Juca Badaró, cavalgava para a fazenda, na estrada tinha ficado o cadáver do homem que fora esperá-lo na tocaia. E, dobrado no burro que montava e que era levado pela rédea por Viriato, ia Antônio Vítor ferido, que salvara, pela segunda vez, a vida do seu patrão. Desta vez por acaso. Quando já o cabra na tocaia preparava a sua repetição para o tiro, o ouvido atento aos passos da cavalhada que se aproximava, os olhos fitos no cavaleiro que vinha na frente e em quem ele reconhecera Juca Badaró, quando o homem ia levar a repetição ao ombro para firmar a pontaria, Antônio Vítor percebera um rumor levíssimo ao lado da estrada e, pensando que fosse alguma paca ou algum tatu, dirigiu o burro para dentro do roçado, o revólver na mão para levar a caça morta de presente para Don'Ana. Viu o cabra levantando a arma. Atirou imediatamente, mas errou. O homem se voltou então para ele e acertou o tiro na perna de Antônio Vítor que só não o recebeu no peito porque estava saltando do burro. Com o ruído dos tiros, Juca e Viriato se aproximaram e o cabra não teve tempo de fugir. Antes de matá-lo e antes mesmo de atender a Antônio Vítor, Juca apertou o homem com perguntas:

— Diga quem foi e eu lhe deixo ir em paz...

O cabra confessou:

— Foi o doutor Virgílio mais o coronel Horácio...

Quando ele já se afastava Viriato suspendeu a repetição, o clarão do tiro iluminou a noite, o homem caiu para a frente. Juca, que estava amarrando a perna de Antônio Vítor com um trapo arrancado da sua própria camisa de seda, ao ouvir o tiro, se levantou:

— Não disse que ele podia ir em paz? — gritou irritado.

Viriato se desculpou:

— É um de menos, patrão...

— Eu devia era lhe ensinar a me obedecer. Quando eu digo uma coisa é para ela ser feita. Palavra de Juca Badaró não volta atrás.

Viriato baixou a cabeça sem responder. Andaram até o homem, ele acabava de morrer. Juca fez uma careta de aborrecimento:

— Venha ajudar — disse a Viriato.

Puseram Antônio Vítor em cima do burro, Viriato tomou da rédea, seguiram a passo. Assim chegaram na fazenda, onde as placas de querosene ainda acesas revelavam a inquietação de Sinhô, que esperava o irmão muito mais cedo. Saíram todos para o terreiro, vieram jagunços e trabalhadores, ajudaram Antônio Vítor a desmontar. Havia uma confusão de perguntas, de gente que se apertava para atender ao ferido. O próprio Sinhô Badaró pegou nos ombros de Antônio Vítor para levá-lo para dentro. Deitaram-no sobre um banco, Don'Ana gritou por Raimunda pedindo álcool e algodão. Ao ouvir o nome da mulata, Antônio Vítor voltou a cabeça. E somente ele e Don'Ana notaram que as mãos de Raimunda tremiam quando ela entregou o pacote de algodão e a garrafa de álcool. Ficou depois ajudando Don'Ana nos curativos (a bala apenas rasgara a carne, sem atingir nenhum osso) e suas mãos rudes e pesadas se tornaram delicadas e ternas, também elas eram suaves mãos de mulher. Para Antônio Vítor eram muito mais doces, ternas e suaves que as mãos leves e finas de Don'Ana Badaró.

6

NA MANHÃ DE SOL CLARO E BRANDO, A MULATA RAIMUNDA ENTROU na casa dos trabalhadores. Trazia uma garrafa de leite, trazia pão que Don'Ana mandava para Antônio Vítor. A casa estava vazia, os trabalhadores andavam pelas roças colhendo cacau, Antônio Vítor dormia um sono inquieto de febre. Raimunda parou ao lado da cama, contemplou o homem que dormia. A perna amarrada de curativos saía de baixo da colcha velha, mostrando o pé enorme, coberto de visgo de cacau que havia secado. Nessa tarde, ele não a esperaria na beira do rio para ajudá-la a levantar a lata d'água. Raimunda sente medo. Será que ele vai morrer? Sinhô Badaró disse que a ferida é sem importância, que, com três ou quatro dias, Antônio Vítor está de pé, pronto para outra. Mas, ainda assim, Raimunda tem medo e, se o negro Jeremias não tivesse morrido, ela se atreveria a atravessar a mata e ir em busca de um remédio do feiticeiro. Aquele remédio de farmácia, que está ao lado do jirau do doente e que ela tem que lhe dar agora, não merece a confiança de Raimunda. Ela sabe uma oração contra a febre e mordida de cobra que sua mãe lhe ensinou na cozinha da casa-grande. Junta os joelhos no chão e reza, antes de acordar Antônio Vítor para lhe dar o remédio: "Febre maldita, três vezes te enterro nas profundezas da terra. A primeira em nome do Padre; a segunda em nome do Filho; a terceira do Espírito Santo; com as graças da Virgem Maria e a de todos os santos. Te esconjuro, febre maldita, e mando que tu voltes pras profundezas da terra deixando o meu...".

Segundo a negra velha Risoleta ao chegar aí era preciso dizer o parentesco do doente com a pessoa que pedia: "meu irmão", "meu marido", "meu pai", "meu patrão". Raimunda ficou um instante indecisa. Talvez, se não fosse tão grave e se ele não dormisse, talvez a mulata Raimunda não continuasse a oração: "...deixando o meu homem curado de todos os males, amém".

Acordou Antônio Vítor. Seu rosto estava novamente zangado, seus modos bruscos:

— É hora do remédio...

Segurou a cabeça dele sob seu braço roliço. Antônio Vítor engoliu a colherada da medicação, olhava Raimunda com os olhos febris. A mulata andou para aquilo que era chamado de fogão: três pedras em meio das quais estavam umas brasas apagadas e uns pedaços de madeira meio queimados. Em cima, uma lata com um pouco de água. Jogou a água fora, derramou o leite na lata, acendeu o fogo. Antônio Vítor a acompanhava com os olhos. Não sabia como começar. Raimunda acocorou-se ao lado do fogo, esperando que o leite fervesse. Antônio Vítor se decidiu e chamou:

— Raimunda!

Ela virou a cabeça, olhando.

— Vem cá.

Veio de má vontade, com passos pequenos, demorados.

— Sente aqui — pediu ele fazendo lugar no jirau.

— Não.

Antônio Vítor olhou para a mulata, reuniu forças, perguntou:

— Tu quer casar comigo?

Ela ficou mais zangada ainda. Fechou o rosto, as mãos pegavam nas pontas da saia, olhava o chão de barro batido. Não respondeu, correu para o leite que fervia:

— Quase derrama.

Antônio Vítor se derreou na cama, cansado do esforço. Ela agora fervia água para café, servia numa caneca, molhou o pão para ele não ter trabalho. Depois lavou o caneco, apagou o fogo:

— Na hora do almoço eu volto.

Antônio Vítor não dizia nada, só a olhava. Antes de sair, ela parou de novo ante ele, os olhos novamente no chão, novamente as mãos ocupadas com a saia, o rosto zangado, zangada a voz também:

— Se padrinho Sinhô deixar, eu quero, sim...

E desapareceu pela porta. Antônio Vítor sentiu a febre aumentar.

7

JUCA BADARÓ ACABARA DE COMBINAR COM SINHÔ OS ÚLTIMOS DETALHES da derruba da mata. Na segunda-feira começariam. Já haviam sido escolhidos os homens, os que iam derrubar a floresta, iniciar as queimadas, e os que iam garantir, com suas repetições, o trabalho dos outros.

— Segunda-feira me toco pra mata...

Sinhô estava sentado na sua alta cadeira austríaca. Juca ainda tinha o que dizer, Sinhô esperava:

— Bom caboclo esse Antônio Vítor...

— É boa coisa... — assentiu Sinhô.

Juca riu:

— Essa gente é engraçada. Fui lá conversar com ele. É a segunda vez que ele me tira de um apuro... Primeiro foi em Tabocas, tu lembra?

— Me lembro...

— Ontem, de novo. Fui lá perguntar o que ele queria. Disse que pensava em lhe dar aquele pedaço de terra que restou da queimada do ano passado e que não foi plantado ainda. Nos lados do Repartimento. Terra boa, ali dá uma roça grande. Sabe o que ele disse?

— Que foi?

Juca riu de novo:

— Disse que só queria uma coisa. Que tu deixasse ele casar com Raimunda. Ora, já se viu... Tem cada uma... Vou dar terra ao desgraçado e ele prefere essa bruxa horrorosa... Eu prometi que tu ia consentir...

Sinhô Badaró não fez objeções:

— E quando ele casar fica com a terra também. Quando tu for em Ilhéus dê ordem a Genaro pra registrar no cartório. É um mulato bom...

E Raimunda também tem direito, prometi a pai que não deixaria ela deserdada quando ela fosse casar. Dou meu consentimento.

Ia levantar a voz chamando Raimunda e Don'Ana para dar a notícia, quando um gesto de Juca o fez parar.

— É que eu tenho outro pedido de casamento a fazer...

— Outro? Tu agora virou santo Antônio dos trabalhadores?

— Dessa vez não é trabalhador, não...

— E quem é?

Juca procurava uma maneira de entrar no assunto:

— É engraçado... Raimunda e Don'Ana são da mesma idade, mamaram as duas nos peitos da negra Risoleta... Cresceram juntas, era bom que casassem juntas...

— Don'Ana? — Sinhô Badaró apertou os olhos, passou a mão na barba.

— É o capitão João Magalhães. Me falou agora em Ilhéus... Parece um homem direito...

Sinhô Badaró fechou os olhos. Quando os reabriu, falou:

— Já tava vendo que ia dar em coisa. Bem que vi Don'Ana toda assanhada pro lado do capitão... Aqui e na procissão...

— Que tu acha?

Sinhô refletia:

— Ninguém conhece ele direito... Diz-que é não sei quanta coisa no Rio, que faz e acontece, mas ninguém conhece ele direito. Tu que sabe?

— Não sei mais que tu. Mas acho que não tem nada. Aqui tudo é de novo, Sinhô, tu bem sabe. Aqui tudo começa e depois é que se vai medir o homem. Pra trás, quem sabe o que ficou? O que tá pra frente é que vale. E o capitão me parece um homem capaz de se jogar nessa vida com coragem.

— Pode ser...

— Mediu as terras sem ter registro no título dele, eu sei que foi pelo dinheiro, não foi por amizade. Mas Don'Ana ele não quer pelo dinheiro, é por amizade. Eu conheço as pessoas tão bem como conheço as terras... Ele tá querendo casar, pode ser que não tenha um vintém, seja limpo, e vá começar. Mas vai com coragem, é melhor que outro que queira é descansar...

Sinhô refletia, os olhos semicerrados, as mãos alisando a barba negra. Juca continuou:

— Tem uma coisa, Sinhô. Tu só tem essa filha, eu não tenho filho nenhum, a não ser na rua, filho que não leva meu nome. Olga não serve pra parir, o médico já disse. Um dia desse eu fico derrubado com um tiro, tu sabe que vai ser assim. Inimigo me sobra... Não vou chegar no fim desses barulhos... E, depois, quando tu tiver velho, qual é o Badaró que vai colher cacau, que vai eleger o intendente de Ilhéus? Qual é?

Sinhô não respondia, Juca completou:

— Ele é um homem como a gente... Quem sabe se não é só um jogador? Talvez que seja, já me disseram. E isto tudo é um jogo, jogo com barulho no fim, a gente precisa de um homem assim... Um que possa tomar meu lugar quando me liquidarem...

Andou pela sala, pegou do rebenque que estava sobre um banco, batia nas botas:

— Tu podia casar ela com um doutor, que adiantava? Ia comer os lucros do cacau, nunca mais plantava roça, nunca mais derrubava mata. Ia gozar pelo mundo o que nunca gozou. O capitão já fez isso tudo, agora quer é plantar roça. Por isso é que acho bom...

Raimunda entrou na sala para varrê-la, um gesto de Sinhô a expulsou. Juca narrava:

— Disse a ele: só tem uma coisa, capitão. Quem casar com Don'Ana tem que levar o nome dela. É ao contrário de todo mundo que o homem dá o nome à mulher. Quem casar com Don'Ana tem que virar um Badaró...

— E ele que disse?

— Primeiro não gostou, não. Disse que os Magalhães tinha feito e acontecido. Depois, quando viu que não tinha jeito, disse que sim.

Sinhô Badaró gritou para dentro:

— Don'Ana! Raimunda! Venham cá!

Chegaram as duas. Don'Ana parecia desconfiada do que conversavam seu pai e seu tio. Raimunda trazia a vassoura na mão, pensava que a chamavam para varrer a sala. E foi a ela que Sinhô se dirigiu primeiro:

— Antônio Vítor quer se casar com você... Eu disse que sim. Dou as terras que tão por trás das roças do Repartimento de dote. Tu quer?

Raimunda não tinha para onde olhar:

— Se padrinho acha bom...

— Então vá se preparando pro casamento. Vai ser logo pra não dar tempo de se perder antes... Pode ir pra dentro.

Raimunda saiu, Sinhô chamou Don'Ana para mais perto da sua cadeira:

— Mandaram pedir também tua mão, minha filha. Juca acha bom, eu não sei que achar... Foi esse capitão que teve aqui... Que tu acha?

Don'Ana estava igual a Raimunda na frente de Antônio Vítor. Os olhos no chão, as mãos na saia, sem jeito para falar:

— Foi o capitão João Magalhães?

— Esse mesmo. Tu gosta dele?

— Gosto sim, pai.

Sinhô Badaró cofiou a barba lentamente:

— Pegue a Bíblia, vamos ver o que ela diz...

Então Don'Ana tirou os olhos do chão, as mãos da saia, sua voz era forte e decidida:

— Diga o que disser, meu pai, eu só me caso com um homem no mundo: é com o capitão. Mesmo que seja sem sua bênção...

Disse e se jogou nos pés do pai, abraçando suas pernas.

8

DR. JESSÉ LARGOU A REPRESENTAÇÃO NO MEIO, OS AMADORES DO GRUPO Taboquense ficaram sem seu diretor, que era também o ponto. Isso estragou um pouco o espetáculo, já que alguns artistas não sabiam perfeitamente as suas partes, declamavam com a ajuda do ponto. O que não teve grande importância, porque a população de Tabocas pouco se demorou a comentar a representação de *Vampiros sociais*, inteiramente entregue que ficou à comoção da notícia trazida pelo homem que viera buscar o dr. Jessé: Horácio estava doente, derrubado pela febre. Dr. Jessé abandonara o espetáculo pelo meio, reunira na maleta medicamentos vários e montara em seguida. O cabra o acompanhou mas a notícia ficou, correu pelas filas de espectadores de boca em boca. E, no outro dia, quando às onze horas Ester desembarcou do trem e, na estação, sem almoçar sequer, montou no cavalo que a esperava, cercada pelos cabras que haviam vindo buscá-la, já toda Tabocas sabia que Horácio pegara a febre quando atendia a Sílvio que morrera fazia três dias. A viúva de Sílvio iniciava uma novena pelo restabelecimento de Horácio, "um homem tão bom", dizia. Virgílio acompanhara Ester até Tabocas, indiferente aos comentários, mas não foi para a fazenda de Horácio nesse dia. Subiria se o coronel piorasse. Agora ele também usava revólver, desde que soubera que Juca Badaró escapara da tocaia. Tabocas vivia na espera de cada portador que chegava da fazenda em busca de remédios. O consultório do dr. Jessé estava cheio e sua esposa avisava aos clientes que o "doutor só voltaria quando o caso do coronel Horácio tivesse se decidido". Frase que era traduzida pelos moradores como um aviso de que dr. Jessé só voltaria acompanhando o cadáver de Horácio, pois ninguém escapava daquela febre. Citavam casos, eram inúmeros, trabalhadores e coronéis, doutores e comerciantes. Circulavam mais uma vez, entre as beatas, aquelas histórias do diabo preso numa garrafa, saindo um dia para levar consigo a alma de Horácio. Diziam que frei Bento já viajara de Ferradas para a fazenda, levando a extrema-unção para Horácio, pronto para confessá-lo e absolvê-lo dos pecados.

Mas Horácio não morreu. Sete dias depois a febre começou a diminuir, até cessar completamente. Mais que as medicações do dr. Jessé, talvez o tenha salvo o seu corpo forte, de homem sem vícios e sem enfermidades, de órgãos perfeitos. E, mal a febre começou a abandoná-lo, ele ordenou que seus homens iniciassem a derruba da mata do Sequeiro Grande. Virgílio foi chamado à fazenda, o coronel queria consultá-lo sobre detalhes jurídicos. Viera antes uma vez, o coronel delirava, sua febre cheia de visões de cacau, matas se derrubando, roças que eram plantadas. Dava ordens aos gritos, plantava e colhia cacau no seu delírio. Ester não abandonava a cama do enfermo, estava magra, era de uma dedicação sem limites. Quando Virgílio chegara, da primeira vez, ela apenas lhe perguntou se sabia notícias do filho que ficara em Ilhéus, ele não conseguiu quase vê-la só. E quando a viu e a beijou, foi por um momento, quando ela voltava da cozinha para o quarto com uma bacia de água quente. Pouco se falaram e Virgílio sofrera como se estivesse sendo traído. Mas também ele tinha os olhos cobertos por certa inquietação, se sentia culpado da doença de Horácio, da sua morte que encontrava inevitável, como se o coronel houvesse adoecido devido aos seus desejos. Compreendia que Ester sentia a mesma coisa, mas, ainda assim, aquilo lhe doía como uma traição.

Quando Horácio, já fora de perigo, o mandou chamar, ele procurou se mostrar triste com Ester que tinha a fisionomia cansada e abatida. No quarto onde, sobre os alvos lençóis, o coronel estava vestido com seu camisolão, Ester se destacava, sentada na cama, u'a mão de Horácio entre as suas. Horácio nunca se sentira tão feliz como no fim dessa febre, que lhe provara a dedicação da esposa. E isso o fazia ativo, dando ordens, não só aos trabalhadores como a Maneca Dantas e a Braz que, naquele dia, o haviam vindo visitar. Virgílio entrou no quarto, abraçou o coronel por cima da cama, apertou friamente a mão de

Ester, abraçou Maneca Dantas, deu os parabéns a Jessé "pelo seu milagre". Mas Horácio riu:

— Abaixo de Deus quem me salvou foi essa aqui, seu doutor — mostrava Ester ao seu lado.

Depois se desculpava com dr. Jessé:

— É claro que o compadre fez tudo, remédios, tratamento, o diabo. Mas se não fosse ela que não dormiu esse tempo todo, eu nem sei...

Ester levantou-se, saiu do quarto. Virgílio, sem o notar, ocupou o lugar que ela deixara vago na cama. Sentou-se sobre o calor que restara da amante e uma súbita raiva de Horácio tomou conta dele. Não morrera... Virgílio deixou por um momento que os seus mais remotos e escondidos pensamentos viessem até seu coração. Não morrera... Ah! se ele pudesse mandar matá-lo...

Durante alguns minutos nem prestou atenção ao que conversavam, todo entregue aos seus pensamentos. Foi preciso uma pergunta de Maneca Dantas para chamá-lo à conversa:

— Que acha, doutor?

Encontrou Ester, depois, para os lados da barcaça. Ela se abraçou nele, soluçava:

— Tu não achas que eu devia fazer assim? Não podia ser de outro modo.

Se comoveu, acariciou o corpo amado por cima dos vestidos. Beijou os olhos dela, as faces dela, interrompeu alarmado:

— Tu estás com febre!

Ela disse que não, era cansaço. Beijou-o muito, pediu-lhe que ficasse naquela noite, ela conseguiria ir ao quarto dele nas suas idas e vindas pela casa, atendendo ao doente. Ele prometeu, comovido e saudoso das carícias dela, só a deixou quando viram o grupo de trabalhadores que vinha pela estrada.

Mas, na hora do jantar, Ester já não suportou estar ali sentada, comendo. Se queixou de arrepios de frio, saiu às pressas para vomitar. Virgílio voltou-se muito pálido para o dr. Jessé:

— Ela pegou a febre!

O médico se levantou, andou para dentro, Ester estava trancada na latrina. Virgílio se levantou também, pouco se importava com Maneca Dantas e com Braz. Ficou ao lado do médico no corredor. Ester abriu a porta, seus olhos ardiam, Virgílio pegou no braço dela:

— Está sentindo alguma coisa?

Ela sorriu meigamente, apertou de leve a mão dele:

— Não é nada, não... Só que não aguento em pé. Vou deitar um pouco. Depois volto...

Ainda deu uma ordem a Felícia, entrou para o quarto onde Virgílio dormira naquela noite distante da sua primeira visita à fazenda, deitou na cama, ele ficou olhando do corredor. Dr. Jessé entrou também, pediu licença, fechou a porta. Do quarto em frente, Horácio queria saber que movimento era aquele. Virgílio entrou no quarto do coronel, anunciou com a voz entrecortada:

— Ela pegou a febre também...

Quis dizer mais alguma coisa e não pôde, ficou olhando Horácio. O coronel arregalou os olhos, a boca semiaberta, também ele queria dizer alguma coisa e também ele não podia. Estava como um homem que rolasse solto no ar e não visse nada em que se pegar. Virgílio teve vontade de abraçá-lo, de se lastimar com ele, de chorarem os dois juntos, dois desgraçados...

9

OS COMENTÁRIOS ERAM UNÂNIMES EM ILHÉUS: OS BADARÓS LEVAVAM evidente vantagem nos barulhos pela posse do Sequeiro Grande. E não eram só os comentários das velhas beatas, nas sacristias das igrejas, que o afirmavam. Os entendidos nos botequins, até os advogados no foro, estavam de acordo que os irmãos Badarós tinham a partida quase ganha, para o que concorrera muito a enfermidade de Horácio. O processo estava parado no foro, atravancado com petições opostas pelo dr. Genaro e reconhecidas pelo juiz. E Juca Badaró havia entrado pela mata e abrira clareiras na zona que limitava com a Fazenda San'Ana, iniciando as queimadas.

É verdade que tiroteios se sucediam, que o coronel Maneca Dantas, por uma parte, e Jarde, Braz, Firmo, Zé da Ribeira e os demais pequenos lavradores da vizinhança, por outra parte, faziam o possível para dificultar o trabalho dos homens dos Badarós. Maneca Dantas armou uma tocaia para os trabalhadores que iam derrubar um pedaço de mata, que resultou num tiroteio grande. Braz invadiu com alguns homens o acampamento na beira da mata, numa noite em que Juca não estava. Mas, apesar disso, o trabalho prosseguia, os Badarós se estabeleciam na mata.

E revidavam com violência os ataques da gente de Horácio. Enquanto Juca acompanhava e guardava os trabalhadores, Teodoro das Baraúnas atacava. Apareceu uma noite na roça de José da Ribeira, incendiou o depósito de cacau seco, botando a perder duzentas e cinquenta arrobas de cacau já vendido, incendiou a casa-grande, matou um trabalhador que deu o alarme, iniciou um incêndio nas plantações de mandioca, dificilmente dominado depois por Zé da Ribeira.

Em Ilhéus já se dizia que Teodoro das Baraúnas, depois que incendiara o cartório de Venâncio, tomara amor aos incêndios. Para *A Folha de Ilhéus* ele passou a ser exclusivamente o "incendiário". Dr. Rui escreveu um célebre artigo em que comparava Teodoro a Nero cantando depois do incêndio de Roma. José da Ribeira e seus trabalhadores eram comparados aos "primeiros cristãos", vítimas da loucura criminosa e sanguinária do novo Nero "mais monstruoso ainda que o degenerado imperador romano". De todos os artigos publicados durante os barulhos do Sequeiro Grande, este foi o que obteve maior sucesso, chegou a ser transcrito pelo diário da oposição na Bahia sob o título de "Os crimes dos governistas em Ilhéus". Foi iniciado um processo contra Teodoro.

Mas, o que em definitivo tornou os comentários favoráveis aos Badarós foi o fato de Horácio não ter podido, mesmo quando melhorou, iniciar a derruba da mata no lado em que estava limitada com sua fazenda. Havia quem atribuísse a pouca energia de Horácio à doença de Ester, mas, fosse como fosse, a verdade é que os trabalhadores e os jagunços enviados pelo coronel haviam voltado uma e duas vezes sem conseguir se estabelecer na mata e iniciar a abertura das clareiras para as queimadas. Desta vez fora o próprio Sinhô Badaró quem chefiara os homens que haviam acometido, por duas noites seguidas, contra o acampamento chefiado por Jarde. Os trabalhadores de Horácio terminaram por abandonar a empresa. Apenas Braz, com alguns homens seus, abrira uma pequena clareira nos seus limites com a mata e iniciava uma queimada, mas coisa reduzida, infinitamente menor que as queimadas já feitas pelos Badarós.

Ainda assim havia quem apostasse em Horácio. Estes baseavam-se principalmente na maior fortuna do coronel, homem de muito dinheiro no banco, capaz de sustentar a luta por muito tempo. Não só a derruba e o plantio da mata comiam dinheiro, como também, e mais que tudo, o comiam os jagunços em armas. Sem esquecer que Sinhô Badaró se preparava para casar a filha e a queria casar com todo luxo, mandara vir uma multidão de coisas do Rio de Janeiro, estava reformando por completo sua casa em Ilhéus, acrescentando toda uma ala onde o novo casal ia residir, pintando de novo também a casa-grande da fazenda. Trabalhavam costureiras, trabalhavam mulheres que faziam rendas, o casamento da filha de um coronel era um acontecimento. A moça tinha que levar roupa para muitos anos, roupa de cama que serviria depois para filhos e netos. Colchas, lençóis e cobertores, fronhas e toalhas de mesa ricamente bordadas. Portadores foram ao sertão para comprar rendas mais finas. O dinheiro saía fácil fosse para pagar jagunços encarregados de matar fosse para pagar costureiras e sapateiros que vestiam e calçavam a noiva. Em Ilhéus se falava nesse casamento quase tanto como nos barulhos do Sequeiro Grande. João Magalhães deixara a cidade, andava pela fazenda ajudando Juca na derruba da mata, de quando em vez baixava a Ilhéus, formava sua rodinha no cabaré, ia juntando dinheiro no pôquer. Na fazenda não tinha despesas, fazia economias.

Porém várias pessoas sabiam que o dinheiro da safra deste ano, Sinhô Badaró já o havia gasto quase todo. Maximiliano contava aos íntimos que o coronel já propusera mesmo vender adiantado, por preços bastante mais baixos, a safra do ano seguinte. Enquanto que Horácio não vendera sequer metade do seu cacau já colhido nesta safra. Ainda assim eram poucas as pessoas que apostavam em Horácio. A maioria era pelos Badarós, não viam possibilidades deles perderem, e, por isso, mandavam fazer roupa nova para comparecerem ao casamento de Don'Ana. As beatas e as mulheres casadas se reuniam pelas tardes na casa de Juca Badaró, onde Olga exibia a riqueza dos vestidos chegados do Rio, das anáguas de cambraia bordada, das camisas de dormir que eram um sonho. Mostrava os espartilhos elegantíssimos, as rendas finas vindas do Ceará. As bocas se abriam em "ohs" de admiração. Havia coisas que Ilhéus nunca tinha visto, num requinte que afirmava o poder da família Badaró.

E, quando Sinhô atravessava as ruas estreitas da cidade, o rosto melancólico emoldurado da barba negra, os comerciantes se dobravam em cumprimentos e o mostravam aos caixeiros-viajantes chegados da Bahia ou do Rio de Janeiro:

— É o dono da terra... Sinhô Badaró!

10

ESTER MORREU NUMA MANHÃ CLARA DE SOL, QUANDO OS SINOS repicavam na cidade, convidando os habitantes para uma missa festiva. A doença havia-lhe comido quase toda a beleza, o cabelo caíra, era um fantasma da formosa mulher que fora antes, os olhos saltando no rosto magro, certa de que ia morrer e desejando viver. Na fazenda, nos primeiros dias da febre, teve delírios horríveis, encharcava os lençóis de suor, falava palavras soltas, certa vez se abraçou a Horácio gritando que uma cobra estava enrolada no seu pescoço e a ia estrangular. Maneca Dantas, que estivera uns dias na fazenda de Horácio e que tinha grandes suspeitas acerca das relações entre Virgílio e Ester, tremia de medo que ela falasse no advogado durante as noites de febre. Mas ela não parecia ver nada mais que as cobras nos charcos da mata, silenciosas e traiçoeiras, prontas para o bote em cima de uma rã inocente. E gritava e sofria, afligia todos os assistentes, a mulata Felícia chorava.

Dr. Jessé, quando viu que a febre não cedia, aconselhou que Ester fosse transportada para Ilhéus. Foi uma cena triste quando a rede saiu da fazenda no ombro dos trabalhadores. Dr. Jessé disse a Virgílio, quando montava:

— Até já parece enterro... Coitada da comadre...

Horácio acompanhou a esposa. Iam calados os três, Virgílio não tinha palavras desde que ela adoecera. Andava mudo pelos cantos da casa-grande, todos os dias encontrava um pretexto para não descer para Tabocas. Também ninguém reparava nele, ia uma confusão pela casa, cabras que partiam montados, em busca de remédios, negras que ferviam bacias de água, Horácio que dava ordens sobre as entradas na mata e que corria para a cama onde Ester delirava.

Quando a foram transportar para a rede, ela teve um momento de lucidez, tomou da mão de Horácio, como se ele fosse dono dos destinos do mundo, e rogou:

— Não deixe que eu morra...

Virgílio saiu desesperado para o terreiro, o olhar dela fora para ele, era um olhar suplicante, um desejo doido de viver. Viu naquele olhar de um segundo todo o sonho de outra vida noutra terra, livres os dois no seu amor. Agora ele não sentia ódio de ninguém, só daquela terra que a matava, que a prendia ali para sempre. Mais que ódio, tinha medo. Ninguém se libertava daquela terra, ela prendia todos os que queriam fugir... Amarrava Ester com as cadeias da morte, amarrava a ele também, nunca mais o largaria... Andou por dentro das roças até que gritaram por ele, era hora de montar. Na frente ia a rede coberta por um lençol. Eles marchavam atrás, era uma viagem terrivelmente longa. Pararam em Ferradas, a febre aumentava, Ester agora gritava que não queria morrer...

Chegaram em Tabocas no princípio da noite, a casa do dr. Jessé se encheu de visitas. Virgílio não dormiu toda a noite, rolou na sua cama de solteiro na qual não se deitava havia muito tempo... Lembrava as noites com Ester, as carícias sem fim, os corpos vibrando no amor, noites de paixão na casa de Ilhéus. E a viu partir no outro dia, num vagão especial, deitada numa cama improvisada. Horácio sentado de um lado, dr. Jessé quase dormindo do outro. O médico tinha uma fisionomia cansada e abatida, os olhos fundos na cara gorda. Ester olhou Virgílio e ele sentiu que ela se despedia. A curiosidade enchera a estação e, quando ele saiu do vagão e abriram alas dando-lhe passagem, os comentários o seguiram rua afora.

No outro dia não resistiu, foi para Ilhéus. Bebia nos botequins, quando voltava da casa de Horácio, numa visita que ele demorava o mais que podia. Não tinha cabeça para acompanhar os processos que patrocinava no foro. Andava sonolento e irritado, se sentia só, sem um amigo. Maneca Dantas, que se apegara a ele, fazia-lhe falta. Gostaria de conversar com alguém, de desabafar, de contar tudo, o que sucedera e o que haviam sonhado, o que era belo — a vida noutra terra, os dois entregues ao seu amor — e também o que era miserável — o desejo de que Horácio morresse de um tiro para bem deles. Pensava por vezes em ir embora, mas sabia que jamais iria, que estava ligado àquela terra em definitivo. E a única coisa que o arrancava da sua sonolência eram as conversas sobre os barulhos do Sequeiro Grande. Como que aquelas conversas o ligavam mais a Ester, por causa da mata do Sequeiro Grande eles se haviam conhecido e amado. Horácio, por mais que sofresse com a doença da esposa, não descuidava um momento dos negócios. Dava ordens, fazia com que os lavradores e os capatazes descessem a Ilhéus para conversarem com ele. Maneca Dantas veio uma vez, trouxe dona Auricídia para ajudar na casa, para tomar conta da criança. Virgílio se demorava em diálogos com os coronéis sobre as possibilidades políticas, sobre como conduzir o processo no foro, sobre os artigos de *A Folha de Ilhéus*. Horácio já lhe falara na sua candidatura a deputado. E, durante a doença de Ester, o advogado terminara por estimar a Horácio, sentia-se ligado a ele, agradecido pelo coronel — que parecia incapaz de sentir e de sofrer — estar sofrendo também, de todos os esforços que ele fazia para salvar Ester: juntas médicas, promessas à Igreja, missas mandadas rezar.

Somente uma vez Virgílio conseguiu falar a sós com Ester. E ela parecia esperar exclusivamente por isto para morrer. Foi na véspera do falecimento. Aproveitando Horácio ter saído, e dona Auricídia estar cochilando na sala, ele entrou no quarto para substituir dr. Jessé que não se aguentava de cansaço. Ester dormia, seu rosto banhado de suor. Escaldava de febre, Virgílio pousou a mão na sua testa. Depois tirou o lenço e limpou-lhe o suor. Ela se moveu na cama, gemeu, terminou por acordar. Demorou a reconhecê-lo e a ver que estavam sós. Quando o compreendeu, tirou de sob o lençol a mão descarnada, tomou a mão dele e a pôs sobre o seio. Depois sorriu, fez um esforço e disse:

— Que pena eu morrer...

— Você não vai...

Fez um esforço enorme:

— ...morrer não...

Ela sorriu de novo, era o sorriso mais triste do mundo:

— Deixa eu te ver...

Virgílio ajoelhou nos pés da cama, a cabeça sobre a dela, beijou-a no rosto, nos olhos, na boca queimando de febre. E deixou que as lágrimas viessem e molhassem as mãos dela, lágrimas mornas descendo sobre o rosto. Foram minutos sem palavras, a mão febril nos cabelos dele, a boca amargurada beijando o rosto que a febre desfigurara.

O ruído de dona Auricídia, que despertava, o fez levantar-se, mas antes ela o beijou se despedindo. Ele saiu para chorar lá fora onde ninguém o visse. Dona Auricídia entrou no quarto, Ester parecia muito melhor.

"Era a visita da saúde", disse dona Auricídia no dia seguinte quando ela morreu. Era a despedida do amor, somente Virgílio sabia.

Veio muita gente para o enterro. De Tabocas chegou um trem especial, veio gente de Ferradas, Maneca Dantas, os lavradores de junto da mata de Sequeiro Grande, vieram amigos do Banco da Vitória, todo Ilhéus compareceu. No caixão negro, o rosto da morta recuperara alguma beleza e Virgílio a viu como na véspera, sorrindo, feliz de ser amada e de amar.

O pai de Ester chorava, Horácio recebia os pêsames vestido de negro, dona Auricídia fazia guarda junto ao cadáver. O caixão saiu pelo fim da tarde, o crepúsculo alcançou o enterro no caminho do cemitério. Dr. Jessé disse umas palavras, o cônego Freitas encomendou o corpo, os assistentes procuravam descobrir a dor no rosto pálido de Virgílio.

Maneca Dantas se desculpou de não aceitar quando Virgílio o chamou para jantarem juntos: tinha que fazer companhia a Horácio nessa primeira noite de nojo. Virgílio andou só pelas ruas, bebeu num botequim onde sentiu a curiosidade que o cercava, andou pelo cais, demorou na ponte onde um navio era descarregado, trocou umas palavras com um homem de colete azul que estava bêbedo, procurava onde ir, alguém com quem falar longamente, alguém sobre cujo peito pudesse chorar todo o pranto que lhe enchia o coração. E terminou indo bater em casa de Margot, que já dormia e que o recebeu surpresa. Mas quando o viu tão triste e desgraçado seu coração se abrandou e o acolheu no seu seio com o mesmo carinho maternal com que o acolhera naquela outra noite, na Bahia, quando ele soubera que seu pai morrera no sertão...

11

E PASSARAM AS CHUVAS DO INVERNO E CHEGARAM OS DIAS QUENTES DO VERÃO. As flores do cacau começaram a nascer nos troncos e nos galhos, na floração da nova safra. Grandes levas de trabalhadores, que agora não tinham roça para colher nem cacau para secar, foram empregadas na derruba da mata do Sequeiro Grande pelos Badarós e por Horácio. Porque Horácio, após a morte de Ester, se entregara por completo à luta pela posse da mata. E ele também entrara pela floresta, repelira ataques dos cabras dos Badarós, abrira clareiras, fizera enormes queimadas. Progrediam de um e de outro lado da mata, numa corrida para ver quem chegava mais cedo. Os barulhos haviam parado um pouco, os entendidos diziam que eles recomeçariam quando Horácio e os Badarós se encontrassem nas margens do rio que dividia a mata. Horácio tinha em Virgílio o mais eficiente colaborador. Não só o processo marchava, devagar é verdade, obrigado pelo bombardeamento de petições com que o advogado brindava diariamente o juiz, como a peça de acusação que ele escrevera, como advogado de Zé da Ribeira, contra Teodoro das Baraúnas, era uma obra-prima jurídica. Ao demais, Virgílio estudava o registro da propriedade da mata feito por Sinhô Badaró, e descobria nele grandes deficiências legais. A medição, por exemplo, era incompleta, não determinava os limites verdadeiros da mata, era uma coisa vaga e imprecisa. Virgílio fez uma longa exposição ao juiz que foi juntada ao processo de Horácio.

E terminaram os dias cálidos do verão e voltaram as chuvas longas do inverno, amadurecendo os frutos dos cacaueiros, iluminando de ouro as roças fechadas de sombra. Terminados os meses do paradeiro, os caixeiros-viajantes encheram os caminhos de Tabocas, Ferradas, Palestina e Mutuns, cortaram o mar no rumo de Ilhéus. Vinham imigrantes também, levas e levas nas terceiras classes dos navios superlotados, chegavam sírios que subiam para a mata com a mala de mascate amarrada nas costas. Muitos dos troncos carbonizados pelas queimadas na mata do Sequeiro Grande floresciam novamente em brotos verdes, alegrando as clareiras. Novas estradas já existiam, com as chuvas nasciam flores em torno das cruzes plantadas no chão no inverno passado. Nesse ano a mata do Sequeiro Grande diminuíra de quase metade. Estava cercada de clareiras e queimadas, vivia seu último inverno. Pelas manhãs de chuva, os trabalhadores passavam, as foices nos ombros. Seu canto triste ia morrer no mistério da mata:

O cacau é boa lavra...
Já chegou a nova safra...

12

E NA ENTRADA DO INVERNO DON'ANA CASOU-SE COM O CAPITÃO JOÃO MAGALHÃES. Juca e Olga eram padrinhos do noivo, dr. Genaro e a esposa do dr. Pedro Mata eram os da noiva. O cônego Freitas, quando abençoou o casal, ligou também "para a vida e para a morte" a Antônio Vítor e Raimunda. Antônio Vítor calçava umas botinas negras que o incomodavam muitíssimo, Raimunda tinha o rosto zangado de sempre. E, à noite, por mais que Don'Ana lhes dissesse que eles não deviam trabalhar naquele dia, ela ficou na cozinha ajudando e ele serviu bebida aos convidados, capengando um pouco devido às botinas novas.

Foi uma festa que fez época em Ilhéus. Don'Ana estava linda no seu vestido branco, o grande véu de virgem, as flores de laranjeira, a aliança larga de ouro. João Magalhães, metido num fraque muito elegante, arrancava exclamações de admiração das mocinhas casadoiras. Sinhô Badaró presidia a festa, um pouco triste, acompanhando com o olhar a filha, que ia de um lado para outro, atendendo aos convidados.

No quarto dos noivos, ante a cama repleta de presentes, desfilavam os convidados. Havia aparelhos de chá, bibelôs, talheres, jogos de roupas, um revólver Colt 38, cano longo, de aço cromado com cabo de marfim, uma obra-prima, presente de Teodoro ao capitão João Magalhães. Teodoro bebia champanhe, fazia pilhérias com o capitão sobre a maciez do colchão. Os convidados saíam do extasiamento no quarto para a sala de baile, onde a banda de música, em fardamento completo, tocava valsas e polcas, de quando em quando um maxixe.

Na hora que os recém-casados foram se recolher, pela madrugada, Juca Badaró segurou a sobrinha e o amigo, recomendou-lhes rindo:

— Quero um menino, hein! Um Badaró de lei!

A lua de mel, passada na fazenda, foi bruscamente interrompida pela notícia do assassinato de Juca, em Ilhéus. Depois do casamento ele subira para a fazenda com os sobrinhos, se dirigira logo para dentro da mata com uma turma de homens. Voltara à cidade para passar o sábado e o domingo, tinha saudades de Margot.

No domingo fora almoçar com um médico recém-chegado a Ilhéus que trouxera uma carta de apresentação para Juca de um amigo da Bahia. O médico morava na pensão de um sírio, numa rua central. A antiga sala de visitas havia sido transformada em refeitório, e Juca e o médico ocupavam a primeira mesa da sala, ao lado da porta de entrada. As costas de Juca Badaró davam exatamente para a rua. O cabra encostou o revólver na porta e deu um único tiro. Juca Badaró foi caindo lentamente em cima da mesa, o médico estendeu os braços para segurá-lo, mas ele de súbito se levantou, com uma mão se amparava na porta, com a outra sustentava o revólver. O cabra corria rua afora, pelo passeio, mas os tiros o alcançaram, foram três, ele se abateu como um fardo. Juca Badaró escorregou pela porta, o revólver saltou-lhe da mão ao bater nas pedras do calçamento. Se passara tudo numa rapidez de minuto, os hóspedes corriam para Juca, na rua se juntava gente em torno ao cabra caído.

Juca Badaró morreu três dias depois, cercado pela família, tendo antes suportado com estoicismo a operação que o médico tentara para extrair a bala. Faltavam todos os recursos em Ilhéus para uma operação semelhante. Nem clorofórmio havia. Juca Badaró sorriu enquanto durou a operação. O médico novo fez tudo para salvá-lo, Sinhô lhe havia dito:

— Se salvar meu irmão pode pedir quanto quiser...

Mas não adiantou, como não adiantaram os outros médicos de Ilhéus, nem dr. Pedro que veio de Tabocas. Antes de morrer, Juca chamou Sinhô em particular, pediu que ele desse um dinheiro a Margot. Depois falou com o capitão e Don'Ana, agora o quarto estava cheio de gente:

— Quero um menino, hein, não se esqueçam! Um Badaró! — e pediu a Don'Ana alisando sua mão: — Ponha meu nome...

Olga fazia um berreiro escandaloso, mas Juca não ligou importância, morreu tranquilamente. Apenas lamentou, nas suas últimas palavras, não poder ver a mata do Sequeiro Grande plantada de cacau.

Depois do de Ester, não houvera em Ilhéus enterro com tamanho acompanhamento. Também para ele viera um trem especial de Tabocas. Antônio Vítor voltara a calçar as botinas rangideiras, chorava como um menino. Manuel de Oliveira escrevera um necrológio cheio de adjetivos em *O Comércio*, dr. Genaro botou discurso na beira da sepultura, discurso violento contra Horácio. Teodoro das Baraúnas jurava vinganças. Quando desceram o caixão à sepultura, Don'Ana jogou um ramalhete de flores, Sinhô atirou a primeira pá de terra.

À noite, na casa triste, Sinhô andava de um lado para outro. Imaginava como se vingar. Sabia que de nada adiantava mandar derrubar cabras de Horácio, os lavradores que com ele se haviam associado, só adiantava mandar acabar com o coronel. Só uma vida poderia pagar a vida de Juca e era a de Horácio da Silveira. Decidiu que o mandaria matar fosse como fosse. Teve uma conversa com Teodoro e com o capitão, à qual Don'Ana assistiu. Dr. Genaro e o delegado achavam que Horácio devia ser processado. O cabra que matara Juca era um jagunço de Horácio, toda gente sabia que trabalhava na sua fazenda. Mas Sinhô fez um gesto violento com a mão: não era caso para processo. Não só não ficava fácil provar a responsabilidade de Horácio já que o cabra morrera, como Sinhô Badaró não se sentiria vingado com ver Horácio no banco dos réus. Don'Ana era da mesma opinião e o capitão concordou também. Ele estava um pouco assustado, não sabia como tudo aquilo ia terminar. Teodoro das Baraúnas subiu no dia seguinte para tratar do assunto.

Mas matar Horácio não era tarefa fácil. O coronel sabia que tanto as estradas como a cidade de Ilhéus eram lugares perigosos para ele. E não saía quase nunca da fazenda. Quando vinha a Ferradas ou a Tabocas, uma comitiva de muitos homens o rodeava, cabras de pontaria certeira, quase sempre Braz vinha a seu lado. A Ilhéus não voltou durante meses, Virgílio era quem subia à fazenda para informar ao coronel sobre a marcha dos processos. Porque, com o correr dos dias, dr. Genaro convencera a Sinhô de processar Horácio. Sinhô veio a concordar, tinha agora as suas razões. O delegado fez um inquérito, se transportou a Tabocas, arrolou uma série de testemunhas que afirmavam que o cabra que assassinara Juca era trabalhador da fazenda de Horácio. E um homem do cais, que usava um anelão falso no dedo, não teve dúvidas em relatar ao delegado a conversa que mantivera na véspera do crime, na venda de um espanhol, com o assassino. Este tinha bebido muito e o de anelão falso puxou pela sua língua. O homem estava cheio de dinheiro, exibira uma nota de cem mil-réis, narrara em segredo que ia "fazer um trabalho de importância a mando do coronel Horácio". Esta era a testemunha mais importante contra Horácio. O promotor aceitou a denúncia, Sinhô Badaró pressionava sobre o juiz, tudo que Virgílio pôde conseguir foi que Horácio não sofresse prisão preventiva. O juiz se desculpava perante Sinhô Badaró: "Quem se atreveria a ir prender Horácio na sua fazenda? Para bem do respeito que a justiça devia merecer era melhor que Horácio só fosse preso nos dias do júri. Virgílio prometera que Horácio compareceria ao julgamento".

Dr. Genaro tinha grandes esperanças de conseguir um corpo de jurados que condenasse o coronel. Os Badarós estavam por cima na política, era possível até a pena máxima. Mas Sinhô tinha esperanças era de liquidar com o coronel antes dele entrar em júri. Ou, no último caso, como dissera a João Magalhães, no próprio dia do júri. Por isso admitira o processo.

Horácio parecia não se preocupar um minuto sequer com aquele processo. Queria notícias era do outro, do que ele fazia correr contra Sinhô e Teodoro pela propriedade da mata do Sequeiro Grande. No meio de todos esses processos os advogados enriqueciam, se insultavam nas petições, preparavam os discursos para o júri.

Apesar de todas as dificuldades, por duas vezes a vida de Horácio correu perigo. Primeiro foi um homem de Teodoro que conseguiu chegar até uma goiabeira perto da casa-grande do coronel. Esperou aí várias horas até que Horácio apareceu na varanda e, sentando-se num banco, começou a cortar cana para uma besta que possuía, muito mansa. O tiro pegou no animal, Horácio saiu correndo atrás do cabra mas não o alcançou mais. Noutra ocasião foi um velho quem apareceu na fazenda dos Badarós se oferecendo a Sinhô para liquidar Horácio. Não queria pagamento, tudo que queria era uma arma. Tinha contas a ajustar com o coronel, informou. Sinhô mandou que lhe dessem uma repetição. O velho foi morto quando tentava se aproximar da casa-grande de Horácio numa noite de lua. Alguém lembrou que ele era o pai de Joaquim, que fora dono de uma roça que hoje pertencia a Horácio.

Diante dessas ameaças, Horácio reforçou a guarda da fazenda, saía raramente, mas nem por isso seus homens deixaram de abrir clareiras na mata do Sequeiro Grande. Não tardaria e se encontrariam com os homens dos Badarós que vinham pelo outro lado. Cada vez era menos espessa a floresta, as mudas de cacau que deviam ser plantadas na mata enchiam armazéns numa e noutra fazenda. Quando acontecia cabras de Horácio se encontrarem com cabras dos Badarós havia tiroteio na certa, corria sangue nas estradas.

13

E, QUANDO JÁ OS HOMENS NA MATA OUVIAM O RUÍDO DOS MACHADOS dos adversários no outro lado do rio, Ilhéus despertou uma manhã com a notícia sensacional que o telégrafo trouxera: o governo federal decretara a intervenção no estado da Bahia. As tropas do exército haviam ocupado a cidade, o governador renunciara, o chefe da oposição, que chegou do Rio num vaso de guerra, tomara posse como interventor. Horácio agora era governo, Sinhô Badaró estava na oposição. O telegrama do novo interventor demitia o prefeito de Ilhéus, nomeava o dr. Jessé para o posto. No primeiro navio vindo da Bahia chegaram o novo juiz e o novo promotor e, com eles, a nomeação de Braz para delegado do município. O antigo juiz fora designado para uma pequena cidade do sertão, mas não aceitou e pediu renúncia do cargo. Murmuravam que ele já estava rico e não precisava mais da magistratura para viver. *A Folha de Ilhéus* publicou um número especial, a primeira página em duas cores.

Foi só então que Horácio apareceu em Ilhéus, atendendo a um telegrama do interventor, que o convidava a ir à Bahia para conferenciarem. Recebeu os cumprimentos dos amigos e dos eleitores. Virgílio embarcou com ele, uma multidão veio trazê-los ao cais. A bordo Horácio disse ao advogado:

— Pode se considerar deputado federal, doutor...

Sinhô Badaró também veio a Ilhéus. Conversou à noite com dr. Genaro, com o ex-juiz, com o capitão João Magalhães. Ordenou a seus homens que apressassem a derruba da mata. Voltou no outro dia, Teodoro das Baraúnas o esperava na Fazenda Sant'Ana.

14

O TELEGRAMA DE BRAZ ARRANCOU HORÁCIO DAS CONVERSAS POLÍTICAS com o interventor, dos braços das mulheres nos cabarés da Bahia, dos aperitivos com políticos nos bares mais chiques, e o trouxe de volta no primeiro navio. Os homens dos Badarós não só haviam caído sobre os trabalhadores de Horácio que derrubavam a mata, fazendo uma verdadeira carnificina, como haviam incendiado uma quantidade de roças de cacau. Durante toda aquela luta as roças de cacau haviam sido respeitadas, como se os adversários obedecessem a um tácito compromisso. O fogo devorava cartórios, plantações de milho e mandioca, armazéns com cacau seco, matavam-se homens mas se respeitavam os cacaueiros.

Porém Sinhô Badaró sabia que estava jogando sua última cartada. A mudança da situação política roubara seus melhores trunfos. Uma prova disso era a desagradável surpresa que tivera ao ir vender a safra vindoura, por adiantado, a Zude, Irmão & Cia. Estes se mostraram desinteressados, falaram em dificuldades de dinheiro, propuseram finalmente comprar o cacau mas com uma garantia hipotecária. Sinhô se enfurecera: pedir uma hipoteca de roças a ele, Sinhô Badaró! Maximiliano temera que o coronel o agredisse, de tão violento que ficara. Mas se recusou a comprar o cacau, já que Sinhô não queria dar as garantias pedidas. "Eram ordens", dizia. E Sinhô Badaró teve que vender o cacau à casa exportadora de uns suíços, por preços miseráveis. Diante disso tudo, deu carta branca a Teodoro para agir como quisesse em relação à mata. Teodoro, então, pegara fogo nas roças de Firmo, de Jarde, e mesmo em algumas de Horácio. O incêndio durara dias, o vento o propagava, as cobras fugiam silvando.

No cais de Ilhéus os amigos de Horácio apertavam a sua mão, lamentavam as barbaridades dos Badarós. Horácio não dizia nada. Procurava Braz entre os presentes, foi com ele que conversou longamente na sala da delegacia. Prometera ao interventor que tudo seria feito legalmente. Daí os jagunços que assaltaram a fazenda dos Badarós, e cercaram a casa-grande, aparecerem nos jornais que noticiaram o fato transformados em "soldados da polícia que procuravam capturar ao incendiário Teodoro das Baraúnas, que, segundo constava, estava acoitado na Fazenda Sant'Ana".

O cerco da casa-grande dos Badarós foi o fim da luta pela posse das terras do Sequeiro Grande. Teodoro quis se entregar para assim tirar o pretexto legal de que Horácio se valia. Sinhô não admitiu, fez que ele embarcasse escondido para Ilhéus, onde amigos o meteram num navio que saía para o Rio de Janeiro. Depois se veio a saber que Teodoro fixara residência em Vitória do Espírito Santo, com uma casa de comércio. Talvez Horácio tenha sabido da fuga de Teodoro. Mas, se o soube, nada disse, continuava a cercar a casa-grande da fazenda Sant'Ana como se nela Teodoro estivesse escondido. A mata do Sequeiro Grande estava derrubada, agora as queimadas se confundiam com as roças incendiadas, não havia limites entre elas. Não existiam mais nem onças nem macacos, não mais assombrações também. Os trabalhadores haviam encontrado os ossos de Jeremias e os haviam enterrado. Em cima plantaram uma cruz.

Sinhô Badaró resistiu, com seus cabras, quatro dias e quatro noites. E só quando ele caiu ferido e foi, por ordem de Don'Ana, conduzido para Ilhéus, é que Horácio pôde se aproximar da casa-grande. Sinhô descera pela manhã numa rede levada no ombro dos homens, e, à noite, o capitão João Magalhães fez com que Olga e Don'Ana montassem e viajassem também. Raimunda ia com elas, cinco jagunços as acompanhavam. Deviam naquela noite dormir na fazenda de Teodoro, no dia seguinte alcançar o trem para Ilhéus.

João Magalhães, com os homens que lhe restavam, se entrincheirou na beira do rio. Antônio Vítor, ao seu lado, de quando em vez, suspendia a repetição e disparava. O capitão, olhos acostumados à luz da cidade, não distinguia nada nas trevas daquela noite sem lua. Sobre quem o mulato atirava? Mas o tiro que respondia provava que Antônio Vítor tinha razão, os olhos do mulato estavam habituados à escuridão das roças, via perfeitamente dentro da noite os homens que se aproximavam.

Foram, por fim, cercados, tiveram que recuar para a estrada, a maioria caiu na mão dos cabras de Horácio. Recuavam João Magalhães e seus homens, cada vez para mais longe, cada vez um número menor de cabras, até que foram quatro somente. Então Antônio Vítor desapareceu, quando voltou trazia um burro selado:

— Seu capitão, monte e vá embora. Aqui não há mais o que fazer...

Era verdade. Os cabras de Horácio, com Braz à frente, entravam no terreiro da casa-grande dos Badarós. João Magalhães perguntou:

— E vocês?

— Nós vai a pé guardando vosmicê...

No mesmo momento que eles partiam, Braz entrava na varanda da casa deserta. Havia um silêncio completo na noite sem lua. Os cabras de Horácio estavam reunidos no terreiro, prontos para entrar na casa. Um deles, obedecendo a uma ordem, riscou um fósforo para acender um fifó. O tiro veio de dentro da casa, raspou na luz, não matou o homem por um milagre. Os outros se atiraram no chão, foram entrando de rastros na casa. De dentro alguém atirava, procurando visar Horácio no meio dos capangas. Braz avisou ao coronel:

— É mais de um...

Entraram na casa, as armas na mão, os olhos atentos, procurando. Iam com ódio, queriam fazer a estes últimos defensores mais ainda do que haviam feito aos que caíram na beira do rio e na estrada e dos quais haviam arrancado os olhos e os beiços, as orelhas e os ovos. Correram a casa toda sem encontrar ninguém. Os tiros haviam cessado, Braz comentou:

— Terminou a munição...

Braz ia na frente, dois cabras a seu lado, Horácio vinha logo atrás. Só restava o sótão. Foram subindo a escada estreita, Braz abriu a porta com um pontapé. Don'Ana Badaró atirou, um cabra caiu. E como era a última bala que lhe restava, ela jogou o revólver para o lado de Horácio e disse com desprezo:

— Agora mande me matar, assassino...

E deu um passo à frente. Braz abria a boca num espanto. Ele tinha visto quando ela passara com Olga e Raimunda, guardada por uns poucos homens, fugindo. Ele deixara que a comitiva passasse ao alcance das balas, sem atirar. Como diabo tinha voltado? Don'Ana deu outro passo à frente, seu vulto encheu a pequena porta do sótão.

Horácio saiu para um lado da escada:

— Vá embora, moça... Eu não mato mulher...

Don'Ana baixou a escada, atravessou a sala, olhou a oleogravura, uma bala quebrara o vidro, rasgara o peito da moça que bailava. Saiu para o terreiro, os homens a fitavam mudos. Um murmurou:

— Diabo de mulher corajosa!

Don'Ana tomou de um dos cavalos que estavam arreados, olhou mais uma vez a casa-grande, montou, esporeou o animal e partiu na noite sem lua e sem estrelas. Só então, depois do seu vulto ter se perdido na estrada, Horácio levantou o braço e a voz, deu uma ordem, os homens puseram fogo na casa-grande dos Badarós.

15

O DR. GENARO, QUE ERA AMIGO DE FRASES BRILHANTES, COSTUMAVA DIZER, anos depois, quando se mudara para a Bahia onde podia educar melhor os filhos, ao se referir aos barulhos de Sequeiro Grande:

— Toda aquela tragédia terminou numa comédia...

Ele queria se referir ao julgamento de Horácio pelo júri de Ilhéus. Pouco antes o juiz lavrara sentença no processo movido por Horácio em defesa dos seus direitos de propriedade das terras do Sequeiro Grande. A sentença reconhecia os direitos do coronel Horácio da Silveira e dos seus associados e entregava Teodoro das Baraúnas à promotoria pública para ser processado pelo incêndio do cartório de Venâncio em Tabocas. Também Sinhô Badaró e o capitão João Magalhães eram acusados por haverem registrado um título ilegal de propriedade. Esse novo processo não seguiu adiante porque Horácio, a conselho de Virgílio, não se interessou por ele. A família Badaró economicamente estava mal, devendo dinheiro aos exportadores, com duas safras sacrificadas, as suas fazendas não haviam aumentado nesse ano de barulhos. Ao contrário, não só a casa-grande, as barcaças e as estufas estavam destruídas, como as mudas de cacaueiro tinham sido queimadas, algumas roças sofreram grandes danos. Os Badarós levariam muitos anos a reconstruir uma parte daquilo que fora a sua grande fortuna. Já não eram adversários para Horácio.

E o júri foi apenas uma consagração do coronel. Ele se entregou à prisão na véspera do julgamento. A melhor sala da prefeitura municipal, que era onde funcionavam também o foro e a cadeia, foi transformada em dormitório. Braz dispensou soldados, ele mesmo fazia companhia a Horácio. Os amigos encheram a sala, o coronel conversava, mandara vir uísque, foi uma farra a noite toda.

O júri se iniciou no outro dia às nove horas da manhã, durou até às três da madrugada do dia seguinte. Os Badarós haviam feito vir da Bahia um advogado de muito renome, dr. Fausto Aguiar, para, com dr. Genaro, servirem de ajudantes da promotoria. O novo promotor, toda gente sabia, ia fazer uma acusação muito deficiente, era correligionário político de Horácio.

O juiz entrou na sala, acompanhado do promotor, dos escrivães e dos meirinhos, vestia a toga negra, sentou-se na alta cadeira sobre a qual uma imagem de Cristo crucificado vertia sangue de um vermelho escuro. Ao lado do juiz sentou-se o promotor, puseram cadeiras para o dr. Genaro e o dr. Fausto, ajudantes de promotoria. Na tribuna da defesa se encontravam dr. Virgílio e dr. Rui. O juiz pronunciou as palavras regulamentares, a sessão do júri estava aberta. Uma multidão invadiu a sala, sobrava gente pelos corredores. Um menino, que anos depois iria escrever as histórias dessa terra, foi chamado por um meirinho para sacar da urna o nome dos cidadãos que iriam constituir o conselho de sentença. Sacou um cartão, o juiz leu o nome, um homem se levantou, atravessou a sala, tomou assento numa das sete cadeiras reservadas aos jurados. Mais outro cartão saiu da urna. O juiz leu:

— Manuel Dantas.

O coronel Maneca Dantas se levantou, mas nem chegou a andar. A voz do dr. Genaro atravessou a sala:

— Recuso...

— Recusado pelo órgão de acusação... — anunciou o juiz.

Maneca Dantas sentou-se, o menino continuava a tirar os cartões. De vez em vez um nome era recusado, ora pela promotoria ora pela defesa. Por fim o conselho de jurados ficou constituído. Entre os assistentes se trocavam comentários:

— Absolvido por unanimidade...

— Não sei não... Há dois votos duvidosos... — ciciava nomes.

— Talvez três — disse outro. — José Faria não é muito de Horácio, não... Pode votar contra...

— Ontem doutor Rui estava em casa dele. Vota pela absolvição.

— Vai haver apelação...

— Unanimidade na certa, que apelação que nada!

As apostas eram sobre a possibilidade ou não de apelação. O Supremo Tribunal do Estado respondia ainda ao governo derrubado. Se houvesse apelação talvez Horácio fosse condenado ou, pelo menos, enviado a novo júri. A maioria dos assistentes, porém, achava que o coronel seria absolvido por unanimidade, não havendo, por consequência, lugar para a apelação. Os jurados prestaram juramento de "julgar com justiça, de acordo com as provas e a sua consciência" e se sentaram. O menino que tirara os cartões da urna deixou o estrado do juiz e veio se sentar por detrás da tribuna de defesa. E desse lugar assistiu a todo o julgamento, escutando de olhos acesos os debates. Mesmo pela madrugada, quando alguns assistentes cochilavam nos bancos, o menino seguia nervoso o desenrolar do espetáculo.

Os comentários pararam de súbito e um silêncio se elevou na sala porque o juiz ordenava ao delegado que fizesse entrar o réu. Braz saiu para logo voltar acompanhando o coronel Horácio da Silveira. Dois soldados o ladeavam. Horácio vestia um fraque negro, o cabelo penteado para trás, o rosto sério, quase compungido. Parou em frente ao juiz, o silêncio era pesado, os assistentes se dobravam para a frente. O juiz perguntou:

— Seu nome?

— Horácio da Silveira, coronel da Guarda Nacional.

— Profissão?

— Agricultor.

— Idade?

— Cinquenta e dois anos.

— Residência?

— Fazenda Bom Nome, no município de Ilhéus.

— Sabe do que é acusado?

A voz do coronel era clara e forte:

— Sim.

— Tem alguma coisa a aduzir em sua defesa?

— Os meus advogados o farão...

— Tem advogados? Quais?

— O doutor Virgílio Cabral e o doutor Rui Fonseca.

O juiz apontou o pequeno banco dos réus:

— Pode sentar-se.

Mas Horácio se manteve de pé. Braz compreendeu, retirou o banco humilhante, trouxe uma cadeira. Ainda assim Horácio não se sentou. Foi uma sensação pela sala. Dr. Rui peticionou ao juiz para que concedesse ao acusado o direito de assistir ao julgamento de pé e não sentado naquele simbólico banco dos criminosos. O juiz concedeu e de todos os cantos da sala se podia ver a figura gigantesca do coronel, as mãos cruzadas sobre o peito, os olhos fitos no juiz. O menino se levantara para vê-lo melhor e o encontrou soberbo, jamais o esqueceria.

O escrivão lia o processo. A leitura durou três longas horas, os depoimentos das testemunhas desfilando um a um. De quando em vez os advogados tomavam notas em papéis. Ao lado do dr. Genaro se elevava uma pilha de livros gordos de direito. Quando terminou a leitura do processo era uma da tarde e o juiz suspendeu a sessão por uma hora para o almoço. O conselho de jurados ficou na sala, sem poder se avistar com ninguém, o almoço para eles veio do hotel, pago pela prefeitura. Apenas para Camilo Góis veio de casa, já que ele sofria do estômago e tinha uma dieta especial.

O menino que assistia ao júri saíra pela mão do pai, mas já estava na porta da sala quando o meirinho badalou a grande sineta chamando os advogados e os escrivães. Novamente Horácio entrou e se postou de pé ante o juiz. Foi dada a palavra ao representante da promotoria pública. Como se esperava, não foi uma grande acusação. O promotor falou meia hora, deixou inúmeras saídas para os advogados de defesa. Mas, como de hábito, terminou pedindo a pena máxima, que eram trinta anos de prisão. Dr. Genaro ocupou a tribuna da promotoria depois dele. Falou durante duas horas misturando citações lidas nos livros, algumas em francês, outras em italiano, com o exame demorado das declarações das testemunhas, que provavam, segundo ele, de modo indiscutível, que o assassino era um cabra a serviço de Horácio. Fez cavalo de batalha das declarações do homem de anelão falso que conversara com o assassino na véspera do crime. Historiou os barulhos do Sequeiro Grande, terminou dizendo que se "o mandante não fosse condenado, a justiça em terras de Ilhéus não seria senão a mais trágica das farsas". Citou umas frases em latim e se sentou. Pelos assistentes, que pouco haviam entendido naquela confusão de línguas citadas pelo dr. Genaro, ia uma admiração pela cultura do advogado. Não discutiam a sua posição: estimavam-no como alguma coisa de valor que pertencia a Ilhéus.

Teve a palavra o dr. Fausto e as cabeças se adiantaram curiosas. Esse advogado vinha precedido da fama de grande orador, defesas suas ficaram célebres na Bahia. É verdade que o povo de Ilhéus teria preferido escutá-lo numa defesa que numa acusação. Constava que Sinhô Badaró o contratara por quinze contos de réis. Dr. Fausto não falou longamente, se guardava para a réplica. Foi um discurso sonoro, dito com uma voz cortada de emoção. Falava na esposa sem marido, no irmão sem irmão, fez o elogio de Juca Badaró, "cavaleiro andante da terra do cacau". Sua voz ora subia, ora baixava, se enchia de ódio ao falar de Horácio, "jagunço que se tornou chefe de jagunços", se enchia de delicadezas ao falar de Olga, "a pobre esposa inconsolável". Fez um apelo final aos sentimentos nobres de justiça do conselho de jurados. E com o seu discurso a sessão foi suspensa para o jantar.

À noite a assistência foi muito maior e o menino teve dificuldades para ocupar o seu lugar. Os empregados no comércio, que não haviam podido vir de manhã e à tarde, lotavam agora até as escadas da prefeitura. Toda a gente queria ouvir os discursos dos advogados da defesa. Primeiro falou Virgílio e seu discurso respondia ao dr. Genaro. Esmagou as testemunhas. Provou a fraqueza do processo todo e fez sensação quando, ao se referir ao homem de anelão falso, que era a pedra angular da acusação, revelou que se tratava apenas de um ladrão, de nome Fernando, chegado a Ilhéus há alguns anos, onde se transformara num malandro de meios de vida desconhecidos. Esta "testemunha tão cara à acusação" se encontrava naquele momento nos cárceres de Ilhéus, preso por vagabundagem e arruaças. Que valor podia ter a palavra de um homem destes? Um ladrão, um vagabundo, um mentiroso. Dr. Virgílio leu declarações que ele colhera do espanhol, dono da venda onde o cabra estivera conversando com o homem de anelão falso. O espanhol dizia que o de anelão falso sempre tivera fama de mentiroso, gostava de contar histórias, de inventar casos, e o espanhol desconfiava que fora ele o responsável pelo desaparecimento, em duas ocasiões, do dinheiro para troco, guardado na gaveta do balcão da venda. Que valor legal, testemunhal, podia ter a palavra de um tipo desta ordem? O dr. Virgílio relanceava os olhos desde o juiz, passando pelo conselho de sentença, até aos assistentes. Narrou ele também, ao seu modo, os barulhos do Sequeiro Grande. Lembrou o outro processo, pela posse das terras, perdido pelos Badarós. Lembrou o incêndio do cartório de Venâncio. Pediu justiça ao fim de duas horas e sentou-se. Dr. Rui respondeu ao dr. Fausto. Sua voz poderosa, um pouco trêmula devido à bebida, ressoou na sala. Tremeu, chorou, se emocionou, acusou, defendeu, fez a gente chorar, fez a gente rir, foi violento com o dr. Fausto que "ousara cuspir palavras mesquinhas sobre a personalidade sem mácula desse Bayard de Ilhéus que era o coronel Horácio da Silveira". Exceto os advogados e o menino, ninguém sabia quem era Bayard, mas todos acharam a imagem muito bonita. Horácio, de pé, os braços sobre o peito, não demonstrava nenhum cansaço. Por vezes sorria, quando as ironias do dr. Rui contra o dr. Fausto eram mais ferinas e venenosas. E vieram as réplicas, falaram todos mais uma vez, repetindo o que já haviam dito. De novo, apareceu apenas um depoimento trazido pelo dr. Genaro para contrapor ao do espanhol, dono da venda, citado pelo dr. Virgílio. Dr. Genaro também conversara com um conhecido do homem do anelão falso, um outro frequentador da venda, um de colete azul. Este dissera que o de anelão falso "era uma boa pessoa, se bem não parecesse". Suas histórias podiam parecer inventadas mas muitas delas tinham acontecido mesmo. E o dr. Genaro clamou contra a "miséria da polícia local que metera no cárcere um inocente só porque depusera no processo". Dr. Fausto fez seu grande discurso. Procurou tremer a voz mais que dr. Rui, conseguiu que alguns assistentes chorassem também, deu o máximo que pôde. Dr. Virgílio falou dez minutos somente sobre o homem do anelão falso. Dr. Rui encerrou os discursos fazendo imagens entre a justiça e a estátua de Cristo que pendia sobre a cabeça do juiz. Terminou com uma grande frase, que estudara dois dias antes:

"Ao absolver a coronel Horácio da Silveira, provareis, senhores do conselho de sentença, a todo o mundo civilizado, cujos olhos estão voltados para esta sala, que em Ilhéus não existe apenas o cacau, a terra fértil e o dinheiro, provareis que em Ilhéus existe a Justiça, mãe de todas as virtudes de um povo!"

Apesar do exagero de todo o mundo voltado para aquela sala de júri em Ilhéus, ou talvez por isso mesmo, a frase arrancou palmas que o juiz fez calar por intermédio do meirinho, que sacudiu a sineta. O conselho de sentença se retirou da sala para julgar da culpabilidade ou da inocência do réu. Horácio foi retirado também, ficou no corredor conversando com seus advogados. Quinze minutos depois os jurados voltavam à sala, Braz chegou para conduzir Horácio. Este acabara de receber a notícia pelo dr. Virgílio:

— Unanimidade!

O juiz leu a sentença absolvendo o coronel Horácio da Silveira por unanimidade de votos. Alguns assistentes começaram a se retirar. Outros abraçavam Horácio e os advogados. Braz lavrou a ordem de liberdade, Horácio saiu entre os amigos que o iam acompanhar à casa.

O pai do menino tomou o filho pelo braço, viu que ele estava cansado, suspendeu-o no ombro. Os olhos do menino ainda olharam Horácio que saía.

— De que foi que gostou mais? — perguntou-lhe o pai.

O menino sorriu levemente, confessou:

— De tudo, de tudo, gostei mais foi do homem de anelão falso, o que sabe histórias...

Dr. Rui, que passava perto, ouviu, acariciou a cabeça loira do menino. Depois desceu as escadas correndo para alcançar Horácio que saía pela porta principal da prefeitura, penetrando na manhã clara que se elevava do mar sobre a cidade de Ilhéus.

O PROGRESSO

1

MESES DEPOIS, NUM PRINCÍPIO DE TARDE, INESPERADAMENTE, O CORONEL Horácio da Silveira desmontou de um cavalo na porta da casa-grande de Maneca Dantas. Dona Auricídia apareceu arrastando as banhas, muito solícita, querendo saber se o coronel já havia almoçado. Horácio disse que sim, tinha o rosto cerrado, os olhos pequenos, a boca repuxada num gesto duro. Um trabalhador foi chamar Maneca Dantas, que andava pelas roças, dona Auricídia ficou fazendo sala. Falava quase sozinha, Horácio apenas soltava um "sim" ou um "não" quando ela parava. Dona Auricídia contava histórias dos filhos, louvava a inteligência do mais velho, o que se chamava Rui. Por fim Maneca Dantas chegou, abraçou o coronel, ficaram conversando. Dona Auricídia se retirou para providenciar uma merenda.

Então Horácio levantou, olhou pela janela as roças de cacau. Maneca Dantas esperava. Sucederam-se os minutos em silêncio. Horácio tinha o olhar perdido na estrada que passava nas imediações da casa. De repente se voltou e falou:

— Andei arrumando umas coisas no palacete de Ilhéus. Umas coisas de Ester...

Maneca Dantas sentiu o coração bater mais apressado. Horácio o olhava com seus olhos baços, quase sem expressão. Só a boca estava cortada com um traço duro.

— Encontrei umas cartas...

Completou com a mesma voz em surdina:

— Era amante do doutor Virgílio...

Disse, e voltou a olhar através do vidro da janela. Maneca Dantas se levantou, botou a mão no ombro do compadre:

— Eu sabia, faz tempo. Mas, nessas coisas, não vale a pena a gente se meter... E a pobre da comadre pagou com juros morrendo daquela maneira...

Horácio deixou a janela, sentou num banco da sala. Olhava o chão. Parecia recordar fatos antigos, momentos bons, lembranças felizes:

— É engraçado... Primeiro, eu sabia que ela não gostava de mim. Vivia chorando pelos cantos, dizia que era medo das cobras. Na cama se encolhia quando eu tocava nela... Me dava raiva mas eu não dizia nada, a culpa era minha mesmo, eu fui casar com uma mulher moça e educada...

Balançou a cabeça, olhando Maneca Dantas. Este ouvia em silêncio, o rosto descansando nas mãos, sem um gesto.

— De repente ela mudou, ficou boa, eu cheguei a acreditar que ela tava gostando de mim. Antes eu me metia na mata, me metia em barulhos era só pelo dinheiro, um pouco pelo menino. Mas depois fiz tudo foi por ela, tava certo que ela gostava de mim...

Estendeu o dedo:

— Tu não te imagina, compadre, o que eu senti quando ela morreu. Tava ali dando ordens aos homens mas tava pensando em me matar. E só não dei um tiro na cabeça por causa do menino, filho meu e dela, filho do tempo ruim, é verdade, mas tudo tinha passado, ela ficara carinhosa e boa. Senão tinha me matado quando ela morreu...

Riu para dentro seu riso amedrontador:

— E dizer que tudo era pelo outro, pelo doutorzinho. Tava boa e carinhosa, era por ele. Eu comia era os restos, era as sobras...

Dona Auricídia entrava na sala, chamava para a merenda. A mesa atestada de doces, de queijos, de frutas. Comeram ouvindo o papaguear de dona Auricídia que puxava pelo filho mais velho, obrigando a criança a responder a perguntas históricas, a ler corrido para o padrinho ouvir, a recitar uns versos.

Depois voltaram para a sala de visitas e Horácio não falou mais. Sentou-se numa cadeira, escutava sem atenção. Maneca Dantas encheu o tempo com conversas sobre a safra, sobre o preço do cacau, sobre as mudas plantadas na terra do Sequeiro Grande. Dona Auricídia se desconsolava porque o compadre não ia ficar para jantar. Já havia mandado pegar uns frangos para preparar um molho pardo que era uma especialidade.

— Não posso, comadre...

Assim correra a tarde. Horácio mascava uma ponta apagada de cigarro que enegrecera ao contato com a saliva. Maneca Dantas falava, sabia que sua conversa não tinha interesse mas não conseguia outras palavras, tinha a cabeça oca. Sabia apenas que Horácio não queria estar sozinho. Outra vez, num dia já distante, fora Virgílio quem estivera assim, com medo de ficar sozinho. Maneca Dantas parou de falar, se lembrando.

E veio o crepúsculo, os trabalhadores retornavam das roças. Horácio se levantou, mais uma vez olhava pela janela a estrada que o crepúsculo cobria de tristeza. Foi lá dentro, se despediu de dona Auricídia, deu uma prata ao afilhado. Maneca Dantas saiu com ele para o terreiro onde o cavalo o esperava. Quando pôs o pé no estribo, Horácio voltou--se, avisou a Maneca:

— Vou mandar liquidar ele...

2

MANECA DANTAS TINHA VONTADE DE ARRANCAR OS CABELOS. "DOUTORZINHO teimoso!" Já gastara todos os argumentos para convencê-lo de não ir a Ferradas nessa noite e Virgílio estava ali, empacado naquela ideia de ir, de ir por cima de tudo, empacado que nem um jumento que é o bicho mais burro do mundo. E isso não havia duas opiniões em Ilhéus: dr. Virgílio era um homem inteligente!

Maneca Dantas nem sabia mesmo por que gostava tanto do doutor... Ainda quando tivera certeza de que ele era amante da comadre, que botava os cornos no compadre Horácio, nem então deixara de estimá-lo, apesar de que Horácio era quase venerado por Maneca, devia ao coronel muito do que possuía. Horácio lhe dera a mão quando ele estava mal, lhe ajudara a subir na vida. Pois nem quando descobriu que o dr. Virgílio dormia com Ester, nem assim Maneca Dantas tomou raiva dele. Passou dias de agonia, no medo de Horácio descobrir tudo, de tomar uma vingança terrível contra Ester e Virgílio. Quando a comadre morrera, a sua tristeza estava misturada com uma certa alegria, fora uma morte triste, sem dúvida: porém seria pior, muito pior, se Horácio descobrisse tudo e ela morresse ainda mais tragicamente. Como morreria, Maneca Dantas não o sabia. Mas imaginava, apesar de sua imaginação não ser grande, coisas horrorosas, Ester posta num quarto com cobras, como numa história que o jornal publicara certa vez. Quando a febre a levou, Maneca Dantas sentiu muito, mas respirou aliviado: o caso estava resolvido. E não é que agora, tantos meses passados, Horácio havia de descobrir cartas de amor, e de, com toda razão, querer matar o advogado?... Também Maneca Dantas não sabe por que diabo essa gente que engana marido, com tanto perigo, ainda se dá ao luxo de escrever cartinhas de amor. Coisa de idiota... Ele de quando em vez tinha uma amante, é claro que nunca mulheres casadas. Era uma que outra rapariga bonita que enchia o olho de Maneca Dantas e ele lhe montava casa. Ia lá, dormia, comia e bebia, mas escrever cartas, nunca... Às vezes recebia uma ou outra... Eram quase sempre pedidos de dinheiro, mais ou menos urgentes. Pedidos de dinheiro que vinham misturados com beijos e frases carinhosas. O coronel Maneca Dantas rasgava logo as cartas, antes que o olfato fino de dona Auricídia sentisse o cheiro impuro de perfume barato que sempre as impregnava... Pedidos de dinheiro, nada mais...

Maneca Dantas se lembra dessas cartas enquanto Virgílio na sala de jantar serve uma pinga nos cálices. Destruía todas? A verdade é que uma carta ele nunca destruíra e a levava na carteira, até hoje, escondida entre papéis. Era um perigo diário que corria: imaginem se dona Auricídia descobrisse! O mundo vinha abaixo, com certeza. Maneca Dantas, apesar de estar só na sala, olha em redor, se certifica de que ninguém o espia, abre a carteira e saca, de entre contratos de venda de cacau, uma carta garatujada com uma letra feia, cheia de borrões e de erros de ortografia. Fora Doralice, uma pequena que ele tivera na Bahia, certa vez que se demorara dois meses na capital fazendo um tratamento na vista. Conhecera-a num cabaré, viveram juntos aqueles meses, de todas as mulheres que ele tivera ela fora a única que lhe escrevera uma carta sem pedir dinheiro, do princípio ao fim. Por isso ele a guardara, apesar de Doralice ser apenas uma recordação vaga e distante, ainda assim doce recordação. Ouve os passos de Virgílio, mete a carta no bolso. O advogado entra, os cálices e a garrafa se equilibrando numa bandeja.

Maneca Dantas bebe a cachaça, volta a bater na pobre história que fora o máximo que sua imaginação conseguira: “Que ouvira um boato de que Sinhô Badaró ia mandar tocaiar doutor Virgílio nessa noite, no caminho de Ferradas, para se vingar da morte de Juca”. Virgílio ri:

— Mas isso é idiota, Maneca... Totalmente idiota... E logo no caminho de Ferradas, uma estrada do coronel Horácio... Se há um lugar seguro é o caminho de Ferradas... E eu não vou deixar meu cliente esperando. Além de que, é um eleitor...

O que lhe parecia cômico era a ideia de uma tocaia contra ele no caminho de Ferradas, feita por gente dos Badarós:

— E no caminho de Ferradas, nas barbas de Horácio?

Maneca Dantas se levantou:

— O senhor quer ir por cima de tudo?

— Vou, não tenha dúvida...

Então Maneca Dantas perguntou:

— E se fosse o próprio compadre quem quisesse...

— O coronel Horácio?

— Ele descobriu tudo... — Maneca Dantas olhava para o lado, não queria ver o rosto do advogado.

— Descobriu o quê?

— Os negócios de vosmicê mais a comadre... Também essa mania de carta... Ele foi remexer nas coisas dela... — olhava para o lado, a cabeça baixa, parecia o culpado de tudo, não tinha coragem de fitar o rosto de Virgílio.

Mas este não sentia nenhuma vergonha do acontecido. Fez Maneca Dantas sentar-se ao seu lado e lhe contou tudo. As cartas? Sim, escrevia cartas, recebia dela também, era uma maneira de estarem próximos naqueles dias em que não podiam se ver, não podiam estar juntos, entregues um ao outro... Narrou todo o romance, disse da sua felicidade, dos projetos de fuga, das noites de amor. Falou palavras apaixonadas, lembrou a morte dela. Sim, ele tinha compreendido o desespero de Horácio naquele dia em que ela morrera e por isso se ligara a ele, não havia ido embora, ficara ali para fazer-lhe companhia.

— Era uma maneira de estar perto de Ester, compreende?

O coronel não compreendia direito, mas essas coisas de amor são sempre assim... Virgílio falava sem parar. Por que não ia embora? Por que queria estar ali, perto de Horácio, ajudando o coronel nos negócios? Ali tudo lhe lembrava Ester, a morte dela o prendera ali para sempre. Os outros era o cacau quem prendia, a ambição de dinheiro. Ele estava preso pelo cacau também, mas não por intermédio do dinheiro. Estava preso pela lembrança dela, o corpo que estava no cemitério, a sua presença que estava em toda parte, no palacete de Ilhéus, na casa do dr. Jessé, ali em Tabocas, na fazenda, e em Horácio, principalmente em Horácio... Virgílio não tinha ambições, gastava o dinheiro como um louco, tudo o que ganhava, nunca quisera comprar roça de cacau, queria apenas era estar perto dela e ela estava ali naqueles povoados e naquelas fazendas, cada vez que uma rã gritava na boca de uma cobra ele a tinha nos braços novamente, como naquela primeira vez na casa-grande da fazenda.

— Compreende, Maneca?

E ri, melancólico, e diz que Maneca Dantas não pode compreendê-lo. Só quem teve um amor doido na vida, um amor desgraçado, poderá entender o que ele está dizendo. Maneca Dantas não encontra nada melhor que mostrar-lhe a carta de Doralice, única maneira de expressar sua solidariedade.

Virgílio a lê, as palavras umedecem os olhos de Maneca Dantas:

Saudações

Meu querido Maneca estimo que esta mal traçada linha va li encontrar gozando perfeita saúde. Maneca vosse foi muito ingrato para mim não escreveu a sua sempre esquecida Doralice que está a sua espera. Maneca eu mando li perguntar quando vosse vem para eu li esperar no caes de desembarque. Maneca todas as noites quando eu vou dormir sonho com vosse. De todos nossos passeio que nós dava eu vosse Editi e a Danda cantando o maxixe de nome Dei Meu Coração. Maneca vosse tá em Ilhéus não vá pra rua das putas para não vim fraco. Tumara que vosse já chegue que é para nós gozá. Meu filinho quando é que eu tenho a sorte de gozá u seu belo corpo???!!! Mas não tem nada u que é seu está guardado. Maneca escreva para mim quanto mais breve milhor. Maneca vosse meadisculpe os erro nada mais, aceiti muito beijo da sua preta Doralice. Nada mais. Olhe u endereço 98 rua 2 de Julho. Adeus da sua ESQUECIDA Doralice.

Quando terminou de ler, Virgílio perguntou:

— Era bonita?

— Era uma boneca... — a voz de Maneca Dantas está trêmula. Ficaram sem assunto, Virgílio olhando o coronel que guardava a carta no meio dos papéis que enchiam a carteira. Até ele, um coronel de Ilhéus, tinha a sua história de amor... Virgílio serve mais cachaça. Maneca Dantas volta a insistir:

— Eu gosto do senhor, doutor, eu lhe peço que não vá. Tome um navio, vá para a Bahia, o senhor é um moço inteligente, em qualquer parte faz carreira...

Mas Virgílio diz que não. Não deixará de ir a Ferradas nessa noite. Morrer não lhe importa, o triste é viver sem Ester. O coronel compreende? Que lhe importa viver? Se sentia sujo, metido naquele visgo de cacau até o pescoço... Quando Ester era viva, restava a esperança de ir embora com ela... Agora, nada mais importa... Maneca Dantas lhe oferece tudo o que pode oferecer:

— Se é por mulher, doutor, eu lhe dou, se o senhor quiser, o endereço novo de Doralice... É uma beleza, o senhor vai esquecer...

Virgílio agradece:

— Você é um homem bom, Maneca Dantas... É curioso como vocês podem fazer tanta desgraça e, apesar disso, serem homens bons...

Conclui de um modo definitivo:

— Vou hoje a Ferradas... Se tiver tempo morrerei como manda a lei daqui, a lei do cacau, levando um comigo... Não é assim mesmo?

E, pela noite, Maneca Dantas o viu partir montado, sozinho, rumo de Ferradas, seu riso triste. Comentou para si mesmo:

— Tão moço, coitado!

Na estrada, Virgílio ouve a voz que canta sobre os barulhos do Sequeiro Grande:

Eu vou contar uma história,
Uma história de espantar...

Uma história de espantar, a história daquelas terras, a história daquele amor. Uma rã grita na boca de uma cobra. Uma vez Virgílio sonhara um sonho romântico: aparecer à noite, num cavalo preto, na varanda da casa-grande. Seria a enorme lua amarela no céu, sobre os cacaueiros e sobre a mata. Ester o esperaria medrosa e tímida, afoita porém no seu medo e na sua timidez. Ele nem pararia o cavalo. Tomaria dela pela cintura e a poria na garupa, partiriam por entre as roças de cacau, cortariam as estradas, os povoados e as cidades, cortariam no seu cavalo negro o mar dos transatlânticos e dos cargueiros, iriam no seu galope para outras terras distantes. Silva a cobra, grita a rã assassinada. Ester vai na garupa do cavalo, de onde veio ela? Virgílio solta a rédea, deixa que o cavalo corra. O vento corta seu rosto, Ester vai segura na sua cintura. Uma história de espantar. Irão para o fim do mundo, os pés livres do visgo de cacau mole que os prende ali... Esse cavalo tem asas, irão para muito longe das cobras, das rãs assassinadas, para muito longe das roças de cacau, dos homens mortos na estrada, das cruzes iluminadas por velas nas noites de saudade. Pelos ares vai o cavalo negro, sobre as roças, sobre as matas, sobre as queimadas e clareiras. Ester vai com Virgílio, gemerão de amor na noite de luar. Vão pelos ares, é desenfreado o galope do cavalo... O luar envolve a noite, chega uma música de longe. Um homem canta:

Eu já contei uma história,
Uma história de espantar...

É como uma marcha nupcial. Nunca ninguém saberá que o último verso daquela história foi escrito nessa noite, na estrada de Ferradas. Que importa a morte, um tiro no peito, uma cruz na estrada, uma vela acendida por Maneca Dantas, se Ester vai com ele na garupa do seu cavalo negro para outras terras que não sejam essas terras do cacau? A música o acompanha como uma marcha nupcial. Uma história de espantar.

3

A CIDADE DE ILHÉUS DESPERTOU EMOCIONADA. AS RUAS ESTAVAM atapetadas de flores, bandeiras pendiam das janelas dos sobrados, os sinos repicavam festivos na manhã alegre. A multidão se encaminhava para o cais, enchia a ponte de desembarque. Vinham os colégios: as moças do Ginásio Nossa Senhora da Vitória que era o colégio das freiras, recém-terminado, e que dominava a cidade do alto do morro, os meninos e meninas dos colégios particulares, os mais pobres do grupo escolar. Vinham todos nos uniformes de festa, as moças do colégio das freiras traziam uma fita azul sobre os vestidos brancos, símbolo de congregações religiosas. A banda de música passou também, no vistoso uniforme vermelho e negro, tocando marchas na manhã movimentada. Braz comandava os soldados de polícia, que levavam os fuzis ao ombro. Na ponte se apertavam os homens mais importantes da cidade, envergando os fraques negros das grandes ocasiões. Dr. Jessé, atual prefeito de Ilhéus, suava sob o colarinho duro, recordando as frases do discurso que ia pronunciar dentro em pouco e que levara dois dias decorando. Sinhô Badaró veio também, com a filha e o genro, o coronel coxeava um pouco da perna direita, a que fora ferida no assalto à casa-grande. No porto, governistas e oposicionistas se confundiam, misturados entre padres e freiras. Até frei Bento descera de Ferradas, conversava com as freiras na sua língua atrapalhada. O comércio fechara nesse dia, a multidão se espalhava pelo cais.

A venda do espanhol, que era perto da ponte, estava cheia de gente. O de anelão falso, que perdoara generosamente ao espanhol as suas informações à polícia, dizia ao de colete azul:

— Ora, um bispo... E o que é um bispo para se fazer tanto barulho? Uma vez eu conheci um arcebispo no sul. Sabe o que parece? Parece uma lagosta cozida...

O de colete azul não discutia. Podia ser verdade, quem sabe? Nesse dia chegava o primeiro bispo de Ilhéus. Um recente decreto papal promovera a paróquia de Ilhéus a diocese. Um cônego da Paraíba fora sagrado bispo. Os jornais da Bahia diziam que era um homem de grandes virtudes e grande saber. Para Ilhéus era o bispo, era a importância adquirida pela cidade, era o progresso. Apesar da falta de religiosidade que, segundo o cônego Freitas, caracterizava essa terra, Ilhéus estava orgulhosa de possuir um bispo e se preparava para recebê-lo regiamente.

Gente veio correndo pela praia, já se avistava o navio perto da pedra do Rapa. Pelas ruas estreitas passavam homens e mulheres apressados, a caminho do porto. As beatas levavam xales negros na cabeça, não podiam sequer falar de tão nervosas. As moças e os rapazes aproveitavam para namorar. Até prostitutas tinham vindo, mas olhavam de longe, se haviam juntado em um grupo alegre por detrás das barracas de venda de peixe. Passavam padres, os habitantes da cidade se perguntavam de onde haviam saído tantos. Chegaram dos povoados do interior, os vigários de Itapira e de Barra do Rio de Contas, haviam feito uma viagem difícil para vir cumprimentar o bispo.

Um grande tapete se estendia na ponte de desembarque, era o tapete da escadaria nobre da prefeitura. Sobre ele o bispo pisaria.

O navio começou a cruzar a barra, vinha embandeirado, apitou longamente. Foguetes espocaram no ar na ilha do Pontal. Os soldados dispararam seus fuzis, num arremedo de salva. Os padres, o prefeito, os coronéis e as freiras, os comerciantes ricos também, se adiantaram pela ponte. O navio atracou entre vivas, os foguetes subiam, explodiam por cima da cidade. Os sinos badalavam, o bispo desceu, era um homenzinho baixo e gordo. Dr. Jessé iniciou seu discurso de boas-vindas.

A multidão acompanhou o bispo até à casa do cônego Freitas, onde houve um almoço íntimo, às pessoas gradas apenas. À tarde rezou-se bênção solene na catedral de São Jorge. Maneca Dantas levou os filhos, o que se chamava Rui declamou uns versos saudando o "pai espiritual". O prelado louvou a precoce inteligência da criança. Sinhô Badaró também visitou o bispo, pediu sua bênção para o neto que ia nascer.

À noite houve fogos de artifício, enquanto na prefeitura se celebrava o grande banquete que a cidade de Ilhéus oferecia ao seu primeiro bispo. O novo promotor falou em nome do povo, o bispo agradeceu em breves palavras, dizendo da sua satisfação em se encontrar entre os grapiúnas. Logo depois do banquete o bispo se retirou, estava cansado. Mas a festa se prolongou, e, por volta das duas da madrugada, dr. Rui estava inteiramente bêbedo. Ia tropeçando pela rua, não encontrava ninguém, no cais deparou com o homem do anelão falso e, à falta de outro, lhe explicou a sua teoria:

— Em roça de cacau, nessas terras, meu filho, nasce até bispo. Nasce estrada de ferro, nasce assassino, caxixe, palacete, cabaré, colégio, nasce teatro, nasce até bispo... Essa terra dá tudo enquanto der cacau...

O que não concordava com o artigo que o dr. Rui publicara nesse dia em *A Folha de Ilhéus*. Aliás, pela primeira vez, o pensamento de *A Folha de Ilhéus* coincidia com o de *O Comércio*. Exaltavam ambos o progresso do município e da cidade, ressaltavam a importância da vinda do bispo, faziam ambos profecias sobre o futuro esplendoroso reservado a Ilhéus. Manuel de Oliveira escrevia: "A elevação a diocese não é senão um ato de reconhecimento ao progresso vertiginoso de Ilhéus, conquistado pelos grandes homens que sacrificaram tudo ao bem da pátria". E dr. Rui concordava no outro jornal: "Ilhéus, berço de tantos filhos trabalhadores, de tantos homens de inteligência e de caráter que abriam clareiras de civilização na terra negra e bárbara do cacau". Era a primeira vez que os dois jornais estavam de acordo.

No entanto, se equilibrando no cais, dr. Rui repetia, aos berros, ao homem de anelão falso:

— Tudo é o cacau, meu filho... Nasce até bispo em pé de cacaueiro... até bispo...

Para o de anelão falso nada era impossível no mundo:

— E daí quem sabe?

4

E, APÓS AS ELEIÇÕES QUE LEVARAM O DR. JESSÉ FREITAS À CÂMARA federal como deputado do governo ("Que irá fazer lá essa cavalgadura?", perguntara o dr. Rui aos conhecidos), e que transformaram o interventor em governador constitucional do estado, um decreto criou o município de Itabuna, desmembrando-o do de Ilhéus. A sede do novo município era o ex-arraial de Tabocas, agora cidade de Itabuna. Uma ponte sobre o rio ligava os dois lados da jovem cidade.

Horácio, que tinha elegido Maneca Dantas para prefeito de Ilhéus na vaga de Jessé, elegeu para prefeito de Itabuna ao seu Azevedo, aquele mesmo da loja de ferragens que fora homem devotado dos Badarós e por eles se arruinara. Seu Azevedo não sabia estar por baixo em política e entrara em acordo com Horácio. Seus eleitores haviam votado para dr. Jessé na chapa de deputados, seu Azevedo em troca ganhou a nova prefeitura.

No dia da posse armaram com flores e folhas de coqueiro um arco de triunfo na praça da matriz. Num recorde de tempo havia sido construído um prédio moderno para a prefeitura. De Ilhéus chegara um trem especial trazendo Horácio, o bispo, Maneca Dantas, o juiz, o promotor, fazendeiros e comerciantes, senhoras e moças. Toda a gente importante daquela que passou a ser a "cidade vizinha". Na estação, os habitantes de Itabuna se empurravam para apertar a mão de Horácio.

A posse do primeiro prefeito foi solene. Seu Azevedo, ao prestar juramento, jurou também, no discurso que pronunciou, eterna fidelidade política ao governador do estado e ao coronel Horácio da Silveira, "benfeitor da zona cacaueira". Horácio o olhava com seus olhos miúdos. Alguém murmurou ao lado do coronel, se referindo à pouca fidelidade de seu Azevedo aos partidos:

— Quem não te conhece que te compre, cavalo velho...

Mas Horácio acrescentou:

— Ele vai andar com a rédea curta...

À tarde houve quermesse na praça, leilão de prendas, retreta. À noite o grande baile no salão principal da prefeitura. As moças e os rapazes dançavam. O bispo não achou conveniente ficar no salão de dança, foi para outra sala, onde estava servido o *buffet*. Doces finos encomendados às irmãs Pereiras, "verdadeiras artistas", segundo Maneca Dantas que era conhecedor. E toda classe de bebidas, desde champanhe até cachaça. Em torno ao bispo se formou uma roda: Horácio, Maneca Dantas, seu Azevedo, o juiz, Braz, vários outros. Encheram-se as taças mais finas com o mais fino champanhe. Alguém brindou pelo bispo, depois o promotor de Ilhéus, que queria agradar a Horácio, levantou sua taça para brindar pelo coronel. Fez um breve discurso exaltando a figura de Horácio. Terminou lamentando inocentemente que "não estivessem ali, ao lado do coronel Horácio da Silveira, nesta hora do seu grande triunfo de cidadão, nem a sua dedicada esposa, a sempre recordada dona Ester, vítima abnegada do seu devotamento e amor ao esposo, nem aquele outro inesquecível cidadão, que tanto trabalhara pelo progresso do novel município de Itabuna, doutor Virgílio Cabral, que morrera nas mãos de mesquinhos inimigos políticos!". O orador afirmou que isso se dera nos tempos, próximos e já tão distantes, em que todavia a civilização não alcançara essas terras, quando Itabuna ainda era Tabocas. "Hoje esses fatos", disse, "são apenas recordações tristes e lamentáveis."

Suspendeu a taça brindando. Horácio estendeu a mão, levantou sua taça também, bateu com ela na do promotor, bebendo em lembrança de

Ester e de Virgílio. Quando os cálices se encontraram, sonoridades claras e pequenas se elevaram no ar.

— Cristal Baccarat... — disse Horácio ao bispo, que estava a seu lado.

E sorriu um sorriso cheio de doçura e de satisfação.

5

CINCO ANOS DEMORAVAM OS CACAUEIROS A DAR OS PRIMEIROS FRUTOS. Mas aqueles que foram plantados sobre a terra do Sequeiro Grande enfloraram no fim do terceiro ano e produziram no quarto. Mesmo os agrônomos, que haviam estudado nas faculdades, mesmo os mais velhos fazendeiros, que entendiam de cacau como ninguém, se espantavam do tamanho dos cocos de cacau produzidos, tão precocemente, por aquelas roças.

Nasciam frutos enormes, as árvores carregadas desde os troncos até os mais altos galhos, cocos de tamanho nunca visto antes, a melhor terra do mundo para o plantio do cacau, aquela terra adubada com sangue.

Montevidéu, agosto de 1942

posfácio

Um tributo a Jorge Amado

Miguel Sousa Tavares

Em casa dos meus pais havia uma grande estante de livros que ocupava toda uma parede de fundo daquilo a que chamávamos "o escritório". Em boa verdade, o "escritório" jamais foi sala de trabalho de alguém: era, sim, a sala de brincadeiras dos cinco filhos da casa e onde o meu pai guardava os seus livros. Depois de anos e anos de tumultuosa discussão com a minha mãe acerca da arrumação dos livros (ele, coitado, insistia numa arrumação lógica, por géneros, enquanto que a minha mãe defendia uma arrumação tão lógica quanto a dele, só que inadmissível para ele: só haveria, segundo ela, duas categorias de livros e consequente divisão — os bons e os maus), eles haviam chegado, de comum acordo, a um consenso: cada um deles teria a sua estante, no seu lugar separado da casa, onde arrumaria os seus livros, segundo o seu critério. E assim se fez paz.

Aquela era, portanto, a estante do meu pai, e a mais lógica para quem queria crescer como leitor, seguindo uma lógica banal. Foi por aí que todos começámos. Ah, mas a estante do meu pai tinha um segredo: estava organizada por idades, ou, melhor dizendo, por alturas. Até 1,60 metro de altura, nós só conseguíamos chegar à Emily Brontë, ao Alexandre Dumas, Júlio Verne, Stenvenson e por aí; até ao 1,70 metro, já era possível chegar ao Hemingway, Steinbeck, Eça de Queiróz, Stendhal; e só a partir do 1,70 metro é que se atingia os Himalaias do Sartre ou do Jorge Amado. E só mesmo lá no topo do mundo e da literatura, onde as águias planam e as almas se perdem, é que poderíamos encontrar, no seu pacífico Nirvana, autores como o Marquês de Sade ou Henry Miller.

Na peugada das minhas duas irmãs mais velhas (e, à época, mais altas), vivi então uns angustiantes dois anos a tentar chegar ao patamar do Jorge Amado, de onde, pelo relato delas, me chegavam descrições de espantar. E lá cheguei, enfim, subindo a pulso os degraus da literatura. Cheguei, tal como elas e tal como toda a minha geração de leitores portugueses, através dos *Capitães da Areia*, *Cacau*, *Suor*, *Mar morto*, *Gabriela, cravo e canela* e *Terras do sem-fim*. Cheguei e parei. Estarrecido, extasiado. Suponho que nessa altura, tanto em Portugal como no Brasil, se vivia sob a ditadura do chamado neorrealismo — uma corrente onde a literatura estava ao serviço de "causas" e tinha de ser "social", engajada, com o "povo" dentro da história. A literatura era uma frente de combate da esquerda, como a pintura ou a fotografia, e o seu fim era servir "os amanhãs que cantam". Mas o neorrealismo português era, literariamente, uma coisa intragável: previsível, aborrecida, deprimente, paupérrima de imaginação e confrangedora no estilo. O leitor era tomado como um imbecil, a quem qualquer coisa aproveitaria, desde que o autor fizesse passar a "mensagem". Era uma escrita que não se destinava a conquistar leitores para a causa da literatura, mas sim militantes para a causa mais digna, mais urgente e mais útil da "libertação dos povos". Sem dúvida que esse Jorge Amado dos "ásperos tempos" também foi, mesmo literariamente, um militante da "causa". Mas teve a sorte — que os neorrealistas portugueses e europeus não tiveram — de ter nascido sul-americano, brasileiro por acréscimo e baiano por natureza. E, assim, ele trouxe à "causa" e, sobretudo, à literatura de então, uma escrita nova, feita de uma alegria desconhecida e de um repentismo absurdo e totalmente inovador que, antes de mais, serviu os leitores. E, assim fazendo, serviu a literatura — que, em minha modesta mas longamente meditada opinião, outra coisa não é do que servir aos leitores livros que os façam sonhar e evadir-se, que os façam esquecer todo o resto, que os façam, durante muito tempo, recordar ainda a história e os personagens, ou que, na definição do Fernando Pessoa, os façam acreditar que "a felicidade é ter um grande livro para ler e não o fazer".

A mim, jovem leitor de dezasseis anos, o que mais me marcou nestes livros iniciais de Jorge Amado foi a alegria: a alegria que eu sentia, antes de me ir deitar à noite e sabendo que tinha um livro seu para ler, e a alegria que eu percebia que ele, também, deveria ter sentido ao escrever. Nunca menosprezarei ninguém que tenha escrito um livro que tenha dado aos seus leitores horas e noites de prazer e de alegria. Um livro que nos tenha feito marcar a página, apagar a luz e ficar a pensar na história antes de adormecer. Eu sei que isto, dito assim, pode parecer demasiadamente simplista e contracorrente. Mas eu gosto muito de ler, gosto muito de histórias bem contadas: começei a gostar com 1,45 metro de altura e nunca parei, mesmo depois de ter chegado ao 1,84 metro definitivo.

A primeira edição de *Terras do sem-fim* é datada de 1943, no auge da Segunda Guerra Mundial e do governo de Getúlio Vargas no Brasil. Nesse contexto histórico, toda a trama, centrada na epopeia do cacau e da emergente cidade de Ilhéus, parece quase um absurdo, um mundo fechado sobre si mesmo, aonde não chegam os ecos do outro mundo lá fora, pois que todos os seus personagens estão possuídos por uma febre e uma demência que os leva a agir como se, de facto, nada mais houvesse do que a urgência da terra, do cacau e da riqueza caída do céu para quem lá estivesse para colhê-la. O arranque do livro é notável, quando Jorge Amado vai introduzindo e metendo em cena os diversos tipos humanos que povoavam aquelas terras — o fazendeiro regressando de negócios políticos em Salvador, o advogado espertalhão mudando-se para onde os clientes precisavam de expedientes jurídicos para legalizar a propriedade conquistada a bala e a sangue, o batoteiro profissional fazendo-se de ingénuo à mesa de póquer, a prostituta em busca de uma situação mais estável, ou o peão sem esperanças do nordeste jogando tudo numa cartada de sorte. De tal modo que, às tantas, perdido no excesso de personagens e tipos agenciados, o autor não sabe bem onde se concentrar para o fio da história. Mas, a tempo, ele encontra os seus personagens-guia, aqueles que irão marcar a história e viver nos nossos sonhos, quando à noite fechamos o livro e o dia todo vivemos à espera de o retomar: o coronel Horácio, exemplo extremo do fazendeiro brutal e boçal, todavia caído de amores pela sua jovem e linda esposa Ester, que agoniza de solidão, suspirando por uma vida com algum sentido, que não aquele desterro na fazenda entre gente bárbara, tocando piano sem público e morrendo de medo do grito nocturno das rãs se acabando na boca das cobras. Ou o dr. Virgílio, jovem, distinto e oportunista advogado ao serviço do coronel Horácio e tornado amante aventuroso de sua esposa, por amor de quem abandona Margot, sua contratada companheira, e acaba sentenciado de morte numa tocaia de que resolve não fugir, quando já toda a graça da vida lhe tinha fugido. Todos os personagens são excessivos, toda a história é excessiva, como se jamais pudesse ter sido real. E, todavia, deve ter sido: de outro modo, ninguém poderia ter contado isto assim.

Foi com este livro e os outros da saga do cacau e do ciclo de Ilhéus e Bahia, uma escrita primordial e quase ingénua, um mundo feito de profundas tristezas e desconcertadas alegrias, que Jorge Amado marcou toda a minha geração de leitores e nos abriu um horizonte nunca antes imaginado e que, mais tarde, nos levou a mergulhar de cabeça e olhos deslumbrados em toda a literatura sul-americana, como quem entra dentro de um precipício. Ele foi o guardião do castelo e o guia para o seu interior. Ele foi o escritor que me ensinou o prazer de contar histórias e o desafio de acreditar que, por mais incrível que a história fosse, eu tinha o dever de acreditar que era possível que fosse verdadeira — pois que ele assim tão bem conseguia contá-la. E foi assim também, em grande parte graças a ele, que eu aprendi a não ter medo de contar histórias.

O português Miguel Sousa Tavares é jornalista e escritor, colunista do jornal *Expresso*, de Lisboa.

cronologia

"*Terras do sem-fim* e *São Jorge dos Ilhéus* têm praticamente uma unidade temática; é uma história única que se desenvolve sob dois ângulos, dois pontos de vista, dois tempos. Um tempo que é anterior ao craque da Bolsa de Nova York, em 1929, outro posterior, depois da Revolução de 1930", resume Jorge Amado em entrevista à tradutora Alice Raillard.

O plantio de cacau na região de Ilhéus teve início ainda no século XVIII, mas foi a partir de 1910, quando o governo passou a doar terrenos a quem quisesse plantar, que a corrida pelas terras da região se intensificou. As décadas de 1910 e 1920 são o pano de fundo de *Terras do sem-fim*. A certa altura do livro, o coronel Horácio da Silveira comemora a elevação da cidade de Ilhéus a bispado, mudança que ocorreu de fato em 1913. O ciclo de prosperidade de Ilhéus culmina com a construção do porto, em 1924, financiado pelos próprios cacauicultores.

1912-1919
Jorge Amado nasce em 10 de agosto de 1912, em Itabuna, Bahia. Em 1914, seus pais transferem-se para Ilhéus, onde ele estuda as primeiras letras. Entre 1914 e 1918, trava-se na Europa a Primeira Guerra Mundial. Em 1917, eclode na Rússia a revolução que levaria os comunistas, liderados por Lênin, ao poder.

1920-1925
A Semana de Arte Moderna, em 1922, reúne em São Paulo artistas como Heitor Villa-Lobos, Tarsila do Amaral, Mário e Oswald de Andrade. No mesmo ano, Benito Mussolini é chamado a formar governo na Itália. Na Bahia, em 1923, Jorge Amado escreve uma redação escolar intitulada "O mar"; impressionado, seu professor, o padre Luiz Gonzaga Cabral, passa a lhe emprestar livros de autores portugueses e também de Jonathan Swift, Charles Dickens e Walter Scott. Em 1925, Jorge Amado foge do colégio interno Antônio Vieira, em Salvador, e percorre o sertão baiano rumo à casa do avô paterno, em Sergipe, onde passa "dois meses de maravilhosa vagabundagem".

1926-1930
Em 1926, o Congresso Regionalista, encabeçado por Gilberto Freyre, condena o modernismo paulista por "imitar inovações estrangeiras". Em 1927, ainda aluno do Ginásio Ipiranga, em Salvador, Jorge Amado começa a trabalhar como repórter policial para o *Diário da Bahia* e *O Imparcial* e publica em *A Luva*, revista de Salvador, o texto "Poema ou prosa". Em 1928, José Américo de Almeida lança *A bagaceira*, marco da ficção regionalista do Nordeste, um livro no qual, segundo Jorge Amado, se "fa-

lava da realidade rural como ninguém fizera antes". Jorge Amado integra a Academia dos Rebeldes, grupo a favor de "uma arte moderna sem ser modernista". A quebra da bolsa de valores de Nova York, em 1929, catalisa o declínio do ciclo do café no Brasil. Ainda em 1929, Jorge Amado, sob o pseudônimo Y. Karl, publica em *O Jornal* a novela *Lenita*, escrita em parceria com Edson Carneiro e Dias da Costa. O Brasil vê chegar ao fim a política do café com leite, que alternava na presidência da República políticos de São Paulo e Minas Gerais: a Revolução de 1930 destitui Washington Luís e nomeia Getúlio Vargas presidente.

1931-1935

Em 1932, desata-se em São Paulo a Revolução Constitucionalista. Em 1933, Adolf Hitler assume o poder na Alemanha, e Franklin Delano Roosevelt torna-se presidente dos Estados Unidos da América, cargo para o qual seria reeleito em 1936, 1940 e 1944. Ainda em 1933, Jorge Amado se casa com Matilde Garcia Rosa. Em 1934, Getúlio Vargas é eleito por voto indireto presidente da República. De 1931 a 1935, Jorge Amado frequenta a Faculdade Nacional de Direito, no Rio de Janeiro; formado, nunca exercerá a advocacia. Amado identifica-se com o Movimento de 30, do qual faziam parte José Américo de Almeida, Rachel de Queiroz e Graciliano Ramos, entre outros escritores preocupados com questões sociais e com a valorização de particularidades regionais. Em 1933, Gilberto Freyre publica *Casa-grande & senzala*, que marca profundamente a visão de mundo de Jorge Amado. O romancista baiano publica seus primeiros livros: *O país do Carnaval* (1931), *Cacau* (1933) e *Suor* (1934). Em 1935 nasce sua filha Eulália Dalila.

1936-1940

Em 1936, militares rebelam-se contra o governo republicano espanhol e dão início, sob o comando de Francisco Franco, a uma guerra civil que se alongará até 1939. Jorge Amado enfrenta problemas por sua filiação ao Partido Comunista Brasileiro. São dessa época seus livros *Jubiabá* (1935), *Mar morto* (1936) e *Capitães da Areia* (1937). É preso em 1936, acusado de ter participado, um ano antes, da Intentona Comunista, e novamente em 1937, após a instalação do Estado Novo. Em Salvador, seus livros são queimados em praça pública. Em setembro de 1939, as tropas alemãs invadem a Polônia e tem início a Segunda Guerra Mundial. Em 1940, Paris é ocupada pelo exército alemão. No mesmo ano, Winston Churchill torna-se primeiro-ministro da Grã-Bretanha.

1941-1945

Em 1941, em pleno Estado Novo, Jorge Amado viaja à Argentina e ao Uruguai, onde pesquisa a vida de Luís Carlos Prestes, para escrever a biografia publicada em

Buenos Aires, em 1942, sob o título *A vida de Luís Carlos Prestes*, rebatizada mais tarde *O cavaleiro da esperança*. De volta ao Brasil, é preso pela terceira vez e enviado a Salvador, sob vigilância. Em junho de 1941, os alemães invadem a União Soviética. Em dezembro, os japoneses bombardeiam a base norte-americana de Pearl Harbor, e os Estados Unidos declaram guerra aos países do Eixo. Em 1942, o Brasil entra na Segunda Guerra Mundial, ao lado dos aliados. Jorge Amado colabora na *Folha da Manhã*, de São Paulo, torna-se chefe de redação do diário *Hoje*, do PCB, e secretário do Instituto Cultural Brasil-União Soviética. Em dezembro desse mesmo ano, volta a colaborar em *O Imparcial*, assinando a coluna "Hora da guerra", e publica, após seis anos de proibição de suas obras, *Terras do sem-fim*. Em 1944, Jorge Amado lança *São Jorge dos Ilhéus*. Separa-se de Matilde Garcia Rosa. Chegam ao fim, em 1945, a Segunda Guerra Mundial e o Estado Novo, com a deposição de Getúlio Vargas. Nesse mesmo ano, Jorge Amado casa-se com a paulistana Zélia Gattai, é eleito deputado federal pelo PCB e publica o guia *Bahia de Todos os Santos*. *Terras do sem-fim* é publicado pela editora de Alfred A. Knopf, em Nova York, selando o início de uma amizade com a família Knopf que projetaria sua obra no mundo todo.

1946-1950

Em 1946, Jorge Amado publica *Seara vermelha*. Como deputado, propõe leis que asseguram a liberdade de culto religioso e fortalecem os direitos autorais. Em 1947, seu mandato de deputado é cassado, pouco depois de o PCB ser posto fora da lei. No mesmo ano, nasce no Rio de Janeiro João Jorge, o primeiro filho com Zélia Gattai. Em 1948, devido à perseguição política, Jorge Amado exila-se, sozinho, voluntariamente em Paris. Sua casa no Rio de Janeiro é invadida pela polícia, que apreende livros, fotos e documentos. Zélia e João Jorge partem para a Europa, a fim de se juntar ao escritor. Em 1950, morre no Rio de Janeiro a filha mais velha de Jorge Amado, Eulália Dalila. No mesmo ano, Amado e sua família são expulsos da França por causa de sua militância política e passam a residir no castelo da União dos Escritores, na Tchecoslováquia. Viajam pela União Soviética e pela Europa Central, estreitando laços com os regimes socialistas.

1951-1955

Em 1951, Getúlio Vargas volta à presidência, desta vez por eleições diretas. No mesmo ano, Jorge Amado recebe o prêmio Stálin, em Moscou. Nasce sua filha Paloma, em Praga. Em 1952, Jorge Amado volta ao Brasil, fixando-se no Rio de Janeiro. O escritor e seus livros são proibidos de entrar nos Estados Unidos durante o período do macarthismo. Em 1954, Getúlio Vargas se suicida. No mesmo ano, Jorge Amado é eleito presidente da Associação Brasileira de Escritores e publica *Os subterrâneos da liberdade*. Afasta-se da militância comunista.

1956-1960

Em 1956, Juscelino Kubitschek assume a presidência da República. Em fevereiro, Nikita Khruchióv denuncia Stálin no 20º Congresso do Partido Comunista da União Soviética. Jorge Amado se desliga do PCBPCB. Em 1957, a União Soviética lança ao espaço o primeiro satélite artificial, o *Sputnik*. Surge, na música popular, a Bossa-Nova, com João Gilberto, Nara Leão, Antonio Carlos Jobim e Vinicius de Moraes. A publicação de *Gabriela, cravo e canela*, em 1958, rende vários prêmios ao escritor. O romance inaugura uma nova fase na obra de Jorge Amado, pautada pela discussão da mestiçagem e do sincretismo. Em 1959, começa a Guerra do Vietnã. Jorge Amado recebe o título de obá Arolu no Axé Opô Afonjá. Embora fosse um "materialista convicto", admirava o candomblé, que considerava uma religião "alegre e sem pecado". Em 1960, inaugura-se a nova capital federal, Brasília.

1961-1965

Em 1961, Jânio Quadros assume a presidência do Brasil, mas renuncia em agosto, sendo sucedido por João Goulart. Yuri Gagarin realiza na nave espacial *Vostok* o primeiro voo orbital tripulado em torno da Terra. Jorge Amado vende os direitos de filmagem de *Gabriela, cravo e canela* para a Metro-Goldwyn-Mayer, o que lhe permite construir a casa do Rio Vermelho, em Salvador, onde residirá com a família de 1963 até sua morte. Ainda em 1961, é eleito para a cadeira 23 da Academia Brasileira de Letras. No mesmo ano, publica *Os velhos marinheiros*, composto pela novela *A morte e a morte de Quincas Berro Dágua* e pelo romance *O capitão-de-longo-curso*. Em 1963, o presidente dos Estados Unidos, John Kennedy, é assassinado. O Cinema Novo retrata a realidade nordestina em filmes como *Vidas secas* (1963), de Nelson Pereira dos Santos, e *Deus e o diabo na terra do sol* (1964), de Glauber Rocha. Em 1964, João Goulart é destituído por um golpe e Humberto Castelo Branco assume a presidência da República, dando início a uma ditadura militar que irá durar duas décadas. No mesmo ano, Jorge Amado publica *Os pastores da noite*.

1966-1970

Em 1968, o Ato Institucional nº 5 restringe as liberdades civis e a vida política. Em Paris, estudantes e jovens operários levantam-se nas ruas sob o lema "É proibido proibir!". Na Bahia, floresce, na música popular, o tropicalismo, encabeçado por Caetano Veloso, Gilberto Gil, Torquato Neto e Tom Zé. Em 1966, Jorge Amado publica *Dona Flor e seus dois maridos* e, em 1969, *Tenda dos Mi-*

lagres. Nesse último ano, o astronauta norte-americano Neil Armstrong torna-se o primeiro homem a pisar na Lua.

1971-1975

Em 1971, Jorge Amado é convidado a acompanhar um curso sobre sua obra na Universidade da Pensilvânia, nos Estados Unidos. Em 1972, publica *Tereza Batista cansada de guerra* e é homenageado pela Escola de Samba Lins Imperial, de São Paulo, que desfila com o tema "Bahia de Jorge Amado". Em 1973, a rápida subida do preço do petróleo abala a economia mundial. Em 1975, *Gabriela, cravo e canela* inspira novela da TV Globo, com Sônia Braga no papel principal, e estreia o filme *Os pastores da noite*, dirigido por Marcel Camus.

1976-1980

Em 1977, Jorge Amado recebe o título de sócio benemérito do Afoxé Filhos de Gandhy, em Salvador. Nesse mesmo ano, estreia o filme de Nelson Pereira dos Santos inspirado em *Tenda dos Milagres*. Em 1978, o presidente Ernesto Geisel anula o AI-5 e reinstaura o *habeas corpus*. Em 1979, o presidente João Baptista Figueiredo anistia os presos e exilados políticos e restabelece o pluripartidarismo. Ainda em 1979, estreia o longa-metragem *Dona Flor e seus dois maridos*, dirigido por Bruno Barreto. São dessa época os livros *Tieta do Agreste* (1977), *Farda, fardão, camisola de dormir* (1979) e *O gato malhado e a andorinha Sinhá* (1976), escrito em 1948, em Paris, como um presente para o filho.

1981-1985

A partir de 1983, Jorge Amado e Zélia Gattai passam a morar uma parte do ano em Paris e outra no Brasil — o outono parisiense é a estação do ano preferida por Jorge Amado, e, na Bahia, ele não consegue mais encontrar a tranquilidade de que necessita para escrever. Cresce no Brasil o movimento das Diretas Já. Em 1984, Jorge Amado publica *Tocaia Grande*. Em 1985, Tancredo Neves é eleito presidente do Brasil, por votação indireta, mas morre antes de tomar posse. Assume a presidência José Sarney.

1986-1990

Em 1987, é inaugurada em Salvador a Fundação Casa de Jorge Amado, marcando o início de uma grande reforma do Pelourinho. Em 1988, a Escola de Samba Vai-Vai é campeã do Carnaval, em São Paulo, com o enredo "Amado Jorge: A história de uma raça brasileira". No mesmo ano, é promulgada nova Constituição brasileira. Jorge Amado publica *O sumiço da santa*. Em 1989, cai o Muro de Berlim.

1991-1995

Em 1992, Fernando Collor de Mello, o primeiro presidente eleito por voto direto depois de 1964, renuncia ao cargo durante um processo de *impeachment*. Itamar Franco assume a presidência. No mesmo ano, dissolve-se a União Soviética. Jorge Amado preside o 14º Festival Cultural de Asylah, no Marrocos, intitulado "Mestiçagem, o exemplo do Brasil", e participa do Fórum Mundial das Artes, em Veneza. Em 1992, lança dois livros: *Navegação de cabotagem* e *A descoberta da América pelos turcos*. Em 1994, depois de vencer as Copas de 1958, 1962 e 1970, o Brasil é tetracampeão de futebol. Em 1995, Fernando Henrique Cardoso assume a presidência da República, para a qual seria reeleito em 1998. No mesmo ano, Jorge Amado recebe o prêmio Camões.

1996-2000

Em 1996, alguns anos depois de um enfarte e da perda da visão central, Jorge Amado sofre um edema pulmonar em Paris. Em 1998, é o convidado de honra do 18º Salão do Livro de Paris, cujo tema é o Brasil, e recebe o título de doutor *honoris causa* da Sorbonne Nouvelle e da Universidade Moderna de Lisboa. Em Salvador, termina a fase principal de restauração do Pelourinho, cujas praças e largos recebem nomes de personagens de Jorge Amado.

2001

Após sucessivas internações, Jorge Amado morre em 6 de agosto de 2001.

A primeira edição, de 1943, com ilustrações de Clóvis Graciano. Em 1945, *Terras do sem-fim* foi publicado nos Estados Unidos pela editora de Alfred Knopf, selando o início de uma amizade que projetaria a obra de Jorge Amado no mundo todo. Ao lado, Jorge e Knopf nos Estados Unidos, em 1971. Foto de Zélia Gattai Amado

48

manejaram o chicote quando o coronel era apenas um tropeiro de burros, empregado de uma roça no Rio do Braço. Aquelas mãos manejaram depois a repetição quando o coronel se fez conquistador da terra. Corriam lendas sobre ele, nem mesmo o coronel Horacio sabia de tudo que em Ilhéus e em Tabocas, em Palestina e em Ferradas, em Agua Branca e em Agua Preta, se contava sobre ele e sua vida. As velhas beatas que rezavam a São Jorge na igreja de Ilhéus costumavam dizer que o coronel Horacio, de Ferradas, tinha, debaixo da sua cama, o diabo preso numa garrafa. Como o prendera era uma historia longa, que envolvia a venda da alma do coronel num dia de temporal. E o diabo, feito servo obediente, atendia a todos os desejos de Horacio, aumentava-lhe a fortuna, ajudava-o contra os seus inimigos. Mas um dia - e as velhas se persignavam ao dize-lo - Horacio morreria sem confissão e o diabo saíndo da garrafa levaria a sua alma para as profundas dos infernos. Dessa historia o coronel Horacio sabia e ria dela, uma daquelas suas risadas curtas e secas, que amedrontavam mais que mesmo os seus gritos nas manhãs de raiva.

Outras historias se contavam e essas estavam mais proximas da realidade. O dr. Ruy, quando bebia demasiado, gostava de lembrar a defesa que certa vez fizera do coronel num processo de ha muitos anos passados. Acusavam Horacio de tres mortes e de tres mortes barbaras. Dizia o processo que não contente de ter matado um dos homens, cortara-lhe as orelhas, a lingua, o nariz, e os ovos. O promotor estava comprado, estava ali para impronunciar o coronel. Ainda assim o dr. Ruy pudera brilhar, escrevera uma defesa linda, onde falara em "clamorosa injustiça", em "calunias forjadas por inimigos anonimos sem honra e sem dignidade". Um triumfo, uma daquelas defesas que o consagraram como um grande advogado. Fizera o elogio do coronel, um dos fazendeiros mais prosperos da zona, homem que fizera levantar não só a capela de Ferradas,

(49)

Manuscritos de *Terras do sem-fim*

colo e falou:

--Tá com ciume da tua gatinha? Porque? Voce bem sabe que eu nem ligo pras propostas que me fazem. Se eu me soquei aqui foi por tua causa , porque havia de te enganar?

Beijou-o muito , agora pedia:

--Leva tua gatinha ,meu negro , eu juro que não saio. Só com voce pra ir no cabaré. Não saio do quarto , não converso com homem nenhum. Quando voce não tiver tempo eu passo o dia trancada...

Virgilio sentiu que estava cedendo. Mudou de tatica:

--Tambem não sei o que é que voce acha de tão horroroso em Tabocas que não pode passar dez dias aqui sosinha... Só quer estar metida em Ilheus...

Ela levantou-se , foi quando apontou a rua:

--E' um cemiterio...

Falou de novo do erro dele ter se metido ali , sacrificando seu futuro e a vida dela. Virgilio pensou em explicar. Mas compreendeu que não valia mais a pena , naquela hora viu que seu caso com Margot havia chegado ao fim. Desde que conhecera Ester que não tinha olhos para outra mulher. Mesmo na cama com Margot não era o mesmo amante de outras noites , sensual , apaixonado pelo corpo dela. Já olhava com certa indiferença os seus encantos , as coxas roliças , os ares de virgem, as invenções que ela sabia para tornar ainda mais saborosa a hora do amor. Agora seu peito era só desejo , mas desejo de Ester , dela toda , seus pensamentos e seu corpo, seu coração e seu sexo. Por isso ficou de boca semi-aberta naquele gesto de quem ia começar a dizer qualquer coisa. Margot esperava. E como ele não falasse , apenas levantasse a mão como a dizer que não valia a pena , ela voltou á carga:

--Tú me trata como uma escrava. Se toca pra Ilhéus , me larga aqui. Depois vem com essa historia de ciume. Conversa fiada. Eu é que sou mesmo besta. Mas agora não vou ser mais... Agora quando vier um com conversa pra meu lado , querendo me levar pra Ilheus e pra Bahia , eu vou dar trela...

O artista plástico mexicano Diego Rivera, Jorge Amado e o poeta chileno Pablo Neruda na casa de Neruda em Isla Negra, Chile, 1953. Foto de Zélia Gattai Amado. Ao lado, ilustração de Rivera oferecida a Jorge Amado e Zélia Gattai. Reprodução de Adenor Gondim

De "Terras do Sem Fim"

Era uma vez três irmãs,
Maria, Lucia, Violeta:
unidas nas gargalhadas,
unidas nas correrias.
Lucia, a das alegres tranças;
Violeta, a dos olhos mortos.
Maria, a mais moça das três.
Era uma vez três irmãs,
unidas no seu destino.

Isla Negra 1953. Para Zélia y Jorge Amado. Diego Rivera. 20 de Mayo

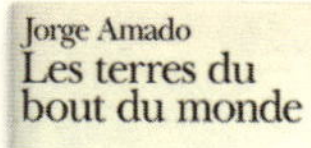

Terras do sem-fim foi publicado em um sem-número de países: capas americana, espanhola, francesa, israelense, italiana, portuguesa, sueca, turca e uruguaia

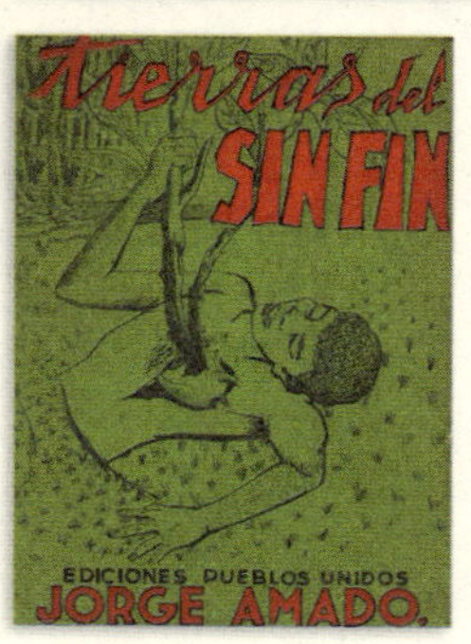

CONSULADO GERAL DA REPUBLICA DOS ESTADOS UNIDOS DO BRASIL.

O Cônsul Geral do Brasil em Montevidéu:

CERTIFICA que o Senhor JORGE AMADO, brasileiro, casado, com 30 anos de idade, natural de Ilhéus, Estado da Baía, de profissão escritor, viaja com destino á PORTO-ALEGRE.

E, para que possa entrar em território nacional sem impedimento algum, concedí-lhe o presente documento, válido por uma só viagem, que assino e faço selar com o Sêlo de Armas dêste Consulado Geral da República dos Estados Unidos do Brasil em Montevidéu aos oito dias do mês de Setembro de mil novecentos e quarenta e dois.

MONTEVIDÉU, 8 de Setembro de 1942.

LABIENNO SALGADO DOS SANTOS
CÔNSUL GERAL

Assinatura do portador

Polegar direito.

Depois do exílio no Uruguai, Jorge Amado retorna ao Brasil em 1942 e no ano seguinte publica *Terras do sem-fim*

Ilustração de Aldemir Martins para a novela *Terras do sem-fim*, da TV Globo, 1981. Reprodução de Adenor Gondim

Em 1948, a Atlântida Cinematográfica produziu o filme *Terra violenta*, inspirado no romance de Jorge Amado e dirigido por Edmond Bernoudy e Paulo Machado. Acervo da Cinemateca Brasileira